UN MULTIGUIDE NATURE

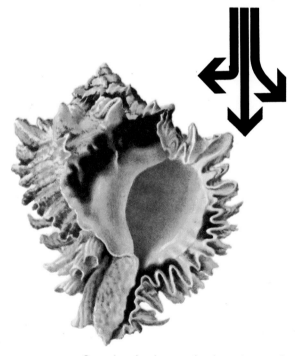

Sur simple demande de votre part,
les éditions Elsevier Séquoia
1, rue du 29 Juillet, 75001 Paris
14, rue de l'Arbre, 1000 Bruxelles
se feront un plaisir
de vous tenir au courant de leurs publications.

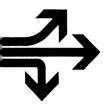

A.P.H. OLIVER
Sans avoir, au départ, une formation
scientifique précise, l'auteur s'est découvert,
très jeune, une vocation de collectionneur
de coquillages. Par la suite, sa profession
lui a permis de poursuivre ses recherches
aux quatre coins du monde et de constituer
ainsi une des plus admirables collections
privées.

James NICHOLLS
Dessinateur publicitaire émérite, l'illustrateur
de cet ouvrage s'est souvenu de son
expérience de lithographe pour nous
permettre d'admirer d'une manière très
précise les plus belles pièces de la
collection Oliver.

Les coquillages marins

du monde en couleurs

A. P. H. Oliver

Elsevier Séquoia   **Paris-Bruxelles**

Le présent multiguide a été réalisé
avec la collaboration de :

Jean Ramier et **Dominique Sabrier**
pour la coordination générale

Véronique Galand
pour la traduction française

Jean-Pierre Allard
pour la direction technique

James Nicholls
pour les illustrations en couleurs

Edition originale : **The Hamlyn Guide to Seashells of the world**
par A.P.H. Oliver
© 1975 The Hamlyn Publishing Group Limited

Pour l'édition française :
© 1975 Elsevier Séquoia, Bruxelles

Imprimé en Italie par Officine Grafiche A. Mondadori, Verona

Version française - imprimé en France par l'imprimerie de nemours
dépôt légal 4e trimestre 1975 n° 991

ISBN 2-8003-0093-0
(édition originale :
ISBN 0-600-34397-9)
Dépôt légal : D/1975/0027/45

Introduction

Un guide des coquillages... mais de quels coquillages ? Les plus communs, les plus connus, les plus spectaculaires ? Choisir un de ces groupes eût été bien difficile et inévitablement subjectif ; aussi ai-je éludé la question en sélectionnant les coquillages que je préférais voir illustrés. Je crois que mes goûts coïncident assez bien avec ceux du collectionneur moyen et j'espère ainsi satisfaire la plupart des lecteurs tout en sachant qu'ils s'interrogeront à certains moments sur les raisons de mon choix.

Je consacre la majeure partie du présent ouvrage aux gastéropodes car ils me semblent représenter la classe la plus fascinante pour la plupart des collectionneurs. Je mentionne également les bivalves les plus intéressants et fournis quelques exemples de chacune des autres classes de mollusques. Les grandes familles comme les porcelaines, les cônes, les volutes et les strombes occupent une place importante. Pour chaque famille, je donne la préférence aux espèces les plus communes, mais je fais aussi figurer des coquillages rares, connus et recherchés par les collectionneurs, appréciés pour leur beauté ou figurant parmi mes favoris. J'illustre surtout les exemples caractéristiques d'une espèce tout en réservant une place à des variétés moins communes mais particulièrement intéressantes.

Nous avons essayé de représenter les coquillages en grandeur nature, mais cela n'a pas été possible dans tous les cas. Toutefois, tous les coquillages figurant sur une même page sont illustrés à la même échelle. De plus, leur taille moyenne figure dans le texte. Je n'ai pu délimiter qu'approximativement l'aire d'expansion des espèces, car on découvre chaque mois de nouvelles localisations pour une ou plusieurs espèces.

LA CLASSIFICATION

Dans l'étude des animaux et des plantes, la classification est essentielle pour déterminer leurs relations. Elle se fonde sur des ressemblances et des différences anatomiques fixées par Linné. La première division s'établit entre le règne animal et le règne végétal. Le premier se divise en embranchements.

L'embranchement des mollusques dont il est question dans ce livre, comporte un nombre important d'espèces qui le situe en seconde place immédiatement après celui des arthropodes. Les membres de chaque embranchement sont groupés en classes d'après leurs différences anatomiques fondamentales. Les mollusques comprennent six classes : les gastéropodes, les bivalves, les scaphopodes, les amphineures, les céphalopodes et les monoplacophores ; leurs différences principales résident dans la structure de la coquille et du pied. Chaque classe est divisée en ordres d'après des différences anatomiques moins manifestes. Les membres de ces ordres se groupent ensuite en familles, puis en espèces ; les membres d'une même espèce sont suffisamment semblables pour que leur accouplement soit fécond.

Le nom scientifique d'une espèce est généralement suivi du nom de la pre-

5

mière personne qui ait décrit et nommé cette espèce (l'auteur) et de la date de cette description, afin que l'on puisse aisément se référer à l'ouvrage adéquat. Il n'a pas été possible de préciser ces dates pour chaque coquillage : le lecteur comblera éventuellement ces petites lacunes au gré de sa documentation personnelle. Je n'ai pas abrégé les noms des auteurs à l'exception de celui de Linné (L).

La classification d'un embranchement aussi important que celui des mollusques est évidemment complexe, et malgré le grand nombre d'ouvrages édités actuellement sur ce sujet, la nomenclature des coquillages soulève parfois de grandes difficultés, même si l'on a la chance de se référer à la collection soignée d'un musée. Les taxonomistes découvrent continuellement des dénominations antérieures à celles employées couramment, et c'est la dénomination la plus ancienne qui fait autorité. En outre, une étude approfondie des coquillages révèle parfois que deux espèces qu'on avait crues distinctes ne sont en fait que des variétés de la même espèce, et vice-versa.

Vous trouverez à la page 163 un exemple des difficultés rencontrées. J'ai acquis, sous le nom de *Murex radiatus*, un coquillage provenant de l'ouest de l'Amérique centrale. Il ne semble cependant pas exister de coquillage portant ce nom. Il ne s'agit pas non plus de *Murexiella radicata* HINDS puisque ce dernier présente cinq varices et que le mien en a seulement trois et ressemble plutôt à un coquillage du genre *Chicoreus*. Le docteur Myra Keen, une spécialiste de l'ouest de l'Amérique centrale, ne mentionne aucun *Chicoreus* dans cette région; l'ouvrage de Maxwell Smith intitulé *An Illustrated Catalog of the Recent Species of the Rock Shells* renferme l'illustration d'un coquillage semblable au mien et provenant du golfe de Californie, que l'auteur appelle *Murex (Chicoreus) palmarosae mexicanus* STEARNS 1897. Dans la première édition de *Marine Shells of Tropical West America*, le docteur Myra Keen le classe comme un muricidé de classification douteuse et affirme : « Il doit être rejeté pour deux raisons : la première est que ce spécimen semble être une forme des océans Indien et Pacifique classée à tort comme provenant de la côte américaine; la seconde est que le nom *Murex mexicanus* PETIT 1852 a été utilisé pour une forme des Caraïbes ».

Le docteur E.H. Vokes, une spécialiste des muricidés, ne reprend pas ce nom dans son *Catalogue of the Genus Murex LINNE; Muricidae and Ocenebridae 1971*. J'ai consulté la collection du British Museum où se trouvent ressemblant le plus au mien sont classés sous le nom de *Murex (Chicoreus) corrugatus* SOWERBY 1841, qu'on trouve dans les océans Indien et Pacifique. Pour ajouter à la confusion, je possède un autre coquillage fort semblable, que j'ai trouvé en Malaisie et que je suis incapable d'identifier.

Si mon coquillage est celui illustré par Maxwell Smith, celui-ci aurait alors raison de le situer dans cette région, et mon spécimen pourrait être de la même espèce; si le docteur Myra Keen a raison — et c'est une zoologiste de renommée mondiale, grande spécialiste des muricidés — le spécimen de Maxwell Smith et le mien proviendraient tous deux des océans Indien et Pacifique, soit qu'ils aient été introduits accidentellement en Amérique, soit que l'on ait communiqué des données erronées à leur sujet. Tout ceci illustre bien les problèmes rencontrés par les collectionneurs amateurs, mais ne doit toutefois pas les décourager.

LES MOLLUSQUES

A peu près la moitié du vaste embranchement des mollusques, qui comprend quelque 100 000 espèces, vit en eau salée; l'autre moitié vit en eau douce ou sur terre. Cet ouvrage ne traite que des premiers, qui peuplent du reste toutes les eaux, polaires et tropicales, profondes et superficielles. Les coquillages vivant en eaux chaudes sont généralement plus colorés que ceux des eaux froides, qu'il s'agisse des océans Arctique et Antarctique ou des profondeurs des régions tempérées et tropicales. La plupart des coquillages repris dans le présent ouvrage sont des coquillages d'eau chaude; toute référence, aux océans Indien et Pacifique par exemple, exclut l'Extrême-Sud de ces océans et l'Extrême-Nord du Pacifique.

Les mollusques possèdent un cerveau, un système digestif et un système reproducteur. Presque tous pondent des œufs, et certains s'en occupent même après la ponte. On trouve souvent des porcelaines femelles siégeant au sommet de leur tas d'œufs... et on devrait les y laisser! Après l'éclosion, de nombreuses espèces passent par le stade de la larve véligère avant de devenir la réplique miniature de l'animal adulte.

Tous les mollusques, à l'exception des bivalves, possèdent une espèce de langue couverte de dents, la radula, avec laquelle ils râpent leurs aliments. Certains sont végétariens, d'autres carnivores, d'autres encore nécrophages. Les cônes et les térèbres tuent leurs proies en leur inoculant du poison à l'aide d'une sorte de dard. Si les térèbres sont inoffensifs pour l'homme, certains cônes peuvent par contre provoquer des douleurs très vives entraînant même la mort; c'est pourquoi il faut agir avec prudence lorsqu'on collectionne ces coquillages vivants. Le dard pouvant percer plus que la peau, il est déconseillé de transporter l'animal vivant dans une poche ou dans un sac proche de la peau.

Les mollusques sont des animaux à corps mou qui se protègent presque tous en développant une enveloppe dure ou coquille. Celle-ci peut être d'une pièce comme chez les gastéropodes, les scaphopodes ou dentales et un genre des céphalopodes, *Nautilus*. Les bivalves, tels les huîtres, les clovisses et les moules, construisent une coquille en deux parties. La coquille des chitons se compose généralement de huit plaques se chevauchant pour former une carapace, qui fait ressembler l'animal à un vulgaire cloporte sans pattes. Certains gastéropodes, les nudibranches marins et les limaces terrestres, et de nombreux céphalopodes, y compris le poulpe et le calmar, sont dépourvus de coquille externe. Certains possèdent une coquille interne, dont l'exemple le plus connu est l'os de seiche dont on nourrit les oiseaux de cage.

Les mollusques à coquille sont pourvus d'un ou deux lobes de peau constituant le manteau, dont le bord sécrète la coquille. Les bivalves grandissent en accroissant le bord de leurs valves du côté opposé à l'umbo — sorte de ligament unissant les deux valves. Les gastéropodes le font en développant un tube enroulé en spirale, habituellement dextrogyre. Les patelles et les haliotides ne forment généralement pas de tube.

Chez certaines familles, les muricidés par exemple, la croissance de la coquille connaît des périodes de repos. Après avoir élaboré une partie d'un tour, l'animal construit un labre, souvent très renforcé, avant de continuer. Les anciens labres ont l'aspect de varices sur la coquille. La majorité des muricidés possèdent trois varices par tour, quelques-uns jusqu'à huit, tandis que les bursidés en ont souvent deux. Certains coquillages comme ceux du genre *Lambis* ne construisent pas de labre renforcé avant l'âge adulte; le labre se prolonge alors en de longues et fortes épines. Les porcelaines, elles aussi, atteignent l'âge adulte avant que le labre ne s'enroule, ne s'épaississe et ne produise des denticulations. D'autres, comme les cônes, ne modifient pas leur labre et par conséquent rien n'indique qu'ils ont atteint leur taille maximale.

La coquille de nombreux mollusques est couverte d'une sorte de peau, le périostracum, souvent assez velue. Celle-ci se craquèle et s'écaille souvent lorsqu'elle est sèche, mais s'ôte facilement après un trempage de quelques heures dans de l'eau de Javel suivi d'un rinçage à grande eau. Ce traitement n'abîme pas la coquille et permet d'en voir les couleurs. Un animal vivant couvert de son périostracum tel qu'on le voit dans l'eau est très différent de l'animal dont le périostracum s'est écaillé ou a été enlevé. Les porcelaines et les olives en sont dépourvues, et leurs couleurs sont aussi belles et brillantes que dans les collections — elles le sont même davantage, car les couleurs perdent souvent de leur éclat après la mort de l'animal.

De nombreux gastéropodes sont pourvus d'une sorte de clapet ou opercule attaché à l'animal, avec lequel ils peuvent fermer l'ouverture pour se protéger. Cet opercule est solide et lourd comme l'œil-de-chat des turbinidés et des néritidés, ou flexible et corné comme chez les trochidés et les muricidés. Parfois, chez certains cônes par exemple, il est très petit, érodé et ne clôt pas l'ouverture. La plupart des collectionneurs aiment garder l'opercule de leurs specimens dans la coquille ou collé sur un morceau d'ouate dans sa position d'origine. Il faut veiller à ne pas mettre un opercule corné en contact avec l'eau de Javel lorsqu'on y trempe la coquille, car il pourrait s'y dissoudre.

QUELQUES CONSEILS AUX COLLECTIONNEURS

Il ne faut pas oublier qu'en se promenant sur les récifs ou en nageant au tuba à la surface de l'eau, on peut très vite être gravement brûlé par le soleil, surtout sous les tropiques. Il est donc prudent de vous vêtir d'une vieille chemise et d'un fin pantalon qui vous protégeront du soleil, des égratignures contre les rochers ou le corail ainsi que des piqûres de certains animaux, comme les Méduses, qui peuvent être très douloureuses et parfois dangereuses. Pour cette même raison, ne marchez jamais pieds nus sur un récif et portez toujours des gants. A part les cônes venimeux, il existe d'autres animaux dangereux : les Vives paresseuses et bien camouflées, les Murènes, certaines Raies, les Serpents de mer et les Cubomeduses, sans compter les Requins ! On a beaucoup écrit sur ces derniers ; retenons surtout qu'ils ont des réactions imprévisibles. Si vous en rencontrez un, éloignez-vous de lui aussi vite que possible, sans mouvements trop brusques. Il vaut mieux porter des vêtements foncés, car les requins sont, pense-t-on, attirés par les couleurs claires et la peau blanche.

Songez qu'il n'y a pas un nombre infini de coquillages par espèce et n'en emportez pas plus que nécessaire. Si vous retournez des rochers ou des morceaux de corail, n'oubliez pas de les replacer ; en effet, de nombreux animaux vivent et déposent leur œufs sous les rochers et le corail ; si on les laisse à découvert, ils peuvent être mangés ou mourir faute d'abri. La chasse aux coquillages a fait tellement d'adeptes ces dernières années que de nombreux récifs accessibles ont été dépouillés d'une grande partie de leurs mollusques par des amateurs peu scrupuleux.

Conservez pour chaque spécimen le plus d'informations possible : le nom, la date de la découverte, l'endroit et la profondeur où on l'a trouvé, le type d'habitat, etc.

Le nettoyage des coquillages est une opération délicate. Pour extraire l'animal, on peut placer les coquillages dans de l'eau qu'on porte à ébullition ; on les laisse ensuite refroidir ; un tel traitement risque cependant de craqueler le vernis des porcelaines et des olives. Il est possible de retirer les chairs molles restantes avec un fil de fer plié ; pour ma part, je trouve très utile la vieille seringue hypodermique avec laquelle je projette dans la coquille un puissant jet d'eau qui entraîne les restes organiques. Dans les régions tropicales, il est possible aussi d'enterrer les coquillages dans le sable sec, mais pas l'un au-dessus de l'autre, pour que les fourmis accomplissent leur travail. Avec cette méthode mieux vaut ne pas avoir l'odorat trop sensible !

Il ne faut jamais utiliser d'acide pour ôter les dépôts calcaires, de crainte d'altérer la coquille elle-même, spécialement les ornements délicats des muricidés qui semblent souvent recouverts de ces dépôts. Il n'est pas conseillé de polir ou de vernir les coquillages ternis, mais plutôt de les enduire légèrement d'une huile fine pour remplacer le lubrifiant naturel et raviver l'éclat des couleurs.

On n'exposera pas sa collection à la lumière, car la lumière solaire en particulier ternirait vite les coquillages. C'est pourquoi les coquillages des musées n'ont jamais de belles couleurs. Les collections principales sont rangées dans des meubles à l'abri de la lumière.

Les collectionneurs qui ne trouvent pas le coquillage qu'ils désirent ou ne peuvent pas se rendre dans les régions où il vit peuvent se le procurer au moyen de bourses d'échanges ou en les achetant. On trouvera des adresses dans certaines revues spécialisées ou par l'intermédiaire d'une société de conchyliologie.

Pour terminer, je conseillerai au débutant de décider rapidement dans quels coquillages il va se spécialiser.

L'embranchement des mollusques est si vaste qu'on obtiendra sans doute plus de satisfactions en limitant sa collection à quelques familles ou aux coquillages d'une même région. On peut ainsi constituer une collection plus complète et parfaire ses connaissances dans une partie d'un très vaste domaine.

Note de l'éditeur
Le lecteur ne trouvera dans cet ouvrage que les noms scientifiques latins des espèces. Les noms usuels variant souvent d'une région française à l'autre, l'éditeur, pour éviter des confusions, n'a pas mentionné ces dénominations vagues.
Cependant nous avons indiqué les noms usuels des familles. Nous tenons toutefois à préciser que ceux-ci ne correspondent pas exactement au nom latin de la nomenclature ; ainsi le mot « porcelaine » s'applique non seulement aux Cyprées mais aussi à certains coquillages qui leur ressemblent.
Pour fournir au lecteur un maximum d'information dans l'espace limité dont nous disposions, nous avons été contraints d'utiliser un style télégraphique.

Glossaire

antérieur : situé à l'extrémité dirigée dans le sens de locomotion de l'animal ; le plus éloigné de l'apex.

apex : partie initiale de la coquille ; sommet de la spire, généralement pointu.

axe : ligne imaginaire allant de l'apex à la base, autour de laquelle les tours s'enroulent.

base : extrémité antérieure d'une coquille, spécialement l'extrémité aplatie des troques ; terme utilisé aussi, improprement, pour décrire le côté plat des porcelaines.

bifide : séparé en deux.

bord pariétal : zone basale d'une coquille en spirale, située du côté columellaire de l'ouverture.

cal, callosité : épaississement de la couche calcaire ; adj. calleux.

canal anal : sillon ou orifice par lequel l'animal évacue ses déchets ; généralement situé à l'extrémité postérieure du labre.

canal siphonal : sillon situé à l'extrémité antérieure et par lequel l'animal peut passer son siphon, une extension tubulaire du manteau servant au passage de l'eau.

carène : côte proéminente ; adj. caréné.

cicatrice musculaire : voir empreinte musculaire.

columelle : colonne centrale d'une coquille de gastéropode enroulée en spirale, formée par les côtés internes ou axiaux des tours ; adj. columellaire.

cordon : petite côte au sommet arrondi.

crénelé : pourvu d'un bord régulièrement indenté.

crochet : voir umbo.

croisé : voir réticulé.

déprimé : bas ; proche du diamètre.

dernier tour : dernier tour complet formé à 360° par rapport au labre.

dos : arrière de la coquille, opposé à l'ouverture.

empreinte musculaire (ou cicatrice musculaire) **:** marque située à l'intérieur d'une coquille (par exemple chez les bivalves et les haliotides) à l'endroit où le muscle était fixé.

encoche siphonale : dépression ou échancrure du labre par où le siphon peut passer.

fasciole : bande longitudinale formée par les échancrures des diverses étapes de la formation du canal siphonal.

fossule : légère dépression linéaire sur le bord interne de certaines porcelaines.

fusiforme : en forme de fuseau.

globuleux : plus ou moins sphérique.

hauteur : distance de l'apex à la base ou extrémité antérieur de la coquille.

labre : voir péristome.

lamelle : plaque ou écaille fine ; adj. lamellé.

largeur : partie la plus large d'une coquille mesurée à angle droit par rapport à l'axe.

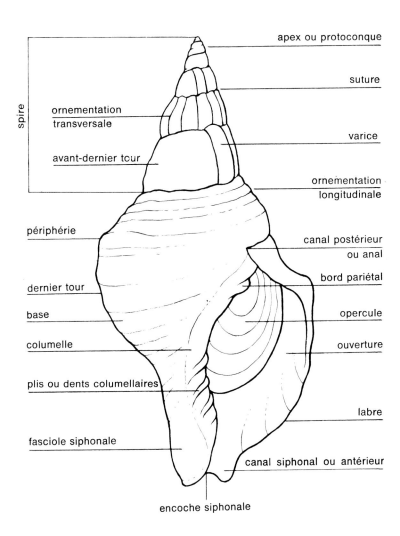

apex ou protoconque

suture

varice

ornementation longitudinale

canal postérieur ou anal

bord pariétal

opercule

ouverture

labre

canal siphonal ou antérieur

spire

ornementation transversale

avant-dernier tour

périphérie

dernier tour

base

columelle

plis ou dents columellaires

fasciole siphonale

encoche siphonale

lèvre : voir péristome.
longitudinal : se déroulant le long des tours, plus ou moins parallèlement à la suture.
longueur : distance du bord antérieur au bord postérieur chez les patellidés, acméidés ou fissurellidés ; chez les haliotidés, la plus grande distance entre deux points quelconques de la circonférence de la coquille.
nodule : petite grosseur ; adj. noduleux.
nucleus : premiers tours à l'apex d'une coquille, formés lors du stade larvaire de l'animal ; la plus ancienne partie de l'opercule.

10

ombilic : orifice longitudinal à l'intérieur des tours d'une coquille lâchement enroulée où il n'y a pas eu formation de columelle ; adj. ombiliqué.

opercule : pièce cornée ou calcaire servant à fermer plus ou moins l'ouverture de la coquille.

ouverture : chez les gastéropodes, orifice par lequel l'animal peut émerger de sa coquille.

périostracum : enveloppe velue ou lisse formée d'une substance calcaire (la conchyoline) entourant la coquille chez de nombreuses espèces.

périphérie : endroit le plus large de la coquille ou d'un tour, c'est-à-dire le plus éloigné de l'axe.

péristome : bord qui entoure l'ouverture ; composé de deux parties, la lèvre interne ou lèvre columellaire et la lèvre externe ou labre, la plus éloignée de la columelle.

piriforme : en forme de poire.

postérieur : contraire d'antérieur ; côté arrière ou apical d'un gastéropode ; extrémité siphonale d'un bivalve.

protoconque : tours de l'apex, surtout s'ils se distinguent clairement des autres.

pustule : petite élévation arrondie, plus petite qu'un tubercule ; adj. pustuleux.

rétuculé : orné de sculptures se croisant à angle droit (croisé ou treillissé).

ride : fine ligne ou sillon.

rostre : extension en forme de bec, par exemple chez *Tibia* et certaines cyprées.

sculpture : dessin en relief sur la surface de la coquille.

spatulé : pourvu de digitations larges et émoussées.

spire : ensemble des tours excepté le dernier.

strie : fine rainure.

suture : ligne de soudure des tours.

tour : enroulement complet de 360° d'une coquille.

transversal : perpendiculaire par rapport à l'enroulement des tours.

treillissé : voir réticulé.

tubercule : protubérance arrondie plus grande qu'une pustule ; adj. tuberculé.

umbo ou crochet : partie initiale de la coquille des bivalves.

varice : côté épaissie formée sur le labre pendant une période de repos dans la croissance de la coquille.

Les cartes des pages suivantes permettent de situer l'aire de distribution des coquillages mentionnés dans ce livre.

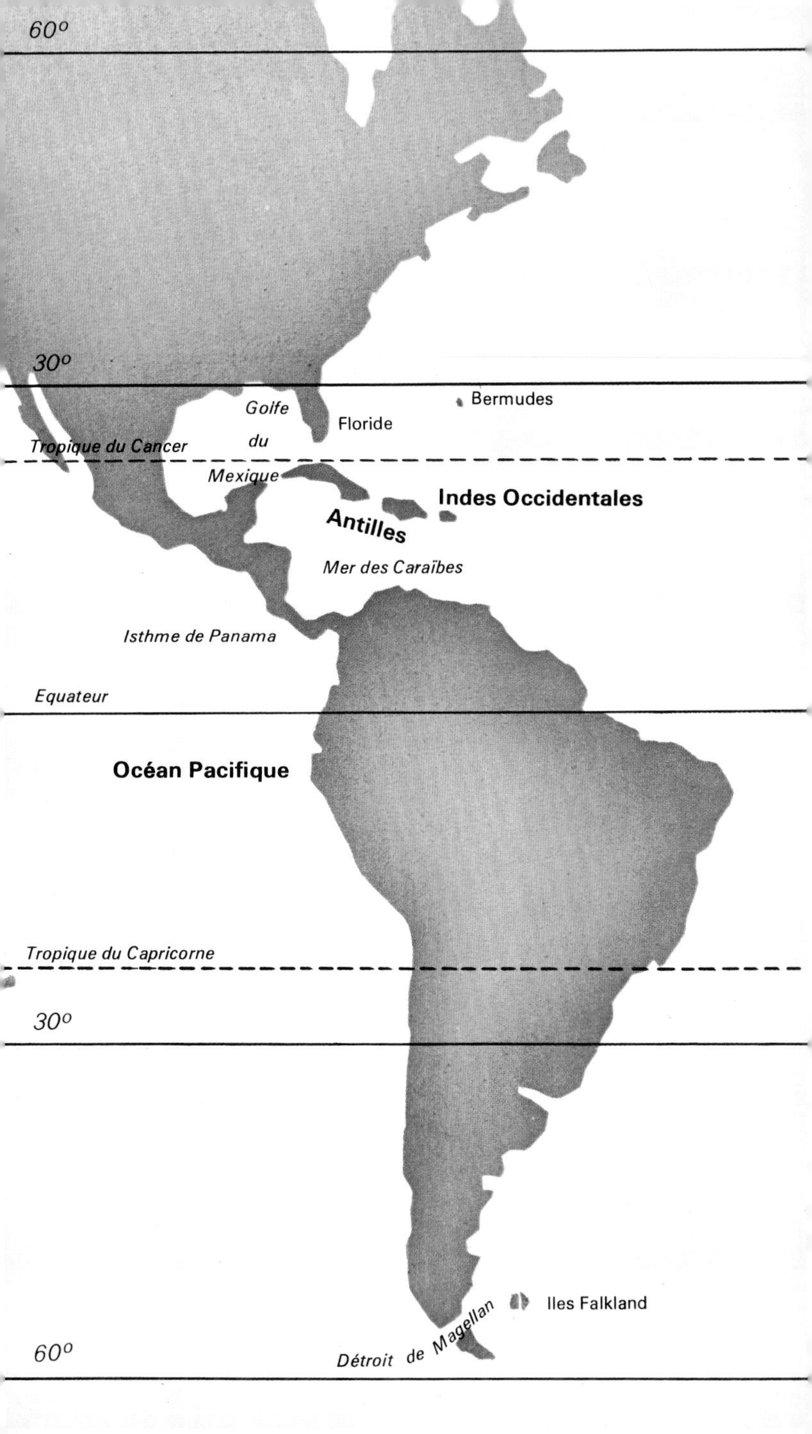

60°

30°

Bermudes

Golfe Floride

Tropique du Cancer *du*

Mexique **Antilles** **Indes Occidentales**

Mer des Caraïbes

Isthme de Panama

Equateur

Océan Pacifique

Tropique du Capricorne

30°

60° *Détroit de Magellan* Iles Falkland

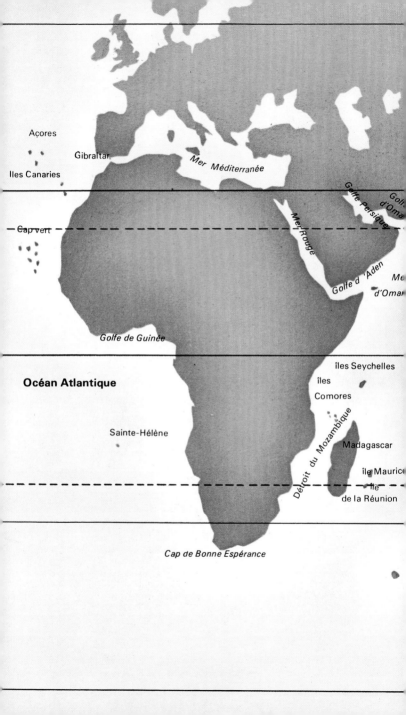

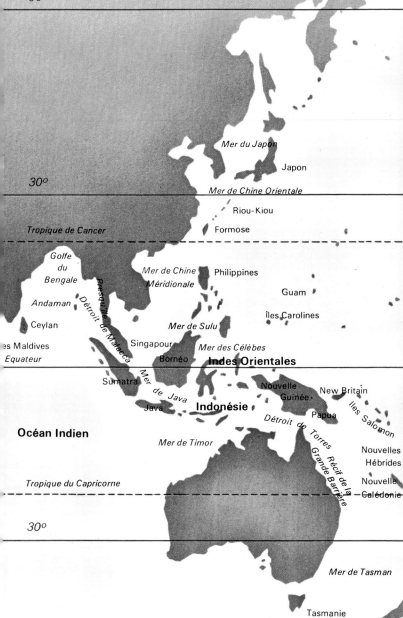

60°

Mer du Japon

Japon

30°

Mer de Chine Orientale

Tropique de Cancer

Riou-Kiou

Formose

Golfe
du
Bengale

Mer de Chine
Méridionale

Philippines

Andaman

Guam

Détroit de Malacca

Presqu'île

îles Carolines

Ceylan

Mer de Sulu

es Maldives

Singapour

Mer des Célèbes

Equateur

Bornéo

Indes Orientales

Sumatra

Mer de Java

Nouvelle
Guinée

New Britain

Java

Indonésie

Papua

Îles Salomon

Océan Indien

Détroit de Torres

Mer de Timor

Nouvelles
Hébrides

Tropique du Capricorne

Récif de la Grande Barrière

Nouvelle
Calédonie

30°

Mer de Tasman

Tasmanie

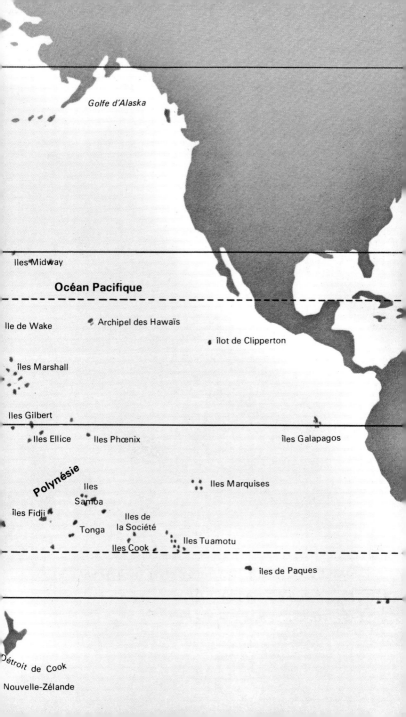

Golfe d'Alaska

Iles Midway

Océan Pacifique

Ile de Wake ⚬ Archipel des Hawaïs

îlot de Clipperton

îles Marshall

Iles Gilbert

Iles Ellice ⚬ Iles Phœnix ⚬ îles Galapagos

Polynésie

Iles Marquises

Iles
Samoa

îles Fidji

Iles de
la Société
Tonga

Iles Tuamotu

Iles Cook

îles de Paques

Détroit de Cook

Nouvelle-Zélande

CLASSE DES GASTEROPODES
Ordre des Archéogastéropodes
Famille des Pleurotomariidés ⑦

Famille connue par des spécimens fossiles et considérée comme éteinte jusqu'à la découverte d'un Pleurotomariidé dans les Caraïbes en 1856. Compte probablement parmi les gastéropodes les plus primitifs. Rares, eaux profondes ; une encoche par laquelle s'effectuent les échanges d'eau. Quelque 17 espèces connues ; 7 espèces dans les Caraïbes, 2 au large des côtes orientales d'Amérique du Sud, 7 au Japon et à Taïwan, 1 au large des côtes orientales d'Afrique du Sud. Généralement de 50 à 125 mm. Certaines espèces sont ombiliquées, toutes possèdent un opercule corné.

PEROTROCHUS AFRICANUS *TOMLIN 1948.* D 125 × 100 mm. Découvert en 1931 par 350 m de fond au large du Natal. Coquille conique, légère et mince. Jaune orange rayé de blanc. Une douzaine de spécimens découverts jusqu'à présent.

PEROTROCHUS HIRASEI *PILSBURY 1903.* D 100 mm. Sud-ouest du Japon. Par 80 m de fond et plus. Plus massif que ses congénères, plus grand et plus orné que *P. africanus*. Crème, rayures diagonales rose pâle à rouge orange vif. A l'endroit où l'encoche se comble lors de la croissance apparaît une rayure vers laquelle semblent converger les diagonales. Cet effet existe aussi chez *P. africanus*. *P. hirasei* est le plus commun de la famille.

PEROTROCHUS QUOYANUS *FISCHER et BERNARDI 1856* (non illustré). D 45 mm. Caraïbes. Première espèce découverte dans cette famille. Brun pâle rayé de jaune.

Autres membres du genre *Perotrochus* : *P. teramachii,* espèce très diversifiée dont les individus sont parfois classés en 2 espèces portant le même nom, Japon et Taïwan ; *P. amabilis* F.M. BAYER 1963, *P. gemma* F.M. BAYER 1965, *P. lucaya* F.M. BAYER 1967, *P. midas* F.M. BAYER 1965, *P. pyramus* F.M. BAYER 1967, tous des Caraïbes ; *P. atlanticus* RIOS et MATTHEWS 1968, Brésil.

ENTEMNOTROCHUS RUMPHII *SCHEPMAN 1879* (non illustré). D jusqu'à 250 mm, le plus grand de la famille. Japon et Taïwan. L'unique autre membre du genre est *E. adansonianus* CROSSE et FISCHER 1861, Antilles et Caraïbes. Grande taille. Coquillage massif et solide, encoche longue, large ombilic.

MIKADOTROCHUS BEYRICHI *HILGENDORF 1877* (non illustré). Japon. Coquille relativement petite et peu massive ; encoche de dimension intermédiaire entre *Entemnotrochus* et *Perotrochus*. Autres espèces : *M. schmalzi* SHIKAMA 1961 ; *M. salmianus* ROLLE 1899, Japon ; *M. notialis* LEME et PENNA 1969, au large des côtes méridionales du Brésil.

PLEUROTOMARIA ADANSONIA — JAPON
- SCISSURELLA COSTATA. At
- SCISSURELLA CRISPATA. At

Perotrochus africanus

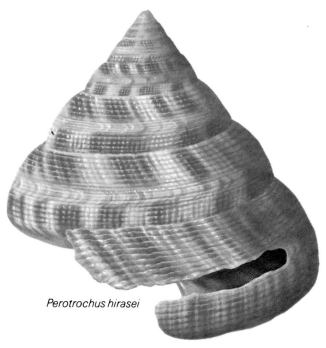

Perotrochus hirasei

Famille des Haliotidés

Un seul genre comprenant quelque (100) espèces. Coquille plate, semblable à une valve de bivalve ; attachée aux rochers par un pied musculaire comme les Patelles. Petite volute située sur l'apex peu apparent. Série de 4 à 10 trous ayant la même fonction que l'encoche des *Pleurotomaria*. Intérieur nacré, irisé, utilisé pour la fabrication de bijoux. On consomme le pied comme mets raffiné en Chine, au Japon, en Amérique, dans les îles de la Manche et en Nouvelle-Zélande.

HALIOTIS ASININA *L 1758.* D 120 × 60 mm. Pacifique ouest, 6 trous ouverts. Une des rares espèces du genre à l'aspect lustré. Crème, triangles brun-vert, taches irrégulières ; intérieur irisé, argenté.

HALIOTIS IRIS *GMELIN 1791.* D 150 × 155 mm. Nouvelle-Zélande. Souvent recouvert d'un important dépôt calcaire. Intérieur fortement nacré avec des irisations argentées, bleues et vertes, légèrement dorées. Empreinte musculaire.

HALIOTIS DISCUS *REEVE 1846.* D 100 × 65 mm. Japon, Asie orientale. Eaux peu profondes. 3 à 6 trous ouverts au pourtour surélevé. Coquille rugueuse, bosselée ; brun-vert, intérieur argenté.

HALIOTIS OVINA *GMELIN 1791.* D 60 × 45 mm. Pacifique ouest. Plus rond que *H. discus,* 5 à 6 trous ouverts. Côtes longitudinales. Vert foncé, 6 bandes crème du sommet vers les trous, 20 stries plus étroites des trous au côté gauche ; intérieur argenté.

HALIOTIS CORRUGATA *WOOD 1828.* D 180 mm. Californie. 3 à 4 trous ouverts. Presque rond. Surface fortement striée, péristome dentelé. Vert ou brun-rouge, fréquentes concrétions calcaires. Intérieur argenté, or, rose, vert et bleu. Empreinte musculaire. Comestible.

HALIOTIS SIEBOLDI *REEVE 1846* (non illustré). D. 150 mm. Japon. 4 à 5 grands trous ouverts légèrement tuberculés. Coquille ovale, apex proche du péristome. Fortes côtes rayonnantes de largeur variable. Brun ou brun-rouge, intérieur argenté.

HALIOTIS RUBER *LEACH 1814.* D 160 × 125 mm. Sud et sud-est de l'Australie, Tasmanie. 6 ou 7 trous ouverts légèrement tuberculés. Fins cordons granuleux en spirale, côtes rayonnantes irrégulières. Dépression entre les trous et le péristome. Brun-rouge foncé, fines rayures vertes.

HALIOTIS JACNENSIS *REEVE 1846* (non illustré). D 12 mm. Philippines, Pacifique sud et sud-ouest. 2 ou 3 trous ouverts légèrement tuberculés et assez éloignés. Surface squameuse. Rouge-orange, intérieur argenté.

Haliotis asinina

Haliotis iris

Haliotis discus

Haliotis ovina

Haliotis corrugata

HALIOTIS RUFESCENS *SWAINSON 1822.* D jusqu'à 300 mm. Californie. Grand, ovale, plus plat que *H. corrugata.* 3 ou 4 trous ouverts. Surface rugueuse. Côtes spiralées irrégulières, stries d'accroissement rayonnantes rêches. Rouge brique. Intérieur argenté et brun or. Empreinte musculaire. Comestible.

HALIOTIS VARIA *L. 1758.* D jusqu'à 60 mm. Pacifique ouest. Commun. 5 ou 6 trous généralement ouverts, surélevés. Côtes spiralées irrégulières, noduleuses. Fortes stries d'accroissement, quelques bourrelets rayonnants. Vert olive, brun-rouge ou moucheté de blanc ou de noir. Intérieur argenté, reflets bleus et verts.

HALIOTIS LAMELLOSA *LAMARK 1822.* D 50 mm. Gibraltar (le spécimen illustré vient des îles grecques). 4 trous ouverts. Lèvre assez droite. Côtes rayonnantes irrégulières bien plissées et fines, stries spiralées. Bleu-vert presque turquoise ; intérieur argenté, bleu, vert, fortement nacré. Peut-être une forme de *H. tuberculata* L. 1758 (voir page 22).

HALIOTIS DIVERSICOLOR *REEVE 1846.* D jusqu'à 75 mm. Pacifique ouest. Environ 9 trous ouverts. Assez étroit, plus plat que la majorité de ses congénères. Côtes régulières de la spire vers le péristome. Vert olive foncé taché de rouge sombre, de brun et de vert clair.

HALIOTIS FULGENS *PHILIPPI 1845.* D jusqu'à 200 mm. Californie. 5 à 6 trous ouverts. Ovale. Côtes rayonnantes rugueuses et plates. Empreinte musculaire. Brun terne ; intérieur magnifiquement nacré reflets bleu-vert, or et brun foncé, argent. Les spécimens de plus de 160 mm font l'objet d'une pêche commerciale.

HALIOTIS SPADICEA *DONOVAN 1808* (non illustré). D 75 mm. Côte orientale de l'Afrique du Sud. Syn. : *H. sanguinea* HANLEY 1841. Environ 9 trous ouverts. Coquille allongée, surface relativement lisse pour le genre, mais couverte de stries rayonnantes irrégulières. Côtes spiralées rugueuses, fines stries d'accroissement. Brun-rouge ; intérieur argenté, tacheté de brun près du sommet.

HALIOTIS EMMAE *REEVE 1846* (non illustré). D 100 mm. Australie du Sud, Tasmanie. 6 ou 7 trous ouverts, surélevés. Petites nervures spiralées, rugueuses ; plis rayonnants irréguliers. Etroite rigole sous les trous. Brun orange, quelque 6 bandes rayonnantes inégales de couleur crème ; intérieur nacré.

Haliotis rufescens

Haliotis varia

Haliotis lamellosa

Haliotis diversicolor

Haliotis fulgens

21

HALIOTIS GIGANTEA *GMELIN 1791.* D plus de 200 mm. Japon. Environ 4 trous ouverts tuberculés. Plis en spirale irréguliers croisés à 90º par des côtes grumeleuses. Brun terne ou brun-rouge. Apprécié des gourmets. Les deux illustrations montrent la variation des couleurs et la surface de la coquille s'arrondissant lors de la croissance.

● **HALIOTIS TUBERCULATA** *L. 1758.* D 90 × 60 mm. Méditerranée, nord-est de l'Atlantique. Environ 9 trous ouverts. Spire en proéminence, stries d'accroissement bien en évidence ; profondes rides en spirale. Variations dans les bruns, les rouges et les verts avec touches de vert pâle. Intérieur argenté, légères nuances rouges.

HALIOTIS MIDAE *L. 1758.* D jusqu'à 140 × 115 mm. Afrique du Sud. Nombreux petits trous dont environ 9 sont ouverts. Profonds sillons irréguliers rayonnant à partir de l'apex. Forte courbure de la ligne des trous au bord gauche. Blanc terne légèrement teinté de rouge. Intérieur argenté mêlé de vert, de bleu et de rose pâle. Empreinte musculaire.

HALIOTIS AUSTRALIS *GMELIN 1791.* D jusqu'à 100 mm. Nouvelle-Zélande. 7 trous ouverts. Plis rayonnants réguliers croisés de légères côtes spiralées et des stries de croissance. Vert olive clair, parfois légères nuances rouges ; intérieur argenté. Comestible.

HALIOTIS CRACHERODI *LEACH 1897.* D jusqu'à 150 mm. Ouest des Etats-Unis, Basse-Californie. Environ 6 trous ouverts. Surface plus lisse que les autres malgré les stries d'accroissement apparentes. Brun rouge sombre, presque noir. Intérieur argenté aux reflets vert or. Empreinte musculaire.

HALIOTIS KAMTCHATKANA *JONAS 1845* (non illustré). D 150 mm. Pacifique Nord du Japon et du Sud de l'Alaska à la Californie. Environ 4 trous ouverts. Coquille allongée, plis rugueux, éventuellement légères côtes en spirale. Brun-gris.

HALIOTIS ELEGANS *PHILIPPI 1899* (non illustré). D 100 mm. Australie occidentale. Nombre de trous ouverts variable, environ 8 chez les jeunes. Allongé, petite spire près du bord postérieur de la coquille. Forme légèrement enflée. Fortes nervures spiralées. Brun orange rayé de beige, intérieur argenté.

HALIOTIS COCCINEA *REEVE 1846* (non illustré). D 50 mm. Cap-Vert, Canaries. 5 ou 6 trous ouverts et rapprochés. Côtes en spirale serrées, parfois inégales, finement striées. Ecarlate taché ou rayé de beige, intérieur argenté.

Haliotis tuberculata

Haliotis gigantea

Haliotis midae

Haliotis australis

Haliotis cracherodi

Haliotis gigantea juvenile

Famille des Fissurellidés

Coquille plate et arrondie, ovale ou en forme de bouclier romain, percée au sommet ; péristome généralement fendu. Coquillages végétariens. Quelques centaines de petites espèces. Surtout dans les mers chaudes, accrochées aux rochers ou au corail.

SCUTUS ANTIPODES *MONTFORT 1810.* D 100 × 50 mm. Australie, du Queensland à la Tasmanie. En forme de bouclier pourvu d'une dépression et de fines stries d'accroissement concentriques ; apex décentré pointant vers l'avant. Absence de trou. Extérieur crème, intérieur blanc neige.

GLYPHIS ELIZABETHAE *E.A. SMITH 1901.* D 45 × 30 mm. Est de l'Afrique du Sud. Trou à environ 1/3 de la distance du bord. 8 côtes très marquées intercalées de nombreuses autres de taille variable. Gris, intérieur blanc.

FISSURELLA RADIATA *LAMARCK 1801.* D 40 mm. Caraïbes. 10 plis radiaux irréguliers intercalés parmi des plis plus fins. Trou presque circulaire. Gris, plis radiaux plus clairs ; intérieur blanc, quelques touches jaunes.

FISSURELLA PICTA *GMELIN 1790.* D 50 × 30 mm. Amérique du Sud. Ouverture ovale à l'avant. Aspect rugueux dû aux lignes de croissance. 13 rayures brun foncé alternant avec des raies plus claires. Intérieur blanc neige.

FISSURELLA GRANDIS *SOWERBY 1834.* D 60 × 40 mm. Amérique du Sud. Semblable à *Megathura crenulata,* plus étroit à l'avant et plus lisse. Brun foncé presque noir, couleur apparaissant sur le bord intérieur ; alentours du trou et intérieur blanc neige.

FISSURELLA NODOSA *BORN 1778.* D 40 × 30 × 20 mm. Floride, Antilles. 22 stries de plus en plus noduleuses à l'approche du péristome. Trou en forme de 8. Extérieur et intérieur blancs. Epais dépôt calcaire.

FISSURELLA PRODUCTA *A. ADAMS 1850.* Antilles. Semblable à *S. antipodes,* plus long. Etroite ouverture triangulaire de l'apex jusqu'à quelques mm du péristome. Extérieur et intérieur blancs.

MEGATHURA CRENULATA *SOWERBY 1825.* D 125 × 80 mm. Californie, côte ouest du Mexique. Trou excentrique grand, ovale, bordé de blanc, d'où partent de nombreuses petites côtes vers le péristome dentelé ; lignes de croissance concentriques. Gris-brun, plus clair près du trou ; intérieur blanc.

● **DIODORA GRAECA** *L. 1758.* D 25 × 18 mm. De la Méditerranée à la Manche. Syn. : *D. apertura* MONTAGY. Côtes radiales d'épaisseur variable croisées par des stries concentriques très fines. Brun-rose, stries blanches.

● *EMARGINULA HUZARDI A*

● *PUNCTURELLA NOACHINA A.M.*

● *DIODORA ITALICA M*

● *FISSURELLA NUBECULA M*

Glyphis elizabethae

Fissurella radiata

Fissurella picta

Diodora graeca

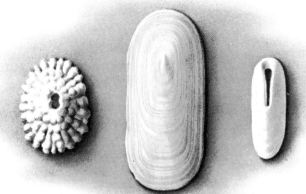

Fissurella nodosa

Scutus antipodes

Fissurella producta

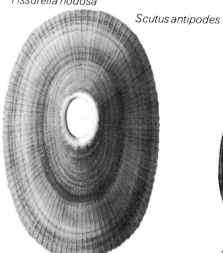

Megathura crenulata

Fissurella grandis

Famille des Acméidés

ACMAEA PATINA *ESCHSCHOLTZ 1847.* D 50 mm de long, un peu moins de large. Côte occidentale de l'Amérique du Nord. Lisse excepté de fines lignes de croissance. Vert-gris, tache gris-bleu près de l'apex légèrement excentré, ensuite une zone gris-bleu donnant un effet réticulé. Intérieur bleu blanchâtre, tache brun foncé sur l'apex, marques brun violacé sur le bord correspondant aux extrémités des raies extérieures bleu-gris.

● **ACMAEA TESTUDINALIS** *MULLER 1776.* Même espèce sur la côte orientale, mais plus petite, plus ovale ; marque brun foncé à l'intérieur.

ACMAEA BORNEENSIS *REEVE 1855.* D 40 mm de long, un peu moins de large. Nord de Bornéo. Coquille assez plate. Fines stries transversales. Apex marron légèrement excentré. Reste de la coquille noir, faisceaux de courtes stries blanches interrompues. Empreinte musculaire bleue, brune et blanche, entourée de blanc teinté de bleu et bordé de bleu foncé. Considéré comme Patelle jusqu'à il y a peu.

ACMAEA PILEOPSIS *QUOY et GAIMARD 1834.* D 25 mm. Nord de la Nouvelle-Zélande, détroit de Cook. Nombreuses petites stries, apex dirigé vers l'avant. Brun-rouge moucheté de blanc. Empreinte musculaire brun foncé soulignée de bleu pâle s'assombrissant jusqu'au bord presque noir rayé de rouge.

● ACRAEA VIRGINEA — A.

Famille des Patellidés

PATELLA LONGICOSTA *LAMARCK 1819.* D 70 mm. Est de l'Afrique du Sud, région disposant d'une grande variété de Patellidés grands et très colorés. Surface rugueuse. 10 fortes côtes en étoile, faisant saillie surtout sur le contour ; côtes intermédiaires plus fines. Brun foncé ou clair. Intérieur brun et blanc entouré d'une bande orange nettement marquée se dégradant en pourpre, beige orangé, puis blanc. Etroite bande bleu foncé sur le bord. Parfois blanc cassé avec une empreinte musculaire plus foncée.

PATELLA SACCHARINA *L. 1758.* D 40 mm. Japon. Petite réplique du précédent. 7 côtes principales, côtes intermédiaires plus petites. Extérieur brun foncé, intérieur blanc, centre foncé et bord brun sombre.

PATELLA OCULUS *BORN 1778.* D 80 × 70 mm. Est de l'Afrique du Sud. Coquille mince et plate. Environ 18 côtes. Bandes circulaires brun foncé et vert. Cicatrice musculaire brun-rose pâle largement bordée de blanc ; reste brun foncé légèrement altéré.

● **PATELLA CAERULA** *L. 1758.* D 50 mm. Méditerranée, nord-ouest de l'Afrique. Coquille mince et plate. Côtes aplaties et inégales. Cicatrice musculaire gris-vert clair soulignée de gris-bleu transparaissant sur du blanc. Intérieur strié de bleu foncé.

PATELLA TESTUDINARIA *L. 1758.* D 90 mm. Philippines. Coquille solide, ovale, lisse. Extérieur foncé presque noir, bandes de mouchetures brun-rouge ; cicatrice musculaire blanche. Coquille translucide dont les couleurs apparaissent à l'intérieur à travers une couche de nacre argentée.

Patella longicosta

Patella saccharina

Patella caerulea

Acmaea pileopsis

Patella oculus

Acmaea borneensis

Patella testudinaria

Acmaea patina

PATELLA GRANATINA *L. 1758.* D 85 × 30 mm. Côte occidentale de l'Afrique du Sud. Coquille assez élevée. Environ 30 côtes peu saillantes. Extérieur gris tacheté ou strié de brun foncé. Empreinte musculaire intérieure d'un brun soutenu souligné de rose clair, entourée de brun-orange ou de bleu laiteux bordé d'une bande mouchetée de brun-rouge.

PATELLA COMPRESSA *L. 1758.* D 110 × 50 × 50 mm. Côte occidentale de l'Afrique du Sud. Côtés comprimés, apex élevé dirigé vers l'avant. Sur une surface plane les deux côtés de la coquille ne reposent pas. Fines côtes, apex lisse. Gris-brun pâle ou gris-rose, plus foncé au bord. Intérieur blanc ou gris perle bordé de rose.

PATELLA VULGATA *L. 1758.* D jusqu'à 70 mm. Côtes rugueuses variant dans les gris et les brun clair. Intérieur recouvert de nacre orange pouvant voiler complètement les couleurs sous-jacentes ; empreinte musculaire blanche ou bleue entourée de rayons bleu foncé et blancs.

PATELLA MINIATA *BORN 1778.* D 60 mm. Afrique du Sud. Nombreuses côtes de longueur variable, généralement en alternance de taille. Gris-blanc, lignes radiales gris-bleu. Même coloration à l'intérieur, transparaissant sous une couche de nacre ; empreinte musculaire blanche.

PATELLA BARBARA *L. 1758.* D 95 mm. Afrique du Sud. Coquille de hauteur variable ; fortes côtes ou nombreuses côtes fines plus quelques fortes. Extérieur blanc ou blanc cassé. Empreinte musculaire brune ou rouge.

PATELLA COCHLEAR *BORN 1778.* D 65 mm. Afrique du Sud. Piriforme. Fines stries radiales. Varie du blanc au fauve clair. Empreinte musculaire brune entourée de bleu foncé virant au bleu clair puis au bleu moyen, contour blanc.

PATELLA NIGROLINEATA *REEVE 1854.* D 60 × 50 mm. Japon. Coquille aplatie ou élevée, apex généralement en avant. Nombreuses côtes radiales étroites, peu saillantes ; légères lignes de croissance concentriques. Bleu-vert, côtes et lignes de croissance brun-rouge foncé. Intérieur bleu argent sur lequel apparaissent les côtes. Empreinte musculaire blanche, parfois marquée de rouge ou de brun foncé.

- PATINA PELLUCIDA   A.
- PATELLA RUSTICA   M
- PROPILIDIUM ANCYLOIDE   A .

Patella granatina

Patella compressa

Patella vulgata

Patella miniata

Patella barbara

Patella nigrolineata

Patella cochlear

Patella vulgata

Famille des Trochidés

Coquille conique à base plate. Eaux tropicales et tempérées. Zone intertidale et eaux superficielles. Opercule corné, intérieur nacré. Animaux végétariens. Certains sont comestibles et pêchés industriellement.

TROCHUS MACULATUS *L. 1758.* D jusqu'à 65 mm. Océans Indien et Pacifique. Aussi ou plus large que haut. Fines rangées granuleuses. Base arrondie ou anguleuse, plus finement sculptée que les côtés. Ombilic nacré, strié, entouré de 5 nodules émoussés. Gris ou blanc marbré de bleu, de vert ou de brun. Formes et couleurs variables.

— **TROCHUS NILOTICUS** *L. 1767.* D jusqu'à 150 mm de haut. Océans Indien et Pacifique. Le plus grand du genre. Derniers tours presque lisses, fines stries radiales. Rangée de tubercules anguleux sur la suture des premiers tours. Chez les grands adultes, le dernier tour parfois enflé rend la base très concave. Base sillonnée de fines lignes de croissance et de stries transversales. Ombilic et columelle lisses. Blanc, bandes transversales brun-rouge. Commun, sert à la fabrication des boutons en nacre.

CARDINALIA CONUS *GMELIN 1799.* D 70 mm de haut. Océans Indien et Pacifique. Massif ; derniers tours légèrement convexes, base arrondie. Rangées de nodules longitudinales sur les premiers tours, fortes lignes de croissance transversales sur les derniers. Blanc, taché de flammules rouges s'allongeant sur la base.

TECTUS DENTATUS *FORSKAL 1775.* D 80 mm de haut. Nord-Ouest de l'océan Indien. Plissé et finement strié transversalement. Suture portant une série de tubercules proéminents au nombre de 10 sur le dernier tour. Base plate couverte de stries concentriques rabotées. Gris terne, base blanche, zone bleu-vert près de la columelle légèrement retorse.

TECTUS PYRAMIS *BORN 1778.* D jusqu'à 70 mm de haut. Océans Indien et Pacifique. Plus ramassé que les précédents. Test couvert de rangées transversales de nodules sur les premiers tours, sutures boursouflées, derniers tours plus lisses. Base plate, stries longitudinales ; columelle retorse vers l'avant. Coquille beige marquée de mauve, généralement dans le sens de l'axe.

— TECTUS NILOTICUS
GIBBULA CINERARIA A.M.
GIBBULA MAGUS M
GIBBULA DIVARICATA.M
GIBBULA TUMIDA.A
GIBBULA ADRIATICA
JUJUBINUS EXASPERATUS M.A.
ANGARIA DELPHINUS I.Pac.
ASTRAEA RUGOSA M.
TUBIOLA NITENS A
TRICOLIA PULLA A.

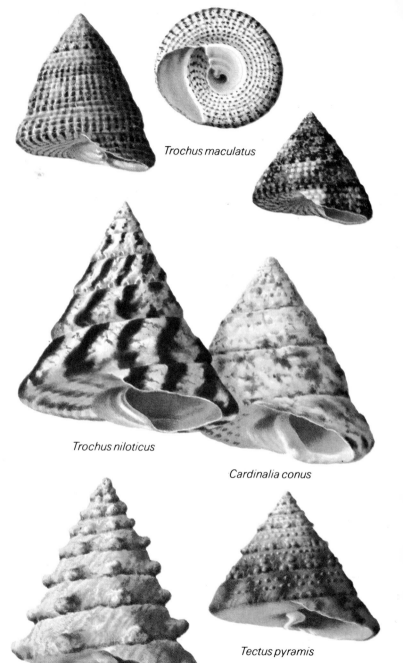

Trochus maculatus

Trochus niloticus

Cardinalia conus

Tectus dentatus

Tectus pyramis

31

MAUREA PUNCTULATA *MARTYN 1784.* D 40 mm. Nouvelle-Zélande. Coquille turbinée, lignes longitudinales légèrement noduleuses, base arrondie, columelle lisse. Stries brunes sur fond crème, base blanche.

MAUREA CUNNINGHAMI *GRIFFITH et PIDGEON 1833.* D 50 mm. Nouvelle-Zélande. Contours assez anguleux, rangées longitudinales de stries très finement noduleuses. Premiers tours légèrement concaves, les derniers convexes. Base striée en spirale, minuscules nodules près du centre. Columelle lisse. Stries brunes sur fond crème, base blanche.

TRISTICHOTROCHUS FORMOSENSIS *SMITH* D 40 mm. Taïwan. Côtés légèrement concaves. Lignes longitudinales couvertes de petits nodules, dont deux plus gros près de la suture. Base fortement anguleuse, sillonnée de stries longitudinales noduleuses près de la columelle lisse. Couleur chair, taches rouille sur la suture granuleuse ; même coloration sur la base ombrée de rouille près de la columelle et mouchetée sur le contour.

MONODONTA CANALIFERA *LAMARCK 1816.* D 30 mm. Pacifique ouest. Forme turbinée, cordons transversaux plats. Dent incurvée saillant de la columelle. Intérieur du labre blanc, strié. Extérieur vert et vert foncé, moucheté de beige.

TEGULA REGINA *STEARNS 1892.* D 45 mm. Sud de la Californie. 6 ou 7 tours avec côtes transversales irrégulières, les 3 derniers fortement anguleux. Brun-pourpre. Base concave, étroites côtes radiales serrées et noires sur fond crème. Intérieur et zone columellaire dorés, columelle et zone entre le doré et le labre blanc argent.

CALLIOSTOMA MONILE *REEVE 1863.* D 25 mm. Australie. Carène arrondie, côtés plats, spire pointée. Fines stries et côtes au-dessus de la suture. Base convexe ; columelle lisse munie d'une dent émoussée sur l'extrémité inférieure. Crème translucide, suture blanche tachée de mauve.

CLANCULUS CRUCIATUS *L. 1758.* D 10 mm. De la Méditerranée, au Cap-Vert. Lisse, côtes longitudinales, dernier tour enflé. Profond ombilic ; columelle pourvue d'une dent de chaque côté, la plus grande à la base. Labre profondément strié à l'intérieur. Coquille brun-rouge foncé excepté autour de l'ombilic où les côtes tachetées de rose et de brun-rouge deviennent plus fortes.

CLANCULUS PHARONIUM *L. 1758.* D 25 mm. Océan Indien. Columelle pourvue d'une dent, de 3 petits plis et d'un grand ; la dent atteint l'ombilic. Labre finement dentelé. Rangées longltudinales de petits nodules ronds, rose-rouge pour la plupart ou gris perle. 2 rangées de points pourpre foncé sur chaque tour. Zone columellaire et intérieur du labre blancs, striés.,

OXYSTELE SINENSIS *GMELIN 1790.* D 30 mm. Afrique du Sud. Coquille aplatie, dernier tour très enflé. Surface rugueuse. Pas d'ombilic. Dernier tour bleu très foncé, les autres vert-jaune ; base grise. Bord lisse de la columelle blanc rosâtre.

CHRYSOSTOMA PARADOXUM *BORN 1780.* D 25 mm. Océans Indien et Pacifique. Spire basse, dernier tour enflé. Lisse ; rainure sous la suture. Test brun-rose tacheté de crème ; orifice et intérieur de la columelle d'un bel orange doré.

MONODONTA TURBINATA M
CALLIOSTOMA ZYZIPHINUS M
CALLIOSTOMA LAUGHIERI M
TURBO MARMORATUS IPac.
TURBO OCELLUS X.Pac.

Calliostoma monile

Maurea punctulata stewartiana

Monodonta canalifera

Clanculus cruciatus

Tegula regina

Maurea cunninghami

Tristichotrochus formosensis

Clanculus pharonium

Oxystele sinensis

Chrysostoma paradoxum

MONODONTA LINEATA *DA COSTA 1718.* D 25 mm de haut, un peu moins de large. Lourd et irrégulier, surface rugueuse et granuleuse. Dernier tour enflé, l'avant-dernier un peu moins. Vrai ombilic arrondi scellé par une callosité. Apex souvent usé chez l'adulte, laissant apparaître l'intérieur nacré. Dent émoussée sur la columelle. Test brun foncé moucheté de fauve, columelle blanche, lèvre columellaire brun foncé sur fond blanc.

UMBONIUM GIGANTEUM *LESSON 1831.* D 45 mm. Japon. Aplati, carène arrondie, lisse ; quelques stries au bas des 2 derniers tours, base convexe. Pas d'ombilic, callosité ombilicale. Bleu-vert pâle, une ligne de taches pourpres sous la suture, plus claires sur le dernier tour ; carène blanche, bandes transversales obliques pourpres à l'aspect d'une bande pourpre et blanche sous les premiers tours.

UMBONIUM MONILIFERUM *LAMARCK 1804.* D 20 mm. Japon. Même forme que les précédents. Crème, nombreuses taches et points brun-rouge ; base et cal ombilical bruns. L'illustration montre la base.

UMBONIUM VESTIARIUM *L. 1758.* D 12 mm. Océan Indien, Inde. Même forme que les précédents. Couleurs et ornementations très variables : vert, brun, gris, pourpre ; pointillé, lignes transversales, flammules, etc.

CITTARIUM PICA *L. 1758.* D 80 × 80 mm. Antilles. Coquille solide, surface rugueuse ; légère rainure marquant la suture, carène arrondie et ombilic profond. Columelle lisse, importante callosité fendue profondément au milieu entourant la moitié de l'ombilic. Bleu marbré de blanc, zone ombilicale blanche, intérieur blanc et argent.

ANGARIA DELPHINULA *L. 1758.* D 70 mm de large. Océans Indien et Pacifique. Les membres du genre *Angaria* possèdent le fin opercule corné des Trochidés, mais sont inclus parmi les Turbinidés par certains spécialistes. Coquille lourde, solide, à spire déprimée. Cordons longitudinaux rugueux, 1 rangée d'épines creuses sur la périphérie, 2 rangées de petites épines sur la périphérie et sur la base, autour et à l'intérieur de l'ombilic. Gris, épines parfois plus sombres, orifice gris perle.

ANGARIA DISTORTA *L. 1758.* D 60 mm de large × 50 mm de haut. Mer de Chine Méridionale. Coquille lourde, dernier tour volumineux. Périphéries anguleuses à côté d'une zone presque plate s'étendant jusqu'à la suture et couverte de protubérances émoussées. Côtes longitudinales rugueuses, irrégulières, parfois noduleuses, couvrant le dernier tour. Profond ombilic à l'orifice rugueux, presque épineux. Différentes nuances de gris, du blanc au noir, sur fond rose pâle.

ANGARIA MELANACANTHA *REEVE 1842.* D 40 mm de haut × 55 mm de large avec les épines. Philippines. Spire enfoncée, dernier tour détaché des autres, suture disparue près de l'ouverture. Petites côtes longitudinales noduleuses, rangée de longues épines courbées vers l'intérieur et vers le haut sur la périphérie. 6 autres lignes épineuses de longueur variable jusque dans l'ombilic. Variations dans les bruns, alentours de l'ouverture nacrés.

Famille des Stomatellidés

Coquillages petits en majorité ; parfois semblables aux Haliotidés : spire enfoncée, dernier tour très imposant, ouverture ; pas de perforation. Intérieur nacré. Environ 50 espèces.

PSEUDOSTOMATELLA DECOLARATA *GOULD 1848.* D 35 mm de

Angaria delphinula

Pseudostomatella decolorata

Umbonium giganteum

Monodonta lineata

Cittarium pica

Umbonium vestiarium

Angaria melanacantha

Umbonium moniliferum

Angaria distorta

35

long × 30 mm de haut. Philippines. 4 tours, le dernier très volumineux ; fins cordons, plus saillants sur l'avant-dernier tour. Grande ouverture, columelle lisse. Vert clair, marques blanches en pointe de flèche sur les cordons, taches foncées et claires alternant sous la suture, callosité blanche en forme de croissant à côté de la columelle.

Famille des Turbinidés

Coquillages assez grands en général, de forme turbinée. Se distinguent des Trochidés par l'opercule calcaire, plat du côté attaché à l'animal et généralement sphérique, parfois un peu sculpté du côté extérieur.

TURBO MARMORATUS *L. 1758.* D jusqu'à 200 mm. Inde, Australie. Coquille massive et lourde, la plus grande de la famille. Dernier tour très gonflé ; 3 côtes couvertes de nodules émoussés : une très anguleuse et proéminente proche de l'apex, une petite au milieu et une anguleuse près de la base. Columelle lisse, une grande bandelette ondulée et rugueuse chez les adultes. Coquille verte ou brun-vert, lignes longitudinales gris clair et fauve ; lignes vert foncé et taches blanches sur les premiers tours ; ligne de même couleur sous la suture. Intérieur nacré.

TURBO CORNUTUS *LIGHTFOOT 1790.* D 90 mm de haut. Japon. 4 grosses côtes et 3 petites sur chaque tour, toutes polies sur le dernier tour ; les 2 grosses côtes extérieures portent des tubercules creux, de plus en plus larges à l'approche de l'ouverture. Lignes de croissance rugueuses. Ouverture large et entière, columelle lisse. Les couleurs, vert et brun, changent le long des lignes de croissance. Intérieur nacré, columelle nacrée bordée de blanc.

TURBO RUGOSA *L. 1758.* D 35 mm de haut × 45 mm de large. Méditerranée, Portugal, Açores, Canaries. Côtes longitudinales noduleuses ; ligne transversale de petits rectangles proéminents sous la suture. Brun clair ; intérieur argenté, columelle argentée, entourée d'une callosité écarlate.

TURBO SARMATICUS *L. 1758.* D 65 mm de haut × 80 mm de large. Afrique du Sud. Dernier tour volumineux ; 2 lignes longitudinales de nodules sur la périphérie, autres côtes irrégulières. Rouge, périostracum vert ; bande noire au-dessus de la suture, à l'intérieur du labre et autour de l'extrémité de la columelle entre l'intérieur nacré et la columelle crème brillant ; columelle bordée d'une callosité d'un rouge profond et d'un opercule à excroissances blanc crème.

TURBO TORQUATUS *GMELIN 1791.* D jusqu'à 110 m de large × 70 mm de haut. Australie. Test massif, lourd. Tours carénés à l'endroit le plus large, sauf le dernier tour chez certains spécimens d'Australie du Sud. Côtes peu apparentes ; rangée de nodules sur l'angle dorsal ; fines lamelles transversales serrées. Profond ombilic, opercule couvert de marques en forme d'oreille. Brun-rouge et blanc tacheté de vert ; columelle, ombilic et opercule blancs, intérieur nacré.

TURBO OCEARIUS I.Pac.

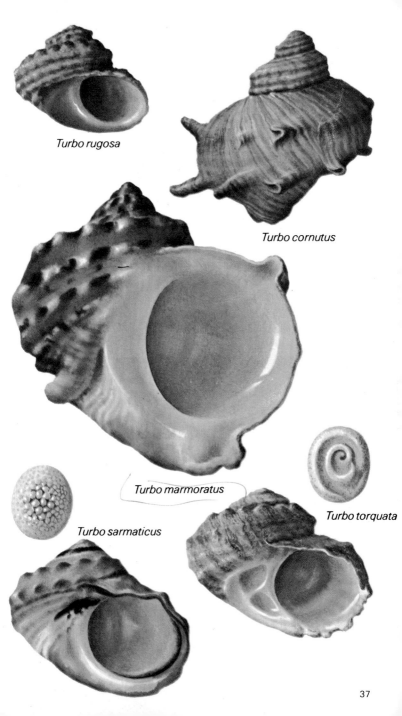

Turbo rugosa

Turbo cornutus

Turbo marmoratus

Turbo torquata

Turbo sarmaticus

37

TURBO (OCANA) CIDARIS *GMELIN 1790.* D 40 mm de haut × 45 mm de large. Est de l'Afrique du Sud. Aplati, lisse, fines stries de croissance. Columelle lisse, opercule à nodules blancs semblable à *T. sarmaticus.* Coloration variable dans les verts et les bruns, taches blanches surtout sous la suture ; bandes longitudinales et lignes pointillées.

TURBO PETHOLATUS *L. 1758.* D 75 mm. Philippines. Coquille très brillante ; forme, coloration et ornementation variables. Spire assez élevée, columelle lisse. Tons verts, bruns, fauves, crème et blancs ; suture soulignée de flammules claires. Lignes longitudinales de taches sombres et marques blanches en tête de flèche, surtout visibles sur la moitié inférieure du dernier tour. Intérieur nacré. L'opercule est le célèbre « œil-de-chat » utilisé en bijouterie. Les illustrations montrent 2 spécimens de coloration différente ; on voit l'œil-de-chat de l'orange.

TURBO (LUNELLA) CINEREUS *BORN 1778.* D 30 mm de haut × 40 mm de large. Océans Indien et Pacifique. Spire très déprimée ; fines stries longitudinales, plus ténues sur le dernier tour ; fines lignes de croissance. Profond ombilic et canal siphonal donnant une forme de toupie. Test crème, fortement tacheté de brun foncé nuancé de vert. Ouverture et columelle nacrées ; opercule blanc finement granuleux, foncé sur le bord extérieur.

TURBO (MARMAROSTOMA) BRUNEUS *RODING 1798.* D 50 × 47 mm. Cordons longitudinaux irréguliers et rugueux, le plus gros sur la périphérie. Ombilic très étroit. Test crème, flammules transversales noires légèrement ondulées. Columelle et intérieur nacrés bordés de blanc ; opercule finement granuleux, pourpre du côté de la columelle, presque blanc du côté extérieur.

TURBO (MARMAROSTOMA) CHRYSOSTOMUS *L. 1758.* D 70 × 60 mm. Océans Indien et Pacifique. Côtes longitudinales rugueuses couvertes de petites épines larges et ouvertes sur l'angle dorsal ; épines plus petites sur la côte du bord et une un peu plus bas. Ouverture presque circulaire, ombilic très étroit. Fauve, flammules vert-brun de la suture à l'angle dorsal, taches en dessous. Intérieur et columelle orange doré bordé de jaune puis de blanc, lèvre fauve pâle. Opercule presque lisse au centre, granulé puis strié vers le côté extérieur ; milieu brun foncé devenant orange bordé de blanc près de la columelle, chair bordé d'orange de l'autre côté.

TURBO (MARMAROSTOMA) ARGYROSTOMUS *L. 1758.* D 90 × 80 mm. Océans Indien et Pacifique. Côtes longitudinales inégales et rugueuses, une très forte à la périphérie. Avec ou sans ombilic. Vert crème clair, flammules transversales rouge-brun. Ouverture finement liserée de vert, columelle et labre nacrés, argentés, bordés de blanc ; intérieur blanc, opercule granuleux vert et blanc.

PHASIANELLA AUSTRALIS *GMELIN 1791.* D 100 mm. Sud de l'Australie. La plus grande des quelque 40 espèces de Phasianelles. Coquille souvent petite, délicate, riche en couleurs. Allongé, spire dressée, tours convexes, pas d'ombilic. Lisse, brillant, assez fragile. Opercule pointu blanc brillant. Variété infinie de couleurs et de dessins, généralement longitudinaux : bandes colorées, marques en tête de flèche, ondulations, points et taches verts, bruns, rouges, roses, jaunes et blancs. Sur les illustrations, spécimen rayé et jeune coquillage avec ornementation flammulée subtransversale.

Turbo cidaris

Turbo petholatus

Turbo bruneus

Turbo cinereus

Phasianella australis

Turbo petholatus

Phasianella australis

Turbo chrysostomus

Turbo argyrostomus

ASTRAEA TUBER *L. 1758.* D 50 × 50 mm. Floride, Antilles. Spire pointée aux fortes côtes dorsales transversales ; périphérie noduleuse. Rangées diagonales de petits nodules. Pli columellaire longé par une légère rainure. Pas d'ombilic. Opercule pourvu d'un épais bourrelet en forme de virgule. Vert-brun, nodules blancs, intérieur nacré, columelle blanche.

ASTRAEA KESTEVENI *IREDALE 1924.* D 30 × 30 mm. Australie occidentale. Très fines stries longitudinales, stries d'accroissement, suture irrégulièrement recouverte par les tours. Base ridée concentriquement. Coquille blanche, intérieur et columelle blanc argent entourés de bleu pâle ; opercule lisse, irrégulier, pourpre teinté de vert-blanc.

ASTRAEA PHOEBIA *RODING 1798.* D 55 mm de large × 30 mm de haut. Antilles, Floride. Lignes longitudinales de petits nodules devenant creux près de l'ouverture. Epines en dents de scie dirigées légèrement vers le haut. Lignes noduleuses longitudinales sur la base. Avec ou sans ombilic. Blanc, intérieur argenté, touche verte.

ASTRAEA CALCAR *L. 1758.* D 50 mm de large × 30 mm de haut. Philippines, Malaisie. Spire déprimée, petits cordons transversaux émoussés, longues épines rabotées sur le bord de chaque tour. Suture du dernier tour parfois profondément découpée. Base aux fines côtes longitudinales rugueuses ; pas d'ombilic. Test blanc ; épines à extrémité noire ; columelle blanche entourée de vert-jaune colorant aussi l'intérieur, ouverture orangée, bande blanche entre les deux.

ASTRAEA TUBEROSUS *PHILIPPI*   D 25 × 25 mm. Indonésie, Malaisie. Petits cordons transversaux un peu resserrés sous la suture 2 rangées de petites épines sur la périphérie. Fines lamelles longitudinales sur la base, pas d'ombilic. Test blanc ; intérieur et columelle nacrés, lavande pâle autour de la columelle ; opercule légèrement pustulé, violet terne ; touche blanche sur le bord.

ASTRAEA STELLARE *GMELIN 1791.* D 30 × 45 mm. Australie. Fines côtes longitudinales, petits cordons axiaux. Epines creuses à la base de chaque tour, ouvertes par en dessous. Bases à côtes longitudinales. Blanc, intérieur et columelle blanc argent, columelle bordée de bleu opalescent.

ASTRAEA HELIOTROPUM *MARTYN 1784.* D 70 × 120 mm. Nouvelle-Zélande en eau profonde. Tours convexes à petites côtes longitudinales irrégulières, ondulées et rugueuses ; épines triangulaires creuses et plates sur chaque tour, extrémité tournée vers le haut Base pourvue de 5 rangées longitudinales de petites épines lamellées, les lamelles transversales s'enfonçant dans le profond ombilic. Gris, base beige, intérieur argenté, columelle blanche, opercule en forme d'oreille avec une touche de jaune-vert sur l'extrémité large.

COOKIA AUREOLA *HEDLEY 1907.* D 75 × 50 mm. Queensland. Tours convexes. Rangées obliques de petits nodules ; côtes transversales courtes et plates sous la suture ; courtes épines creuses triangulaires sur le dernier tour, parfois l'avant-dernier. Côtes longitudinales rugueuses sur la base. Rouge brique terne, columelle blanche bordée d'orange doré, intérieur nacré.

GUILDFORDIA YOKA *JOUSSEAUME*   D 100 mm de large avec les épines × 30 mm de haut. Japon. Légèrement granuleux, stries d'accroissement, bord supérieur du labre en forme de S. 9 longues épines creuses courbées vers l'arrière sur la périphérie du dernier tour. Base convexe, ombilic peu profond entouré d'un cal blanc. Test brun clair, base plus pâle, columelle et intérieur nacrés.

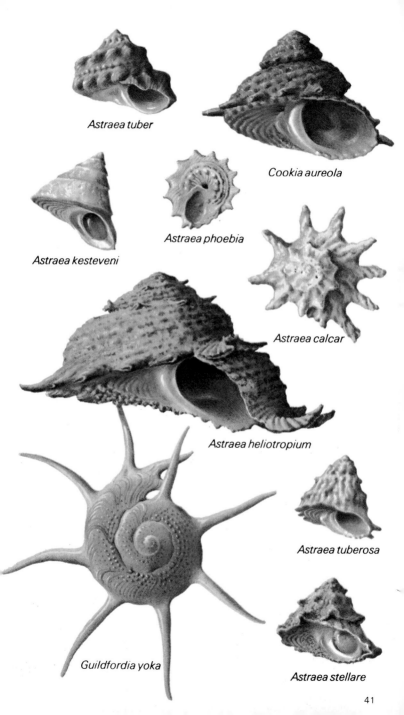

Astraea tuber

Cookia aureola

Astraea kesteveni

Astraea phoebia

Astraea calcar

Astraea heliotropium

Astraea tuberosa

Guildfordia yoka

Astraea stellare

41

Famille des Néritidés

Coquillages généralement petits ; dernier tour renflé, spire déprimée, ouverture semi-circulaire. Columelle pourvue de 2 dents ou plus, région columellaire calleuse lisse, granuleuse ou ridée. Opercule bien fixé par un petit prolongement attaché derrière la columelle. Régions tropicales et subtropicales, eaux profondes et saumâtres des mangroves, des fleuves et des mers ; fixés sur les rochers, le corail ou les algues. Quelques centaines d'espèces.

SMARAGDIA SOUVERBIANA *MONTROUZIEZ*   D 22 mm. Afrique du Sud, île Maurice. 9 dents columellaires dont 2 grandes externes. Fines stries. Jaune ou blanc, zébrures noires ou brunes.

NERITA TESSELLATA *GMELIN 1791.* D 20 mm. Antilles, Floride. Larges cordons longitudinaux, 2 dents columellaires. Test noir taché de bleu foncé et de blanc ; zone pariétale blanche, granuleuse.

NERITA LINEATA *GMELIN 1791.* D 40 mm. Océans Indien et Pacifique. Spire déprimée, côtes longitudinales. Zone pariétale brillante, plis sous-jacents. Columelle découpée à 4 dents, 20 petites dents sur le labre. Côtes noires sur fond rose terne, zone pariétale jaune entourée de crème, intérieur crème, opercule vert violacé.

NERITA UNDATA *L. 1758.* D 40 mm. Océans Indien et Pacifique. Cordons longitudinaux plats, serrés. Zone pariétale ridée. Columelle à 3 dents, labre à 20 fines côtes. Coloration variable : généralement crème, vert foncé ou brun, parfois noir pourpré uniforme ; flammules ou rangées longitudinales de taches ; zone pariétale, columelle, labre et intérieur blancs.

NERITA TEXTILIS *GMELIN 1791.* D 40 mm. Afrique orientale. Spire aplatie, cordons longitudinaux rugueux, stries de croissance, zone pariétale granuleuse. 2 dents columellaires, 18 longues dents sur le labre. Blanc, taches ou stries bleu foncé ; zone pariétale blanche.

NERITA EXUVIA *L. 1758.* D 25 mm. Océans Indien et Pacifique. 15 côtes plates élargies au sommet recouvrant de profondes rainures, zone pariétale granuleuse. 3 dents columellaires, 20 longues dents au labre. Côtes beiges, rainures noires ; ondulations transversales crème ; zone pariétale, intérieur et labre beige terne.

NERITA ALBICILLA *L. 1758.* D 30 mm. Océans Indien et Pacifique. Coquille allongée, lignes de croissance rugueuses, cordons longitudinaux plats et serrés, zone pariétale granuleuse. 4 dents columellaires, labre denté. Test crème ou vert marbré de brun foncé, de noir ou d'orange ; zone pariétale et labre vert pâle ; columelle et intérieur blancs ; opercule granuleux vert.

NERITA PLANOSPIRA *ANTON 1839.* D 35 mm. Océans Indien et Pacifique. Spire plate. Cordons longitudinaux sur la périphérie, larges interstices ; labre granuleux, plissé, commençant au-delà de l'apex et derrière la zone pariétale. 4 dents columellaires. Test gris-noir maculé de brun-rouge ; labre, intérieur, columelle et zone pariétale blancs, taches pourpres sur la zone pariétale.

NERITA POLITA *L. 1758.* D 40 mm. Océans Indien et Pacifique. Coquille allongée, fines lignes de croissance, zone pariétale lisse, 4 ou 5 dents columellaires. Coloration variable : crème, blanc, vert, marbré ou ligné de brun, de vert ou d'orange ; opercule lisse vert.

NERITA PARALELLA *RODING 1798.* D 20 mm. Japon, Chine. Coquille mince et bombée, fines lignes de croissance, 10 dents columellaires, labre lisse. Coloration variable, fond généralement brun olive couvert de lignes transversales ondulées noires.

NERITINA COMMUNIS *L. 1758.* D 20 mm. Philippines. Très semblable à *N. paralella,* spire plus courte. Variations presque infinies.

42 NERITA RADULA I.P. SMARAGDIA VIRIDIS M.
THEODOXUS FLUVIATILIS N.A.

Neritina communis

Nerita tessellata

Neritina paralella

Nerita lineata

Nerita undata

Nerita textilis

Nerita exuvia

Nerita albicilla

Smaragdia souverbiana

Nerita polita

Nerita planospira

43

Ordre des Mésogastéropodes

Famille des Littorinidés

Coquille petite ou moyenne, parfois ombiliquée ; columelle lisse, opercule corné. Sur les rochers, dans les mangroves et sur les algues dans les zones intertidales. Régions tropicales, subtropicales et tempérées. Végétariens.

LITTORINA MERITOIDES *L. 1758.* D 7 mm. De l'Angleterre à Madère. Spire pointue. Généralement gris olive, bande longitudinale brun violacé, ouverture foncée.

LITTORINA LITTORALIS *L. 1758.* D 15 mm. Atlantique Nord, de la Méditerranée à la Nouvelle-Angleterre. Fines stries d'accroissement. Coloration variable : jaune, rouge, brun et vert.

LITTORINA LITTOREA *L. 1758.* D 25 mm. Même région que le précédent. Fines stries longitudinales, lignes de croissance plus ou moins rugueuses. Généralement bandes longitudinales brun foncé à noir ; parfois vert, jaune foncé ou rouge.

LITTORINA MELANOSTOMA *GRAY 1839.* D 30 mm. De l'océan Indien à la mer de Chine. Coquille mince, carène anguleuse.

LITTORINA SCABRA *L. 1758.* D 35 mm. Océans Indien et Pacifique, Afrique occidentale. Cordons longitudinaux, spire carénée. Crème, gris pâle ou brun couvert de flammules brun foncé, fond plus clair sous la suture ; columelle blanche ; intérieur coloré.

LITTORINA INTERMEDIA *PHILIPPI 1845.* D 25 mm. Nord des océans Pacifique et Indien. Cordons longitudinaux en damier, périphérie anguleuse. Damier bleu-blanc ou brun clair ; spire brun pourpre ; lignes parfois plus foncées.

LITTORINA SAXATILIS *OLIVI 1792.* D 18 mm. Europe septentrionale, nord-est de l'Amérique. Lignes de croissance rugueuses, fins cordons longitudinaux antérieurs. Coloration très variable ; jaune, rouge, brun, jusqu'au pourpre foncé ; uni, quadrillé ou ligné ; columelle et intérieur du labre de couleur chair.

LITTORINA UNDULATA *GRAY 1839.* D 25 mm. Nord de l'océan Indien jusqu'au Japon. Côtes longitudinales. Fond crème couvert de taches brun clair ou foncé, parfois en forme de flammules.

TECTARIUS PYRAMIDALIS *QUOY et GAIMARD*   D 18 mm. Japon, Chine. Le genre *Tectarius* n'est pas ombiliqué. Cordons longitudinaux, rangée de nodules à la périphérie du dernier tour et sur les autres tours. Gris-bleu, nodules blancs, ouverture chocolat.

TECTARIUS PAGODUS *L. 1758.* D 65 mm. Océan Indien. Le plus grand des Littorinidés. Côtes longitudinales irrégulières, plates, rugueuses ; cordons transversaux obliques terminés par une rangée d'épines émoussées. Rangée d'épines plus petites visibles sur le dernier tour, recouverte par la suture sur les autres tours. Base convexe à rangées longitudinales de côtes, nodules érodés ; columelle lisse ; intérieur du labre strié longitudinalement. Blanc crème ombré de brun-gris ; columelle et intérieur crème, rangée de taches.

TECTARIUS RUGOSUS *WOOD*   D 25 mm. Philippines. 4 lignes longitudinales de nodules par tour, rangées de nodules en spirale sur la base, intérieur ridé. Apex incolore. 3 des dernières rangées de nodules du blanc au jaune pâle et à l'orange ; la dernière du rose pâle au violet foncé ; base et ouverture blanches.

ACHININUS CUMINGII *PHILIPPI 1847.* D 25 mm. Océan Pacifique. Ombiliqué à côtes longitudinales noduleuses couvertes de petites épines. Gris-bleu, région ombilicale blanche, intérieur brun.

44   LITTORINA OBTUSATA M. ●LACUNA VINCTA A.
CREMNOCONCHUS CONICUS J. STENOTIS PALLIDULA F.

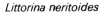

Littorina neritoides

Littorina intermedia

Tectarius pyramidalis

Littorina littoralis

Littorina littorea

Littorina melanostoma

Tectarius pagodus

Tectarius rugosus

Littorina saxatilis

Littorina scabra

Littorina undulata

Echininus cumingii

Famille des Turritellidés

Plus de 50 espèces. Régions tropicales ; eaux peu profondes, boueuses. Longue spire pointue, nombreux tours, pas d'ombilic, opercule corné.

MESALA BREVIALIS *LAMARCK*   D 37 mm. Du Portugal au Sénégal, îles de l'océan Atlantique. Solide coquille à tours convexes, très peu aplatis ; jusqu'à 5 côtes sous la suture, la plus forte étant antérieure, la plus petite postérieure. Fins cordons longitudinaux, columelle lisse et coudée, ouverture subcirculaire. Crème ou blanc, flammules transversales brun clair, souvent plus foncées sous la suture.

TURRITELLA CROCEA *KIENER*   D 90 mm. 20 tours ou plus, convexes mais légèrement aplatis ; environ 7 côtes longitudinales serrées. Tours bruns, plus pâles sous la suture dentelée.

TURRITELLA COMMUNIS *RISSO 1826.* D 60 mm. Europe. Convexe mais aplati ; 18 tours, quelque 10 côtes longitudinales irrégulières ; base convexe. Brun clair à presque blanc.

TURRITELLA ROSEA *QUOY et GAIMARD 1834.* D 50 mm. Nouvelle-Zélande. Tours aplatis ; fines côtes longitudinales, les 2 côtes proches de la base des tours 2 fois plus grandes. Carène très anguleuse, base finement côtelée. Brun, plus clair sous la suture.

TURRITELLA BICINGULATA *LAMARCK 1822.* D 65 mm. Canaries, îles du Cap-Vert, Afrique occidentale. 18 tours finement striés. Suture étranglée, 2 fines côtes séparées par 1 légère rainure. Crème, fines lignes transversales brun-rouge, moins visibles sur la rainure ; flammules brun violacé foncé entre la suture et la première côte, et sur la base à 3 ou 4 côtes aplaties.

TURRITELLA DUPLICATA *LAMARCK 1816.* D 150 mm. Océans Indien et Pacifique. Environ 18 tours, les premiers sont convexes et portent de fines côtes longitudinales. Après les 6 premiers tours, côte centrale dressée en forte carène, les autres côtes tendant à disparaître. Après 10 tours environ, deuxième côte dressée moins fort ; ces 2 côtes s'atténuent progressivement sur les 2 ou 3 derniers tours. Tours extrêmes arrondis, tours centraux anguleux. Moitié supérieure de chaque tour brun moyen, moitié inférieure brun crème pâle.

TURRITELLA TEREBRA *L. 1758.* D 125 mm. Océans Indien et Pacifique. Environ 25 tours arrondis, spire pointue très fine. 6 côtes longitudinales saillantes séparées par de fins cordons, suture profonde, 4 côtes longitudinales sur la base. Brun clair ou foncé.

TURRITELLA LEUCOSTOMA *VALENCIENNES 1832.* D 115 mm. Golfe de Californie. Environ 20 tours aplatis comportant chacun 5 côtes longitudinales de la suture étranglée à la côte la plus basse. Crème, nombreuses flammules transversales brun-rouge, premiers tours brun foncé.

TURRITELLA GONOSTOMA *VALENCIENNES 1832.* D 115 mm. Golfe de Californie. Environ 16 tours aplatis, taillés en biseau le long de la suture étranglée. Coquille lisse ou couverte de fins cordons longitudinaux. Crème fortement moucheté de brun-pourpre, n'apparaissant qu'à la suture sur les premiers tours.

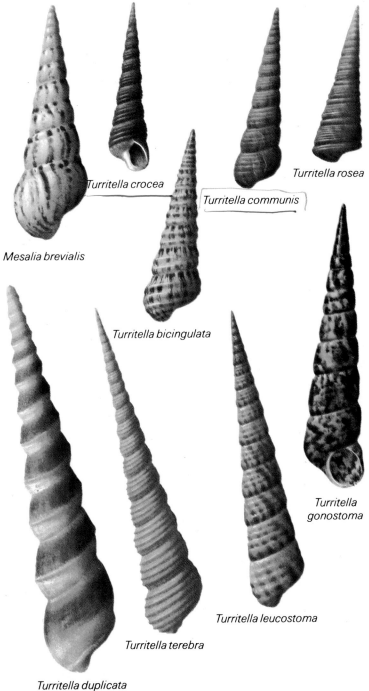

Turritella crocea

Turritella rosea

Turritella communis

Mesalia brevialis

Turritella bicingulata

Turritella gonostoma

Turritella leucostoma

Turritella duplicata

Turritella terebra

Famille des Architectonicidés

Environ 40 espèces. Mers tropicales ou subtropicales, généralement eaux peu profondes. Coquille circulaire déprimée à base plate ou légèrement convexe. Profond ombilic ouvert habituellement crénelé.

ARCHITECTONICA MAXIMA *PHILIPPI 1849.* D 60 mm. Ouest des océans Pacifique et Indien. Spire convexe ; étroite suture entaillée surmontant une côte aplatie, une rainure étroite, une deuxième côte et une rainure un peu plus large ; nombreuses stries transversales, plus profondes sur les premiers tours, en damier fauve ou chair, marquées de brun-rouge sous la suture. 2 autres côtes divisées par un large sillon, marques brun-rouge et blanches. De la base de la périphérie vers le centre : côte, rainure, côte plus petite légèrement plissée, zone plate, rainure, cordon de fins nodules.

ARCHITECTONICA PERSPECTIVA *L. 1758.* D 60 mm. Océans Indien et Pacifique. Semblable à *A. maxima,* moins ciselé. A partir de la suture étroite et profonde : étroite côte à ligne brune, bande blanche, rainure profonde et très étroite, zone large et convexe avec bande brun-rouge, large bande gris-brun devenant fauve sur le dernier tour, étroite bande pointillée de brun avec une bande blanche, profonde rainure formant la suture des premiers tours, petite côte blanche tachetée de brun clair, cachée sauf sur le dernier tour. Fines stries d'accroissement transversales. Base plate ou légèrement convexe. A partir de la périphérie : côte, rainure, cordon, zone plissée, rainure, rangée de nodules, rainure, côte dentelée longeant l'ombilic. Base fauve tachée de blanc sur la côte extérieure et le bord intérieur de la zone plissée ; nodules blancs.

ARCHITECTONICA NOBILIS *RODING 1798.* D 45 mm. Amérique centrale. Semblable à *A. maxima* sauf l'absence de rainure entre les 2 premières côtes sous la suture. Rose là où *A. maxima* est fauve.

ARCHITECTONICA PERDIX *HINDS 1844.* D 30 mm. Nord de l'Australie, Malaisie, Ceylan. Sous la suture bande longitudinale striée, rainure étroite, large bande convexe semblablement striée, rainure étroite, côte large, sillon, côte étroite cachée sous la suture sauf sur le dernier tour. Fines stries d'accroissement. Large bande rose chair, autres bandes et côtes blanches tachetées de marron, apex mauve. Base pourvue de 2 côtes séparées par un sillon à la périphérie, large zone lisse (sauf les stries d'accroissement), rainure, rangée de nodules, rainure, côte crénelée le long de l'ombilic.

ARCHITECTONICA LAEVIGATUM *LAMARCK 1816.* D 30 mm. Inde. 5 côtes plates à peu près égales, stries d'accroissement transversales par dessus. Bande supérieure fauve, quelques taches brunes ; deuxième et troisième bandes mauves vers l'ouverture, puis bleu clair comme l'apex, petites mouchetures brun clair ; 2 dernières bandes fauves, grandes taches brun clair. Base ornementée comme *A. perdix,* fauve avec tache bleue sur la zone centrale, marques radiales brunes près de la périphérie.

PHILIPPIA RADIATA *RODING 1798.* D 23 mm. Océans Indien et Pacifique. Assez élevé et lisse, stries longitudinales peu visibles, 2 très petites côtes au-dessus de la suture ; sous celle-ci une bande brune parfois ornée de raies obliques sur fond blanc. Base assez convexe, rainure à la périphérie et dans la région ombilicale.

HELICUS STRAMINEA *GMELIN 1822.* D 25 mm. Inde, Philippines, Nouvelle-Guinée. Tours de plus en plus arrondis jusqu'à former une ouverture presque circulaire ; fins sillons longitudinaux entre la suture étroite et la périphérie ; 3 côtes entre la périphérie et la base ; petit cordon entre les 2 dernières côtes.

HELICUS CYLINDRICUS I OCC.

Architectonica maxima

Architectonica perspectiva

Architectonica nobilis

Architectonica perdix

Architectonica laevigatum

Philippia radiata

Heliacus stramineus

49

Famille des Planaxidés

Petite coquille solide assez semblable aux Littorinidés ; même habitat. Espèces marines et d'eau douce ; toutes les eaux chaudes du monde.

PLANAXIS SULCATUS *BORN 1780.* D 30 mm. Océans Indien et Pacifique. Coquille massive, solide ; haute spire ; 10 cordons longitudinaux sur le dernier tour. Columelle lisse ou finement crénelée, parfois étroit ombilic, lèvre columellaire plissée. Brun-pourpre, taches grises ou crème plus ou moins denses sur les cordons ; intérieur du labre taché de brun.

Famille des Modulidés

Forme quelque peu similaire aux Trochidés du genre *Angaria,* dent unique à la base de la columelle, ombilic étroit. Fonds sableux couverts de végétation.

MODULUS TECTUM *GMELIN 1791.* D 25 mm. Océans Indien et Pacifique. Coquille solide à spire déprimée, périphérie très marquée, fortes côtes transversales, côtes longitudinales irrégulières parfois noduleuses sur le dernier tour, large ouverture. Columelle lisse, dent proéminente dirigée vers le bas ; intérieur ridé. Blanc sale, taches noires sur certaines côtes ; parfois brun violacé sur le bord extérieur de la columelle, sa dent et une ligne s'enfonçant en spirale dans la columelle.

Famille des Vermétidés

Coquille inhabituelle en forme de long tube enroulé régulièrement en spirale à l'apex puis de manière plus irrégulière et plus lâche.

VERMETUS TULIPA *CHENU 1843.* D 2-3 mm de diamètre pour les premiers tours, 60 mm de longueur déployée. Panama, Ouest de l'Amérique centrale. Tours très anguleux à l'endroit où ils sont fixés au substrat. Surface plissée. Crème ou brun ombré de gris ou de brun.

VERMETUS ARENARIA *L. 1758.* Méditerranée. Enroulements habituellement assez réguliers, tube un peu aplati, légère côte sur la surface supérieure, rides rugueuses. Gris.

VERMETUS CEREUS *CARPENTER* Philippines. Tube aplati, lisse à part les stries d'accroissement ; enroulement serré. Brun clair. Le spécimen illustré ressemble remarquablement à un Trilobite.

VERMETUS TOKYOENSE *PILSBURY 1845.* Japon. Tube légèrement aplati, extrémité détachée du substrat et tournée vers le haut. Surface rugueuse. Brun clair. Sur l'illustration, un spécimen attaché à un morceau de corail mort.

VERMETUS FARGOI *OLSSON* De la Floride au Texas. Premiers tours étroitement serrés pendant 15 mm, puis l'enroulement se relâche et se fait au hasard. 3 cordons très apparents sur les premiers tours, tendant à disparaître ensuite. Brun ; intérieur de l'enroulement plus clair. Parfois sur un substrat vaseux.

SILIQUARIA PONDEROSA *MORCH 1860.* Australie. Premiers tours serrés puis enroulés au hasard. Tube rond, aplati au sommet ; à partir de là fente étroite le long de la coquille sauf sur l'apex aplati. Brun pâle ou blanc sale. Fente ou série de trous : caractéristique du genre *Siliquaria.*

50 VERMETUS ADANSONI — SERPULORBIS ARENARIA — BIVONIA TRIQUETRA —

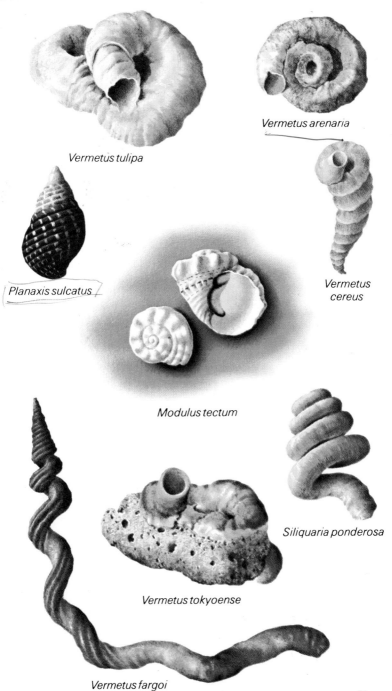

Vermetus tulipa

Vermetus arenaria

Planaxis sulcatus

Modulus tectum

Vermetus cereus

Siliquaria ponderosa

Vermetus tokyoense

Vermetus fargoi

51

Famille des Potamididés

Une des 2 familles de coquillages cornés. Longs, effilés ; nombreux tours, ouverture généralement large, opercule corné. Substrat vaseux, mangroves, estuaires. Végétariens.

TEREBRALIS SULCATA *BORN 1778.* D 60 mm. Océans Indien et Pacifique. Côtes transversales, sillons longitudinaux. Labre évasé rejoignant la coquille par un canal siphonal tubulaire court. Côte transversale émoussée sur le canal. Gris ou brun-gris, taches plus foncées. Intérieur couvert de rides polies, columelle et lèvre columellaire couvertes d'une callosité brun-gris brillant.

TEREBRALIS PALUSTRIS *L. 1767.* Océans Indien et Pacifique. Côtes transversales rugueuses, 3 profonds sillons longitudinaux. Labre évasé courbé sur un court canal siphonal. Ouverture à sillons rabotés ; columelle, paroi et lèvre couvertes d'une callosité. Brun foncé, intérieur brun-pourpre, labre fauve, partie antérieure pourpre, zone pariétale et columelle chocolat, centre de la columelle taché de blanc.

CERITHIDEA CINGULATA *GMELIN 1791.* D 50 mm. Océans Indien et Pacifique. Sur chaque tour 3 rangées de nodules émoussés formés par des côtes transversales obliques et 2 profonds sillons. Labre très évasé aux extrémités. Ride rabotée au-dessus du canal siphonal. Nodules blanc sale sur fond brun, intérieur brun.

CERITHIDEA OBTUSA *LAMARCK 1822.* D 50 mm. Petits cordons longitudinaux rugueux, côtes transversales. Labre évasé, incurvé ; canal siphonal court ; apex souvent érodé. Brun clair ou blanc sale, taches brunes ; intérieur, labre et columelle blancs.

TELESCOPIUM TELESCOPIUM *L. 1758.* D 100 mm. Océans Indien et Pacifique. Côtés droits, 4 côtes longitudinales plates et irrégulières par tour ; base arrondie couverte d'une grande ride, de nombreuses petites et d'une large rainure peu profonde autour de la columelle retorse ; avant du labre évasé. Brun foncé ou noir.

Famille des Cérithiidés

Deuxième famille de coquillages cornés ; semblables aux Potamididés, généralement plus colorés, ouverture entière. Côtes plus ou moins distinctes. Opercule non circulaire, noyau excentré. Eaux généralement plus claires, parmi le corail ; préfèrent le sable.

CERITHIUM NODULOSUM *BRUGUIERE 1792.* D 120 mm. Océans Indien et Pacifique. Cordons longitudinaux rugueux couverts d'épais nodules émoussés (8 sur le dernier tour), le plus proche de l'ouverture étant très enflé ; 3 grandes côtes noduleuses sur la base. Labre évasé recourbé devant un canal siphonal court, ouverture ridée. Côtes bordant les canaux anal et siphonal pénétrant à l'intérieur. Blanc, lignes longitudinales de taches bleu-noir sur les nodules et la base ; intérieur, columelle, péristome et canaux blancs.

CERITHIUM ALUCO *L. 1758.* D 80 mm. Océans Indien et Pacifique. Fines côtes lisses, rangée de 6 épines courtes et émoussées sur la partie supérieure des tours. Ouverture comme celle de *C. nodulosum* sauf canal siphonal renversé de 90° en arrière et ouverture vaguement ridée. Mouchetures blanches et pourpres, péristome et columelle opalescents, partie antérieure tachetée de pourpre.

RHINOCLAVIS NOBILIS *REEVE*   D 130 mm. Philippines. Côtés droits. 8 ou 9 premiers tours à côtes longitudinales, 3 derniers à côtes transversales ; côte saillante à la base, labre évasé, canal siphonal courbé à 90°, columelle lisse, canal anal de taille moyenne. Crème, nombreuses petites flammules beige clair, ouverture opalescente.

GOURMYA VULGATA A.M .

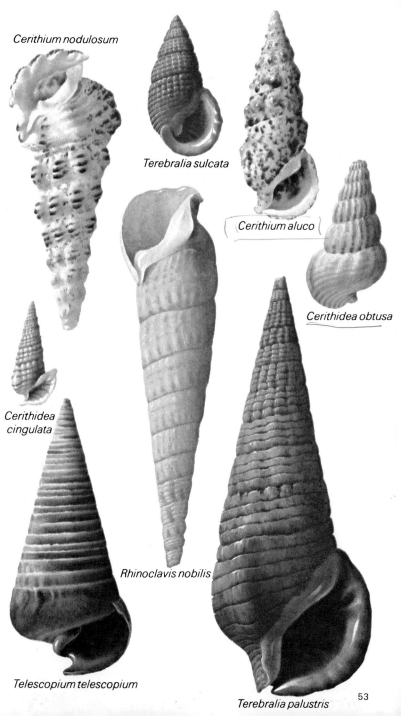

Cerithium nodulosum

Terebralia sulcata

Cerithium aluco

Cerithidea obtusa

Cerithidea cingulata

Rhinoclavis nobilis

Telescopium telescopium

Terebralia palustris

53

RHINOCLAVIS VERTEGUS *L. 1767.* D 65 mm. Océans Indien et Pacifique. Coquille solide, dernier tour rétréci, profondes sutures inégales. Côtes longitudinales et cordons transversaux disparaissant sur les 2 derniers tours. Quelques varices, labre légèrement évasé ; canal siphonal courbé à 90°, presque face au labre. Petit canal anal, callosité columellaire plissée au centre, rainure superficielle autour du cal. Brun clair.

RHINOCLAVIS SINENSIS *GMELIN 1791.* D 65 mm. Océans Indien et Pacifique. Rangée de nodules émoussés sous la suture, puis rangées longitudinales de petits nodules. Fins cordons longitudinaux et transversaux entre les rangées noduleuses et entre les nodules de l'épaule. Renflement transversal entre le canal siphonal et la suture. Varices, labre évasé, columelle à pli central, canal siphonal à 90°. Crème, légèrement ombré et tacheté de brun-pourpre spécialement sur les grands nodules.

RHINOCLAVIS BITUBERCULATUM *SOWERBY 1865.* D 45 mm. Australie occidentale. 4 rangées de nodules émoussés sur chaque tour séparées par de fines stries longitudinales et transversales. Labre évasé, canal siphonal courbé à 90°, columelle pourvue d'un cal et d'une dent. Couleur chair, taches bleu foncé.

RHINOCLAVIS ASPER *L. 1758.* D 60 mm. Océans Indien et Pacifique. 3 cordons longitudinaux (4 sur le dernier tour), côtes obliques, nodules tranchants aux intersections. Labre peu évasé, pli columellaire central, canal siphonal à 90° presque face au labre. Crème ou blanc, parfois taché de brun ; ouverture blanche.

RHINOCLAVIS FASCIATUS *BRUGUIERE 1792.* D 80 mm. Océans Indien et Pacifique. Profonde suture. petites côtes transversales, quelques légères stries longitudinales émoussées sur les derniers tours. Labre peu évasé. Canal siphonal courbé à 90° en arrière. Callosité columellaire avec un pli. Blanc ou fauve.

CLYPEOMORUS TRAILLII *SOWERBY 1855.* D 30 mm. Océans Indien et Pacifique. Coquille tronquée, fines stries longitudinales, fines côtes parfois noduleuses ; varices, labre épais et évasé, canal siphonal court à 45°, canal anal bien marqué. Brun crème.

CERITHIUM ERYTHRAEONENSE *LAMARCK 1822.* Mer Rouge. Fines côtes longitudinales, tours anguleux, quelque 10 côtes formant des nodosités à la périphérie, côte très large au-dessus du canal siphonal. Labre épais, évasé, crénelé, croisé presque à 90° par le canal siphonal bien développé.

CERITHIUM CAERULUM *SOWERBY 1865.* D 40 mm. Océan Indien. Fines côtes longitudinales, 2 rangées de nodules sur les premiers tours, plus sur le dernier ; nodules beaucoup plus gros sur une rangée formant une périphérie tranchante. Canal siphonal court incurvé vers l'arrière, canal bien développé. Gris-bleu.

CERITHIUM VULGATUM *BRUGUIERE 1792.* D 75 mm. De la Méditerranée et de l'Afrique occidentale au cap de Bonne-Espérance. Fines stries longitudinales profondes, côtes transversales, tours resserrés sous la suture puis anguleux, côtes devenant épineuses à l'angle. Labre peu évasé, canal anal développé, canal siphonal court peu incurvé. Coquille grise ou brune.

CERITHIUM RUPPELLII *PHILIPPI 1848.* D 45 mm. Mer Rouge. Coquille assez étroite. 3 rangées noduleuses par tour séparée par des stries, 5 rangées sur le dernier. Varices, labre évasé ; canal siphonal long, presque droit. Gris-brun pâle.

POTAMIDES FUSCATUS *L. 1758.* D 55 mm. Afrique occidentale. Petites côtes longitudinales, rangées de nodules rectangulaires obliques au milieu de chaque tour ; ouverture rectangulaire.

CERTTHIDIUR SUBRAMICLATUR . RERNOIRE
BITTIUR RETICULATUR.A.R.

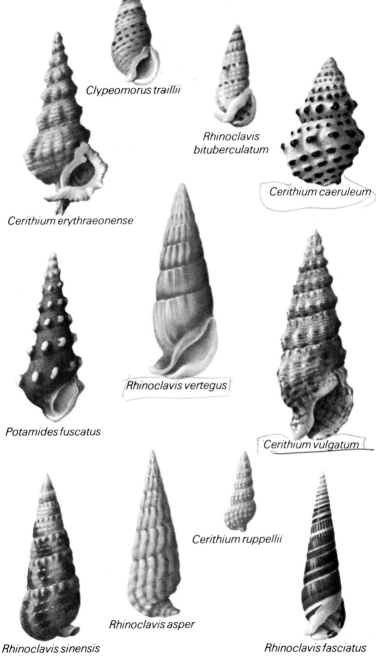

Clypeomorus traillii

Rhinoclavis bituberculatum

Cerithium caeruleum

Cerithium erythraeonense

Rhinoclavis vertegus

Potamides fuscatus

Cerithium vulgatum

Cerithium ruppellii

Rhinoclavis asper

Rhinoclavis sinensis

Rhinoclavis fasciatus

Famille des Epitoniidés

Les Epitoniidés ou scalaires vivent dans les eaux superficielles du monde entier parmi le corail et les anémones ; environ 200 espèces. Coquille conique, assez délicate, nombreux tours souvent enroulés lâchement, lamelles ou varices obliques formées à différents arrêts de la croissance. Certaines espèces sont ombiliquées. Coquille généralement blanche, parfois des touches brunes. Opercule corné avec peu de tours, nucléus presque central.

CIRSOTREMA ZELEBORI *DUNKER 1866.* D 22 mm. Nouvelle-Zélande. Fin, environ 9 tours couverts de 15 lamelles obliques assez serrées. Petites côtes longitudinales (9 sur le dernier tour) formant des nodules sur les lamelles. Blanc.

EPITONIUM MULTISTRIATUM *SAY 1829.* D 12 mm. Sud-est des Etats-Unis. Etroit, très pointu ; 9 tours, environ 14 lamelles transversales par tour. Blanc brillant.

EPITONIUM LAMELLOSUM *LAMARCK 1822.* D 20 mm. Antilles. 8 tours, 12 lamelles. Fauve pâle, suture plus foncée ; lamelles, apex et ouverture blancs.

EPITONIUM PALLASII *KIENER 1838.* D 25 mm. Australie, Philippines, mer de Chine, île Maurice. Assez large à la base. Environ 8 tours souvent joints uniquement par les lamelles (10 par tour). Profond ombilic. Apex brillant et intérieur brun orange pâle, lamelles et ouverture blanches.

EPITONIUM SCALARE *L. 1758.* Asie orientale, Australie. La plus grande coquille du genre, très recherchée par les collectionneurs. Très large, tours séparés uniquement réunis par les lamelles (8 par tour). Profond ombilic. Chair très pâle, lamelles blanches. Jadis très rare et très cher. On fabriqua en Chine des répliques en pâte de riz qui auraient déçu les collectionneurs. Sur le marché, elles atteindraient probablement aujourd'hui des prix plus élevés que le coquillage.

EPITONIUM PERPLEXA *PEASE 1860.* D 40 mm. Pacifique Ouest, océan Indien. Quelque 7 tours, 12 lamelles par tour. Blanc ou fauve clair, parfois une bande pourpre sous la suture après les premiers tours ; lamelles, apex et ouverture blancs.

EPITONIUM DUBIA *SOWERBY 1844.* D jusqu'à 40 mm. Australie, Inde. Coquille très fine, délicate. Profonde suture, environ 9 larges tours, minuscules stries longitudinales, petites lamelles sur les premiers tours devenant de petites côtes sur les derniers. Blanc.

CLATHRUS CLATHRUS *L. 1758.* D 35 mm. De la Méditerranée à la mer du Nord. Assez étroit, environ 15 tours, 9 lamelles par tour. Crème ou fauve. Souvent 2 ou 3 bandes longitudinales brun-pourpre, plus apparentes au croisement avec les lamelles.

AMAEA RARICOSTA *LAMARCK 1822.* D 25 mm de haut × 20 mm de large. Ile Maurice, Ceylan. Tronquée, environ 6 tours, fines côtes transversales, cordons longitudinaux. Parfois épaisses varices, surtout sur le dernier tour. Blanc.

AMAEA MAGNIFICA *SOWERBY 1847.* D jusqu'à 100 mm. Mer de Chine. Coquille très mince, délicate, à spire élevée. Fines côtes longitudinales, fines lamelles basses disposées irrégulièrement. Blanc, apex mauve. Assez rare, recherché.

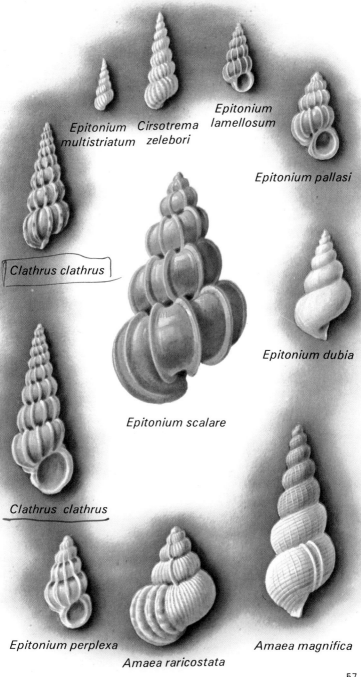

Epitonium
multistriatum

Epitonium
lamellosum

Cirsotrema
zelebori

Epitonium pallasi

Clathrus clathrus

Epitonium dubia

Epitonium scalare

Clathrus clathrus

Epitonium perplexa

Amaea magnifica

Amaea raricostata

57

Famille des Janthinidés

Quelque 30 espèces de pourpres réparties dans les mers chaudes du monde entier. Coquille très mince. Ces coquillages produisent un coussin de bulles auquel ils sont attachés et se laissent ainsi entraîner au gré des vents et des courants.

JANTHINA GLOBOSA *SWAINSON 1822.* D 40 mm. Globuleux, tours arrondis, profonde suture, spire assez déprimée, prolongement columellaire ; large labre rétréci au milieu montrant les stries d'accroissement en V ; fines stries longitudinales. Spire pourpre, très pâle.

JANTHINA EXIGUA *LAMARCK 1816.* D 16 mm. Spire assez élevée, stries en V, forme correspondant à une indentation du labre ; longue columelle, labre antérieur. Violet, bande blanche sous la suture.

JANTHINA JANTHINA *L. 1758.* D 40 mm. Coquille globuleuse à tours anguleux, spire déprimée, fines lignes de croissance. Base assez plate, stries longitudinales, columelle antérieure retorse. Premiers tours bleu pâle, dernier tour blanc, base et columelle d'un beau violet.

Famille des Capulidés

Forme de tasse. Animaux parasites se nourrissant souvent d'autres mollusques.

CAPULUS HUNGARICUS *L. 1758.* D environ 50 mm de large × 30 mm de haut, assez variable. Europe. Apex courbé vers le bas et vers l'intérieur, stries radiales, lignes de croissance irrégulières et rugueuses. Epais périostracum rugueux brun foncé couvrant la coquille blanc sale, intérieur rose.

Famille des Calyptréidés

Souvent un rebord interne en forme de tasse. Coquille variable selon le substrat.

CREPIDULA FORNICATA *L. 1758.* D 50 mm. Amérique du Nord, introduit accidentellement en Europe vers 1900. Apex recourbé, fortes lignes de croissance, ouverture à moitié recouverte par un rebord. Blanc sale, fauve et crème. Formes et couleurs très variables. Souvent empilés.

CRUCIBULUM LIGNARIUM *BRODERIP 1834.* D 25 mm. Indonésie, mer de Chine, eaux tropicales d'Amérique occidentale. Coquille haute en forme de tasse, lignes de croissance rugueuses.

CRUCIBULUM AURICULATUM *GMELIN 1791.* D 30 mm. Amérique centrale. Arrondi, déprimé ; apex recourbé, fins cordons longitudinaux couverts d'épines courtes et aiguës. Rebord attaché à un côté. Blanc crème, rayures transversales brun violacé apparaissant plus clairement sur l'intérieur brillant.

CRUCIBULUM SCUTELLATUM *GRAY 1828.* D 65 mm. Golfe de Californie, Panama. Grandes côtes transversales rugueuses, rebord attaché à l'apex. Brun, intérieur rose.

CRUCIBULUM EXTINCTORIUM *LAMARCK 1822.* Malaisie, mer de Chine. Forme très variable. Apex généralement recourbé, stries longitudinales rugueuses. Blanc rayé de rose pâle. Sur l'illustration, attaché à un *Natica*.

TROCHITA TROCHIFORMIS *BORN 1778.* D 60 × 30 mm. Ouest de l'Amérique centrale jusqu'au Chili. Conique, déprimé. Côtes obliques rugueuses. Orifice fin à bord ondulé du centre de la coquille jusqu'au bord, à peu près en face de l'extrémité du dernier tour. Brun chair pâle, base brillante plus claire.

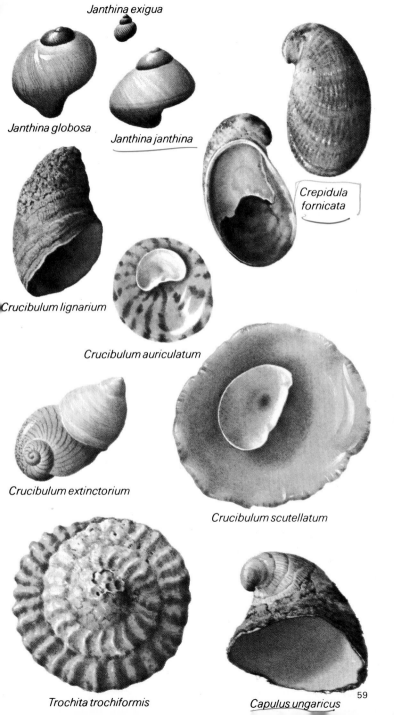

Janthina exigua

Janthina globosa

Janthina janthina

Crepidula fornicata

Crucibulum lignarium

Crucibulum auriculatum

Crucibulum extinctorium

Crucibulum scutellatum

Trochita trochiformis

Capulus ungaricus

59

Famille des Xénophoridés

Les Xénophores fixent à leur coquille des coquilles vides (face interne vers l'extérieur pour les bivalves), des morceaux de corail, des cailloux ou des grains de sable. La plupart des espèces ne se couvrent ainsi que sur les premiers tours pendant la première partie de leur vie. Chez d'autres, comme *Xenophora pallidula* et *X. neozelanica*, ce phénomène se poursuit tout le long de la croissance. Conique comme un Troque, spire déprimée ou élevée. Mers tropicales en eau superficielle peu profonde ; ceux des eaux de surface sont les plus belles pièces de collection. Animaux actifs, très mobiles.

XENOPHORA PALLIDULA *REEVE 1843.* D 100 mm. Japon, Philippines, mer de Chine méridionale. Conique, stries longitudinales, lignes de croissance rugueuses. Base légèrement concave sans recouvrement, lignes de croissance très grossières, presque des plis, étroit ombilic parfois couvert d'un cal sur la lèvre columellaire. Blanc ou brun clair, base brun clair et crème.

XENOPHORA CRISPA *KŒNIG 1831.* D 45 mm. Méditerranée. Légèrement déprimé, étroit ombilic, lignes de croissance obliques, petites côtes ondulées généralement transversales. Périphérie ondulée, irrégulière base couverte de rangées radiales de petits nodules, zone ombilicale striée. Corps étrangers fixés sur la suture et la périphérie. Blanc crème ; base crème à fauve, plus foncée sur la zone striée de l'ombilic.

XENOPHORA CORRUGATA *REEVE 1843.* D 40 mm. Océans Indien et Pacifique ouest. Spire déprimée, surface irrégulière, profonde suture. Base couverte de crêtes obliques radiales et de lignes de croissance rugueuses, quelques-unes brun foncé. Généralement bien camouflé sous des coquilles vides, des cailloux, etc.

XENOPHORA CALCULIFERA *REEVE* D 70 mm. Du Japon aux Philippines. Coquille mince à surface irrégulière, fines stries obliques. Suture peu apparente, seule partie avec petits recouvrements. Base sillonnée de petites côtes radiales incurvées et de stries longitudinales. Ombilic large, profond. Gris crème taché de jaune.

ONUSTUS HELVACEA *PHILIPPI 1851.* D 85 mm. Australie. Très mince et délicat, spire déprimée, suture très légère. Bord de la coquille très fin. Côtes transversales petites, fines, bien serrées, croisées par des stries obliques irrégulières. Quelques débris de pierre sur les 2 ou 3 premiers tours. Base concave à profond ombilic. Bord extérieur de l'ouverture formant une côte plate de 2 mm de large, fines lignes de croissance de celle-ci jusque dans l'ombilic. A l'extérieur de la côte mince rebord irrégulier lisse, brillant, très déchiqueté. Suture visible sous le rebord, plus éloignée de l'apex que la côte du péristome. Fauve crème pâle.

ONUSTUS EXUTUS *REEVE* D 46 mm. Pacifique ouest. Spire déprimée semblable à *O. helvacea,* fines côtes obliques croisées à angle droit par de larges stries ondulées. Côte basale, 4 rangées de minuscules nodules. Ombilic ouvert sillonné de stries, côte jusqu'à la carène lisse avec quelques légères stries concentriques et des lignes de croissance.

STELLARIA SOLARIS *L.* D 75 mm. Philippines. Spire basse, tours légèrement convexes, épines creuses à la périphérie des tours cachant la suture. Surface irrégulière à fins cordons généralement longitudinaux, ouverture ovale. Base concave, ombiliquée, couverte de fortes lignes noduleuses obliques, irrégulières et ondulées. Extrémité des épines incurvée le long du bord de la base formant une forte côte continue. Brun clair.

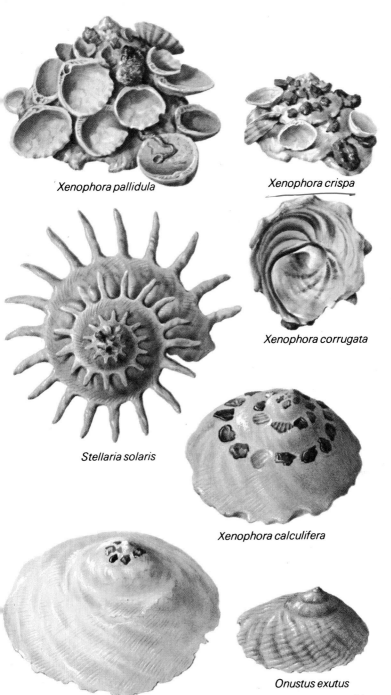

Xenophora pallidula

Xenophora crispa

Xenophora corrugata

Stellaria solaris

Xenophora calculifera

Onustus helvacea

Onustus exutus

61

Famille des Strombidés

De Taïwan à la mer Rouge ; peu abondantes. Provenance de *Tibia serrata* PERRY 1811 encore inconnue. Allongé, spire élevée, long canal siphonal généralement lisse sauf chez *Rimella.* Ornementation confinée au labre et aux premiers tours, variant dans les bruns. Habituellement en eau profonde.

TIBIA FUSUS *L. 1758.* D 200 × 35 mm. Philippines. Spire très élevée, 18 tours. Cordons transversaux étroits et côtes longitudinales sur les premiers tours. Côtes disparaissant à 6 tours environ de la base, les cordons 3 tours plus loin. 3 derniers tours lisses, fines lignes de croissance et rainures longitudinales à la base du dernier tour. Canal siphonal très long, étroit, fragile. Labre avec 5 projections longiformes soulignées par une nervure qui forme un demi-cercle sur l'avant-dernier tour et disparaît à l'autre extrémité sur le canal siphonal. Dent columellaire postérieure ; callosité jusqu'à l'extrémité incurvée de la nervure, formant avec celle-ci le canal anal. Opercule corné en forme de feuille. Fauve brillant, plus clair à l'apex ; nervure sur les projections labiales brun-rouge. Assez rare, très recherché.

TIBIA MARTINII *MARRAT 1877.* D 150 mm. Philippines, Taïwan. Rare, le plus léger du genre. 12 tours, stries longitudinales et transversales microscopiques, léger resserrement à la suture. 5 courtes projections labiales émoussées soulignées par une petite nervure jusqu'au canal siphonal. Brun clair, quelques zones plus sombres surtout sous la suture, projections blanches, nervure brun-rouge, columelle et cal intérieur du labre blancs, intérieur gris-brun. Une autre forme *T. m. melanocheilus* A. ADAMS 1854 présente quelques petites différences comme une large bande brun-pourpre à l'intérieur du labre.

TIBIA INSULAE-CHURAB *RODING 1798.* D 160 × 45 mm. Océan Indien de la mer Rouge aux Philippines. 15 tours, les derniers lisses, les premiers couverts de côtes transversales séparées par des cordons longitudinaux microscopiques. Canal siphonal court souvent légèrement incurvé vers l'ouverture. 5 petites projections émoussées ; nervure venant du canal siphonal soulignant le labre, les projections, les canaux anal et siphonal. Chez *T. i.-c. curta* SOWERBY 1842 nervure se terminant sur l'avant-dernier tour au lieu de l'antépénultième. Chez les deux formes forte callosité columellaire, dent postérieure émoussée se prolongeant vers l'apex et formant le canal anal avec la nervure. Brun clair brillant.

TIBIA POWISI *PETIT 1842.* D 50 mm. Japon, Philippines. Le plus petit du genre, 10 tours. Côtes longitudinales aux interstices piquetés. 5 projections du labre, canaux siphonal et anal courts. Profonde cannelure derrière les projections. Petit cal columellaire, bord intérieur du labre pourvu d'une côte calleuse épaisse se prolongeant dans l'ouverture. Brun clair, quelques zones violettes ; columelle, intérieur et côte du labre intérieur blancs.

TIBIA (RIMELLA) CANCELLATA *L. 1758.* D 35 mm. Océan Indien,

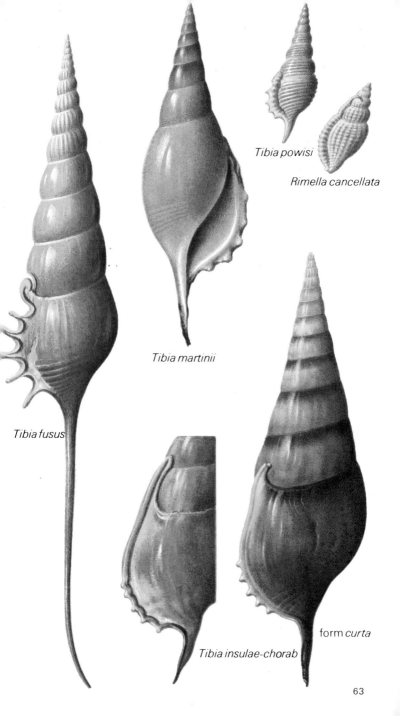

Tibia powisi

Rimella cancellata

Tibia martinii

Tibia fusus

Tibia insulae-chorab

form curta

63

Philippines, nord de l'Australie. Coquille solide à 8 tours. Côtes transversales, rainures longitudinales. Canal siphonal court. Labre pourvu d'une crénelure épaisse soulignée par un profond sillon s'étendant durant 2 ou 3 tours vers l'apex. Callosité columellaire formant le long canal anal avec le labre. Varices placées irrégulièrement. Labre et intérieur striés. Crème, extérieur du labre et varices brun-rouge, columelle et intérieur du labre blancs.

TIBIA (RIMELLA) CRISPATA *SOWERBY* (non illustré). Même région que *T. cancellata* auquel il ressemble à part le labre muni d'un prolongement brusquement incurvé vers l'arrière.

STROMBUS PUGILIS *L. 1758.* D 80 mm. Antilles, Caraïbes. Environ 8 tours, quelque 9 épines courtes à la périphérie du dernier tour, épines plus saillantes au-dessus de la suture des autres, les plus longues à l'avant-dernier. Cordons longitudinaux, côtes émoussées à l'extrémité épineuse sur tous les tours sauf les 2 derniers. Spire concave, 1/4 de la longueur de la coquille. Quelques cordons longitudinaux, de la suture aux épines et à la base du dernier tour. Labre épais avec prolongation extérieure, profonde indentation labiale, canal siphonal court ; columelle, fasciole et labre calleux. Beige clair presque blanc à l'apex, canal siphonal bordé de pourpre, cal brun doré, intérieur blanc.

STROMBUS ALATUS *GMELIN 1791.* D 80 mm. Floride et régions voisines. Assez semblable à *S. pugilis* ; labre non prolongé, épines réduites sur la moitié inférieure du dernier tour, petites nodosités sur le reste de la coquille ; cordons longitudinaux plus forts de l'apex à la suture du dernier tour. Brun chocolat rayé de blanc sur la spire, apex blanc, fasciole et bord interne du labre rouge orange, cal pariétal et columelle brun-rouge foncé, intérieur brun-mauve.

STROMBUS CANARIUM *L. 1758.* D 50 mm, jusqu'à 100 mm. De l'Inde au nord-est de l'Australie, Philippines, Japon. Spire courte et lisse ou élevée avec des tours anguleux, des stries et des varices. Dernier tour strié à la base, arrondi et lisse ou anguleux avec légères côtes. Labre renflé, indentation labiale peu marquée, canal siphonal court, columelle calleuse très brillante. Blanc, taches et stries transversales fauve pâle à brun foncé, parfois fins croisillons bruns, intérieur et columelle blancs, paroi pariétale d'aspect métallique. Les coquillages lisses sont les formes *turturella* RODING 1798 et *isabella* LAMARCK 1822.

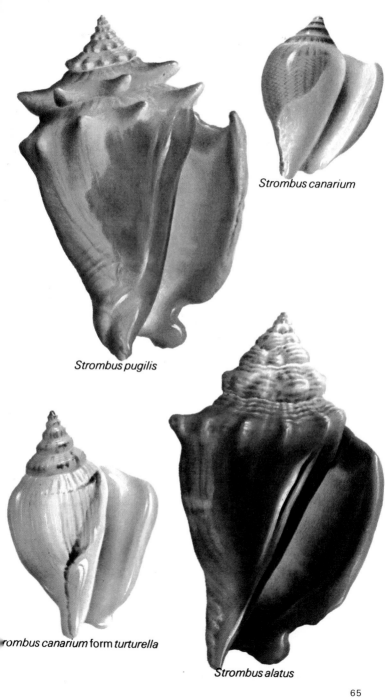

Strombus canarium

Strombus pugilis

Strombus canarium form turturella

Strombus alatus

STROMBUS GIGAS *L. 1758.* D 300 mm. Floride, Antilles. Epines courtes et fortes à la périphérie des tours. Côtes longitudinales rugueuses et plates, cordons longitudinaux, stries transversales rugueuses, plis surtout sur la paroi pariétale. Labre renflé arrivant presque à hauteur de l'apex, bord labial entier et ondulé. Indentation labiale étroite, profonde. Callosité épaisse sur la columelle lisse. Bord pariétal large, brillant ; canal siphonal court, ouvert, recourbé. Crème et blanc, ouverture d'un beau rose brillant à nuances jaunes. Comestible, récolté en grande quantités. Produit parfois une perle rose.

STROMBUS LATISSIMUS *L. 1758.* D jusqu'à 200 mm. Pacifique Ouest. Coquille massive, très solide. Petites nodosités émoussées sur les premiers tours carénés ; moins nombreuses, plus grandes et très arrondies sur les 2 derniers tours, surtout celle située à la périphérie à l'opposé du labre. Labre épais avec une expansion dépassant l'apex, se gonflant en une côte en face de la columelle où il forme parfois un surplomb. Indentation labiale étroite, profonde, dirigée vers l'avant ; épaisse callosité columellaire. Crème fortement moucheté de brun, généralement dans le sens transversal ; intérieur et labre interne blanc sale, callosité columellaire et zone de la côte labiale brun clair.

STROMBUS GOLIATH *SCHROTER 1805* (non illustré). D jusqu'à 325 mm. Brésil. La plus grande des Conques. Coquille massive à spire courte, concave, pointue. Tours imbriqués. Dernier tour renflé à angles assez arrondis, 5 nodosités épaisses et émoussées sur le côté dorsal, 5 beaucoup plus petites du côté ventral sous le lustre de la paroi pariétale. Lustre couvrant la surface ventrale du dernier tour, surface dorsale portant de larges côtes longitudinales plates et rugueuses séparées par de légères rainures. Labre très étendu, bord dessinant une belle courbe lisse, extrémité postérieure formant un demi-cercle presque parfait sur la suture au-dessus du dernier tour ; dépasse largement la spire et la cache complètement du côté ventral. Ouverture assez étroite. Section transversale du labre presque en L à cause d'une forte côte parallèle à la columelle droite et lisse. Mince rainure de l'extrémité postérieure de la columelle à l'endroit du côté pariétal où le labre rejoint le dernier tour. Indentation labiale presque inexistante ; canal siphonal court, ouvert, légèrement retors. Crème, lignes transversales ondulées brun violacé sur les premiers tours, ouverture et cal blancs ou blanc rosé, intérieur plus foncé ; périostracum beige peu apparent sous le lustre pariétal.

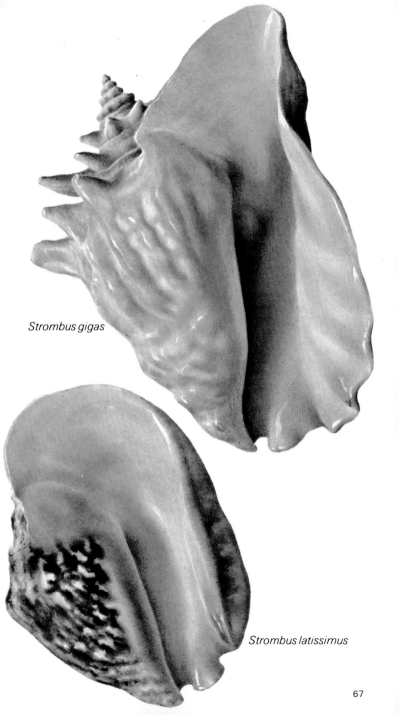

Strombus gigas

Strombus latissimus

STROMBUS GALEATUS *SWAINSON 1823.* D 200 mm. Du golfe de Californie au Nord-Ouest de l'Amérique du Sud. Spire pointue, concave, assez déprimée ; stries longitudinales, cordons axiaux laissant la place sur le dernier tour à de larges côtes longitudinales plates. Labre évasé, indentation labiale légère. Dernier tour blanc, premiers tours orange ou bruns, intérieur brun et orange. Jeunes spécimens mouchetés ou rayés de brun ou d'orange, intérieur blanc. Epais périostracum brun. Mets apprécié, pêché à grande échelle dans le golfe de Californie. Fort semblable au Strombe brésilien *S. goliath.*

STROMBUS COSTATUS *GMELIN 1791.* D 175 mm. Antilles, Floride. Coquille massive, solide. Spire crénelée à tours anguleux, 2 cordons longitudinaux au-dessus de la suture et sous les nodosités périphériques. Labre épais, solide, ridé au bord de l'ouverture. Columelle, paroi pariétale et labre couverts d'un cal épais et brillant. Blanc crème, bord pariétal et labre d'aspect métallique, base de la columelle teintée de brun.

STROMBUS OLDI *EMERSON 1965* (non illustré). D 110 mm. Côte somalienne. Peu répandu. Assez semblable à *S. tricornis* (voir page 70), dernier tour plus étroit, angle spiral plus petit ; prolongation postérieure du labre plus plate, plus ouverte, moins pointue ; nodosités périphériques plus petites, plus nombreuses. Dernier tour pourvu d'environ 10 côtes longitudinales rondes et rugueuses s'étendant jusqu'au labre où elles se gonflent. Petits cordons entre les côtes. Indentation labiale étroite et profonde, columelle droite, côté pariétal lustré. Canal siphonal court, ouvert, légèrement tordu. Crème fortement moucheté de brun foncé, nodosités généralement blanches ; intérieur du labre blanc, plus foncé vers l'ouverture.

STROMBUS LISTERI *GRAY 1852* (non illustré). D 150 mm. Baie du Bengale, Nord-Ouest de l'océan Indien. Rare jusqu'à il y a peu, découvert récemment en grandes quantités. Coquille solide mais légère. Spire très pointue, dernier tour long et effilé. Nombreuses côtes transversales, émoussées sur les 3 derniers tours. Périphéries fortes mais arrondies. Etranglement sutural. Labre évasé au bord parallèle à la columelle, expansion postérieure à bout arrondi arrivant au niveau de la suture au-dessus de l'avant-dernier tour du côté ventral. Epaississement du 1/3 extérieur du labre. Indentation labiale très large et profonde. Columelle lisse, ouverture étroite. Canal siphonal long, ouvert, incurvé dans le sens opposé du labre. Blanc, fortes stries transversales brunes ; dernier tour brun, plus clair du côté ventral, 4 rangées longitudinales de petites marques blanches à chevrons ; ouverture blanche, partie épaisse de la lèvre interne et intérieur tachés de brun.

Strombus galeatus

Strombus costatus

STROMBUS TRICORNIS *HUMPHREY 1786.* D 125 mm. Mer Rouge, golfe d'Aden. Solide, spire assez élevée, nodosités au-dessus de la suture. Dernier tour couvert d'une rangée de tubercules, dont un plus grand et effilé sur le dos. Labre prolongé vers l'avant atteignant l'apex, plus épais et légèrement incurvé vers l'intérieur près de l'ouverture. Indentation labiale forte, épaisse callosité sur la columelle, la paroi pariétale et le labre. Crème moucheté de brun foncé ou cair, callosité brun-jaune sale d'aspect métallique. Eaux de surface.

STROMBUS GALLUS *L. 1758.* D 150 mm. Antilles. Spire assez élevée, petites nodosités au-dessus de la profonde suture. Cordons longitudinaux devenant des côtes plates sous les nodosités du dernier tour. Environ 7 nodosités de plus en plus grandes, mais la dernière est petite. Labre évasé, prolongation postérieure enroulée sur elle-même légèrement dirigée vers l'extérieur et l'arrière ; labre cachant partiellement la spire, non épaissi, légèrement plissé ; profonde indentation. Canal siphonal long, incurvé vers l'arrière puis vers l'avant et la droite. Blanc moucheté de beige orange, intérieur blanc ; intérieur du labre, columelle, parois pariétale et canal siphonal à nuances brun orange pâle ; bord interne du labre d'aspect légèrement métallique. Relativement rare.

STROMBUS PERUVIANUS *SWAINSON 1823.* D 150 mm. Du Pérou au Mexique. Ressemble à *S. tricornis* ; plus grand, sommet de l'expansion postérieure du labre plus incurvé. Spire assez concave, côtes longitudinales avec petits nodules au-dessus de la suture. 5 tubercules à la périphérie du dernier tour, le dernier beaucoup plus grand. Environ 15 côtes longitudinales plates sur le dernier tour, une deuxième rangée de protubérances très arrondies sous les tubercules. Labre épaissi, prolongé ; bord enroulé. Indentation labiale large, striée ; canal siphonal court, fortement incurvé. 8 rides columellaires, les antérieures marquant un angle ; rainure à partir du point de rencontre du labre et de la périphérie jusqu'au dernier tour et dans l'ouverture, et du sommet du prolongement du labre jusqu'à l'intérieur ; celle-ci donne sur une cheminée », l'intérieur du dernier des tubercules de la périphérie. Blanc crème à brun clair, labre d'aspect métallique. Epais périostracum brun ; comme chez les autres Strombes décrits jusqu'ici, s'écaille lorsqu'il est sec.

Strombus tricornis

Strombus gallus

Strombus peruvianus

STROMBUS DENTATUS *L. 1758.* D 55 mm. D'Afrique orientale à la Polynésie, sauf le Nord de l'océan Indien, le continent japonais et l'Australie. Coquille lisse, lustrée, renflée ; côtes transversales émoussées sous la suture des 3 derniers tours, petites varices sur les premiers tours. Labre à 6 dents et légère expansion, intérieur du labre strié. Columelle brillante, 4 longs plis du côté postérieur, 5 petits du côté antérieur. Epaisse callosité, canal siphonal court et incurvé. Blanc, flammules brunes généralement transversales, tache pourpre sur le canal siphonal ; dent labiale, canal anal et columelle blancs sauf les plis antérieurs ; à l'intérieur du labre, zone striée violet foncé transparaissant sur la surface du dernier tour.

STROMBUS FUSIFORMIS *SOWERBY 1842.* D 45 mm. Mer Rouge, golfe d'Aden, Afrique orientale, Madagascar. Côtes longitudinales sur le dernier tour, un peu plus proéminentes près du labre, saillantes sur la partie inférieure. Labre légèrement prolongé, strié à l'intérieur ; columelle brillante, côtes à chaque extrémité ; indentation labiale peu profonde, canal siphonal court. Crème, quelques taches brunes ou brun-rouge.

STROMBUS ERYTHRINUS *DILLWYN 1817.* D 50 × 17 mm. Océans Indien et Pacifique, d'Afrique orientale et de la mer Rouge à Hawaii, Samoa et Tonga. Coquille anguleuse, côtes et quelques varices. Cordons longitudinaux, plus gros du côté antérieur et près du labre ; 6 protubérances émoussées sur le côté dorsal du dernier tour. Suture étranglée. Labre légèrement prolongé, épaissi ; une rainure derrière, une strie à l'intérieur. Indentation labiale peu profonde, canal siphonal court, plis à chaque extrémité de la columelle. Blanc ombré de brun-jaune clair ou foncé, bandes sur le dernier tour ; intérieur du labre, moitié intérieure et extrémité inférieure de la columelle d'un beau brun-pourpre profond. Plusieurs variétés dont 2 illustrées. *S. e. elegans* SOWERBY 1842 est originaire de Nouméa en Nouvelle-Calédonie, *S. e. rugosus* SOWERBY 1825, des îles Fidji, Tonga, Samoa et Ellice ; coquille plus rugueuse.

STROMBUS SINUATUS *HUMPHREY 1786.* D 120 × 70 mm. Pacifique Ouest. Spire élevée, dernier tour valant 2/3 de la longueur totale. Labre cachant partiellement la spire à leur point de jonction ; côte tranchante parallèle à la columelle, 4 ou 5 excroissances spatulées sur le bord postérieur. Profonde indentation labiale, canal siphonal court et incurvé. Blanc ou crème moucheté de brun jaunâtre, intérieur du labre rose, columelle brun clair doré, intérieur brun-pourpre foncé. Eaux peu profondes.

STROMBUS MARGINATUS MARGINATUS *L. 1758.* D 55 mm. Du Nord et de l'Est du golfe du Bengale au Nord du détroit de Malacca. Spire élevée, varices, cordons longitudinaux, côtes transversales, périphérie très anguleuse. Carène noduleuse remplaçant les côtes sur la périphérie des 2 derniers tours. Base du dernier tour striée. Labre épaissi au bord tranchant se terminant du côté postérieur sur la carène de l'avant-dernier tour. Indentation labiale peu profonde, canal siphonal court. Blanc taché de brun clair ou foncé, 4 bandes blanches longitudinales sur le dernier tour.

STROMBUS MARGINATUS ROBUSTUS *SOWERBY 1874.* D 65 mm. Détroit de Malacca, de la mer de Chine méridionale au sud du Japon. Spire beaucoup plus petite que chez *S. m. marginatus,* angles arrondis sans carène. Pli transversal très marqué à l'extérieur du bord pariétal.

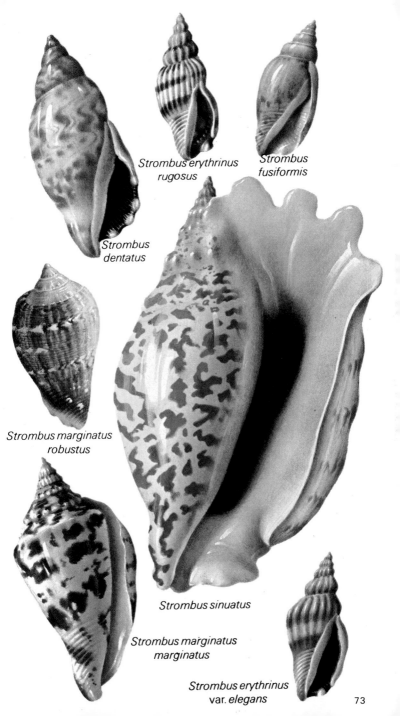

Strombus erythrinus
rugosus

Strombus
fusiformis

Strombus
dentatus

Strombus marginatus
robustus

Strombus sinuatus

Strombus marginatus
marginatus

Strombus erythrinus
var. *elegans*

73

STROMBUS MARGINATUS SUCCINCTUS *L. 1767.* D 50 mm. Sud-Est de l'Inde, Nord-Ouest de Ceylan. Assez étroit, haute spire. Gros tubercule émoussé sur le côté dorsal du dernier tour. Assez pâle.

STROMBUS MARGINATUS SEPTIMUS *DUCLOS 1844* (non illustré). D 48 mm. Iles Ryû-Kyû. Philippines, Nouvelle-Guinée, îles Salomon, Nouvelle-Calédonie. Spire élevée. Semblable à *S. m. succinctus,* sans tubercule dorsal, parfois 2 ou 3 petits à la place ; labre un peu plus évasé. Brun foncé, 5 fines bandes blanches tachetées.

STROMBUS MACULATUS *SOWERBY 1842.* D 35 mm. Pacifique nord et est. Spire moyenne, anciennes varices, angles arrondis à petits tubercules. Etroit étranglement sous la suture disparaissant sur le dernier tour. Environ 5 tubercules très émoussés sur le côté dorsal du dernier tour, cordons sur la moitié inférieure du denier tour et près du labre ; labre renflé, replié sur lui-même. Indentation labiale marquée ; canal siphonal court, presque droit ; ouverture fortement ridée, rides columellaires laissant généralement une zone centrale lisse. Crème ou blanc généralement strié ou moucheté de brun jaunâtre très pâle, variantes possibles, ouverture rose.

STROMBUS VARIABILIS *SWAISON 1820.* D 60 mm. Centre des océans Indien et Pacifique, de l'Indonésie et la Malaisie aux îles Marshall et Samoa. Spire élevée, fines côtes longitudinales sur les premiers tours et à la base du dernier tour, anciennes varices sur les premiers tours anguleux et couverts de côtes transversales formant des tubercules à la périphérie du dernier tour. Labre évasé incurvé du côté antérieur, prolongation postérieure sur l'avant-dernier tour. Légère indentation labiale, canal siphonal peu incurvé. Blanc marbré de brun surtout en stries transversales ondulées, quelques zones hachurées, environ 5 bandes longitudinales blanches plus ou moins visibles sur le labre, intérieur et columelle lisses et blancs. Chez les spécimens vivant à l'ouest, tache rectangulaire brun foncé à mi-chemin de la paroi columellaire.

STROMBUS EPIDROMIS *L. 1758.* D 90 mm. De la Nouvelle-Calédonie à la Nouvelle-Guinée, les Philippines, l'Indonésie, Singapour et Taïwan. Spire anguleuse, côtes transversales disparaissant sur les 2 ou 3 derniers tours pour faire place à de petits tubercules, stries longitudinales et varices sur les premiers tours. Labre évasé, épaissi, incurvé, rejoignant la spire au-dessus de la suture de l'avant-dernier tour et formant le canal anal. Indentation labiale nette, canal siphonal légèrement incurvé, columelle lisse avec callosité épaisse et large bord pariétal. Blanc, légères marbrures transversales brun clair, intérieur et columelle blanc brillant, bord du labre et columelle d'aspect métallique. Eaux peu profondes.

STROMBUS MUTABILIS *SWAISON 1821.* D 40 mm. Océans Indien et Pacifique sauf Hawaii. Très variable. Spire assez petite, côtes transversales arrondies et émoussées formant de gros tubercules sur le côté dorsal du dernier tour. Légers cordons longitudinaux plus tranchants sur la base et près du labre. Rainure profonde et étroite sous la suture. Labre évasé, épaissi ; petite excroissance à la périphérie formant le côté extérieur du canal anal. Légère indentation labiale, canal siphonal court et très peu incurvé, ouverture et columelle striées. Blanc ou crème taché de brun clair ou foncé, généralement en stries transversales ou bandes longitudinales. Sur le dernier tour bande centrale souvent plus claire, parfois jusqu'à 7 bandes étroites claires. Columelle et labre blancs ou roses, intérieur profond parfois moucheté comme l'extérieur. *S. m. zebriolatus* ADAM & LELOUP 1938 couvert de stries transversales ondulées brun foncé sur le dernier tour.

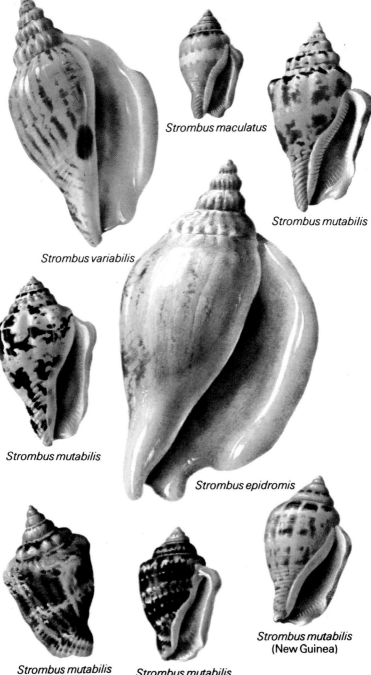

Strombus maculatus

Strombus mutabilis

Strombus variabilis

Strombus mutabilis

Strombus epidromis

Strombus mutabilis
form *zebriolatus*

Strombus mutabilis
(Red Sea)

Strombus mutabilis
(New Guinea)

75

STROMBUS PLICATUS PULCHELLUS *REEVE 1851.* D 35 mm. Pacifique Ouest. Spire concave élevée, varices, cordons longitudinaux, côtes transversales ; cordon sous-sutural plus proéminent surtout sur les premiers tours. Côtes transversales faisant place à des tubercules sur la périphérie des 2 derniers tours. 3 ou 4 tubercules dorsaux sur le dernier tour, l'avant-dernier plus grand. Cordons sur la partie inférieure du dernier tour et près du labre. Labre évasé, légèrement incurvé, atteignant la suture de l'avant-dernier tour. Indentation labiale large, moyennement profonde ; canal siphonal court ; labre et columelle ridés sauf zone columellaire centrale presque lisse. Blanc ou crème, mouchetures brun clair ; 4 étroites bandes blanches longitudinales tachetées de brun sur le dernier tour, péristome blanc, columelle blanche ou crème, intérieur ridé de brun-pourpre, extrémité du canal siphonal mauve.

STROMBUS PLICATUS PLICATUS *RODING 1798* (non illustré). D 60 mm. Mer Rouge. Labre et ouverture incolores, quelques rides columellaires brunes.

STROMBUS PLICATUS SIBBALDI *SOWERBY 1842* (non illustré). D 35 mm. Du golfe d'Aden au sud de l'Inde et à Ceylan. Semblable à *S. p. plicatus,* tours plus émoussés. Rides columellaires brun-pourpre, intérieur et labre blancs.

STROMBUS PLICATUS COLUMBA *LAMARCK 1822.* D 45 mm. Afrique orientale, Madagascar, Seychelles. Tache postérieure brun-pourpre ou brune sur la columelle fortement ridée, 1 ou 2 taches très à l'intérieur du labre.

STROMBUS MICROURCEUS *KIRA 1959.* D 25 mm. De Java au Sud du Japon, Samoa et Nouvelle-Calédonie. Semblable à *S. mutabilis*, columelle jaune orangé sur la moitié extérieure et brun-pourpre foncé strié de jaune sur l'intérieur ; intérieur blanc, bande brun-pourpre strié longitudinalement de blanc à l'intérieur du labre, tache pourpre sur le canal siphonal.

STROMBUS TEREBELLATUS *SOWERBY 1842.* D 50 mm. Afrique orientale, Pacifique Ouest. Coquille allongée, étroite, assez fragile, renflée, lisse. Etroite bande sous la suture des premiers tours. Rainure oblique au bas du dernier tour. Labre légèrement épaissi. Indentation labiale large et peu profonde, columelle lisse avec fine callosité, canal siphonal court mais se prolongeant au-delà de l'extrémité du labre. Crème taché de brun clair ou foncé, plus foncé sous la suture, rides brunes dans l'ouverture, columelle blanche.

STROMBUS URCEUS *L. 1758.* D 60 mm. Pacifique Ouest, des îles Salomon à la Malaisie et Sumatra. Coquille assez étroite, spire élevée, tours anguleux ; stries et côtes longitudinales, côtes devenant des tubercules plus ou moins gros à la périphérie dorsale du dernier tour ; côtes longitudinales sur la base du dernier tour. Labre épaissi, indentation labiale profonde ou à peine apparente, columelle lisse au milieu et ridée à chaque extrémité, ouverture en général fortement ridée. Très variable. Blanc, crème ou brun ; taches, mouchetures, bandes ou stries transversales brun clair ou foncé ; columelle et lèvre interne rose clair ou foncé, intérieur blanc, brun-pourpre ou pourpre profond ; columelle, labre et intérieur parfois presque noirs. Sur les illustrations : un spécimen brun à ouverture rose des Philippines, un léger coquillage d'eau profonde de couleur claire et aux tours arrondis du sud des Philippines, *S. u. ustulatus* SCHUMACHER 1917, blanc à bouche noire, souvent plus grand que les autres, de Singapour ; ce dernier vit aussi en moins grandes quantités aux alentours de la mer de Chine Méridionale.

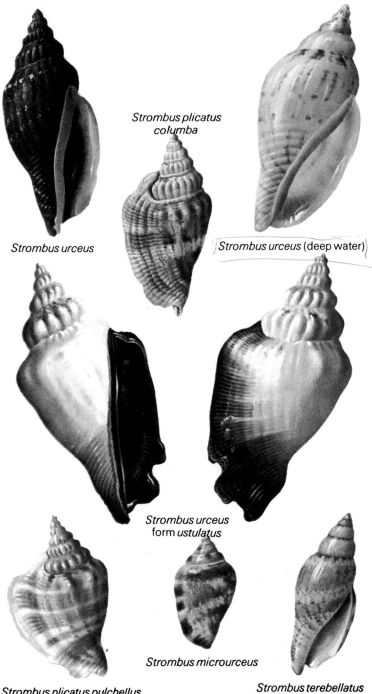

Strombus plicatus columba

Strombus urceus

Strombus urceus (deep water)

Strombus urceus form *ustulatus*

Strombus plicatus pulchellus

Strombus microurceus

Strombus terebellatus

STROMBUS MINIMUS   *L. 1711.*   D 40 mm. Pacifique Ouest. Spire élevée, côtes longitudinales, côtes transversales remplacées par des tubercules sur le dernier tour. Etroite bande sous-suturale. Labre évasé, épaissi, à l'intérieur ridé, prolongé à l'arrière jusqu'au haut du tour antépénultième. Indentation labiale large, peu profonde ; callosité columellaire à expansion postérieure formant avec le labre le canal anal allongé ; canal siphonal court, presque droit. Brun clair ou foncé, petites taches crème, parfois rangée longitudinale de ponctuations blanches sur le dernier tour.

STROMBUS FASCIATUS   *BORN 1778.*   D 50 mm. Mer Rouge. Coquille solide à spire basse, parfois étroite bande sous-suturale disparaissant sur les derniers tours. Tubercules de taille croissante sur l'avant-dernier tour, 10 sur le dernier tour, le plus grand au milieu du dos. Labre légèrement évasé, indentation labiale large et moyennement profonde, canal siphonal légèrement incurvé, columelle lisse, petite fasciole. Blanc, 5 à 9 étroites lignes brisées.

STROMBUS VITTATUS VITTATUS   *L. 1758.*   D 85 mm. De la mer de Chine à la Nouvelle-Guinée et aux Fidji. Forte spire pointue, côtes transversales. Rainure sous-suturale formant une bande où les côtes produisent des nodules, côtes érodées sous la rainure des tours du milieu et disparaissant sur le dernier tour. 2 fins cordons longitudinaux sur la bande. Zone sous-suturale concave. Parfois anciennes varices. Sur la périphérie du dernier tour 1 ou 2 minces protubérances, 1 nodule érodé au milieu du dos. 20 rainures longitudinales sur la base. Labre prolongé, épaissi, légèrement enroulé ; indentation labiale large, peu profonde ; labre se terminant sur la suture au-dessus de l'avant-dernier tour, intérieur du labre finement ridé. Columelle lisse au centre, granuleuse du côté postérieur, avec 5 légères rides antérieures et longeant le canal siphonal court et droit. Blanc marbré de brun clair ou foncé, spécialement sur la bande sous-suturale, le labre et la partie inférieure du dernier tour ; cette zone est couverte de fines lignes brunes transversales en zigzag et d'environ 5 bandes longitudinales ; columelle, intérieur et intérieur du labre blancs. Sur l'illustration *S. v. australis* SCHROTER 1805 à haute spire.

STROMBUS VITTATUS CAMPBELLI   *GRIFFITH et PIDGEON 1834* (non illustré). D 65 mm. Nord et Est de l'Australie. Semblable au précédent, nodule dorsal plus gros, bande sous-suturale couverte de gros nodules.

SROMBUS VITTATUS JAPONICUS   *REEVE 1851.*   D 65 mm. Sud du Japon. Spire plus basse, fins cordons longitudinaux.

STROMBUS LENTIGENOSUS   *JOUSSEAUME 1886.*   D 105 mm. Eaux tropicales des océans Indien et Pacifique, de l'Afrique orientale aux îles de la Société, généralement pas sur les côtes asiatiques sauf sud de l'Inde et Malaisie. Coquille solide et lourde à spire courte et pointue, stries longitudinales, côtes transversales noduleuses à la périphérie des derniers tours et couvertes de 8 tubercules sur le dos du dernier tour, l'antépénultième au milieu étant très gros. 5 rangées de nodules beaucoup plus petits et 3 côtes rugueuses sur le dernier tour, stries sur la base. Labre légèrement évasé, très épaissi en face de la columelle, prolongé, incurvé à l'arrière, rejoignant la spire sur la suture au-dessus du tour antépénultième; 2 fentes à cet endroit, dont une très profonde; profonde indentation labiale, canal siphonal court et incurvé ; columelle lisse et droite pourvue d'un cal épais ainsi que le bord pariétal qui s'étend au-delà des 3 derniers tours pour former avec l'extrémté du labre le long canal anal. Blanc fortement tacheté de brun-gris.

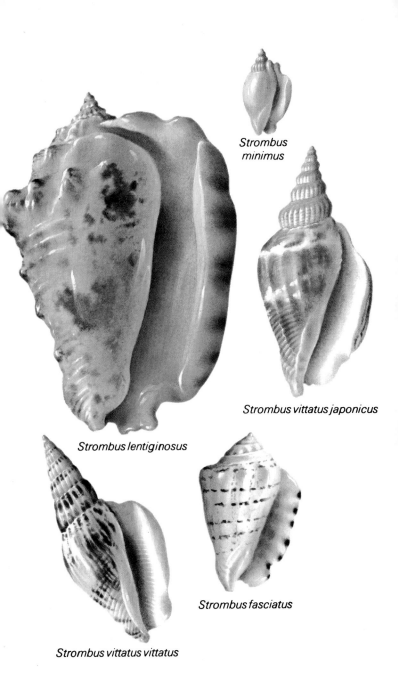

*Strombus
minimus*

Strombus vittatus japonicus

Strombus lentiginosus

Strombus fasciatus

Strombus vittatus vittatus

STROMBUS GIBBERULUS GIBBERULUS *L. 1758.* D 70 mm. Océan Indien, Malaisie, Nord-Ouest de la mer de Chine Méridionale. Spire de hauteur moyenne, cordons longitudinaux, anciennes varices renflées. Avant-dernier tour gonflé débordant sur la suture dorsale du dernier tour à la périphérie enflée, cordons disparaissant pour réapparaître sur le labre. Labre évasé, épaissi, à bord tranchant ; extrémité postérieure sur la partie enflée du dernier tour, bien au-dessous de la suture. Indentation labiale peu profonde, canal siphonal long et légèrement incurvé. Columelle lisse. Blanc, lignes transversales brisées brun clair, étroites bandes longitudinales blanches plus ou moins marquées ; columelle blanc rosé, parfois touche mauve dans le bas ; bande mauve ridée d'environ 3 mm dans le labre, intérieur blanc à nuance mauve, canal anal mauve, canal siphonal blanc.

STROMBUS GIBBERULUS ALBUS *MORCH 1850.* D 55 mm. De la mer Rouge au Kenya. Plus petit que *S. g. gibberulus ;* blanc, marques fauve très pâle, ligne brisée pourpre sous la suture, columelle blanche, bande pourpre à l'intérieur du labre.

STROMBUS GIBBERULUS GIBBOSUS *RODING 1798.* D 55 mm. Sud-Est de la mer de Chine Méridionale, au large des îles de la Société. Taches généralement brun et jaune foncé. Columelle blanche ou jaune, parfois brun chocolat. Cordons longitudinaux du labre peu marqués.

STROMBUS AURISDIANAE AURISDIANAE *L. 1758.* D 75 mm. De l'Afrique orientale aux îles Ryû-Kyû et Salomon. Solide, spire de hauteur moyenne, cordons longitudinaux, côtes transversales. Tours anguleux avec courtes épines érodées. Bande sous-suturale fortement granulée. Epines plus grosses sur le dernier tour, 2 cordons avec courts tubercules vers le milieu. Labre évasé, épaissi, à bord tranchant ; 2 ou 3 plis inégaux ; courte digitation à l'extrémité postérieure du labre, indentation profonde à l'autre. Canal siphonal profond, légèrement tordu vers la droite, presque incurvé à 90° ; canal anal ridé, columelle granuleuse au sommet ou lisse et calleuse, large bord pariétal, cal atteignant presque l'apex. Blanc ou brun clair marbré de brun plus foncé, quelque 8 bandes longitudinales brun-rouge pâle sur le labre ; columelle et bord pariétal brun clair à l'extrémité antérieure, blanc crème à l'autre ; intérieur du labre blanc rosé, intérieur orange.

STROMBUS AURISDIANAE ARATRUM *RODING 1798.* D 90 mm. Nord-Est du Queensland (Australie), côte orientale de Malaisie, peut-être régions intermédiaires. Plus grand, plus effilé, spire plus tranchante, digitation labiale 2 fois plus longue. Canal siphonal plus long, un peu moins incurvé. Epines et tubercules plus gros, moins nombreux. Beige semblablement marbré ; stries labiales, digitation et bord du labre pourpres ; columelle et intérieur brun orange brillant, moitié supérieure du bord pariétal brun foncé, intérieur du labre dégradé en rose.

STROMBUS BULLA *RODING 1798.* D 70 mm. Indonésie, Philippines, Taïwan, Ryû-Kyû, Nouvelle-Guinée, Est de la Nouvelle-Calédonie, Samoa. Semblable à *S. aurisdianae,* beacoup plus lisse ; cordons longitudinaux à peine marqués, cordon sous-sutural érodé, tubercules plus petits, digitation labiale plus longue et effilée, canal anal lisse, callosité couvrant la moitié de la coquille et parfois la spire entière. Blanc fortement marbré de brun clair ; cal blanc, brun-rose du côté antérieur ; intérieur brun orangé brillant.

Strombus gibberulus albus

Strombus gibberulus gibbosus

Strombus gibberulus gibberulus

Strombus aurisdianae aratrum

Strombus aurisdianae aurisdianae

Strombus bulla

81

STROMBUS PIPUS *RODING 1798.* D 70 mm. Afrique orientale, eaux tropicales du Sud-Est du Pacifique. Spire assez courte, légèrement anguleuse ; cordons longitudinaux, côtes transversales avec varices. Dernier tour un peu renflé, 4 rangées longitudinales de petits tubercules au milieu et 1 près de la base ; tache brun-pourpre foncé sur chaque tubercule du côté du labre. Labre prolongé épaissi avant le bord tranchant, incurvé vers l'avant, atteignant l'avant-dernier tour ; 2 fentes à l'extrémité postérieure, intérieur du labre faiblement ridé. Indentation labiale profonde ; canal siphonal très court, incurvé ; columelle lisse, calleuse. Bord pariétal lustré et clair. Blanc marbré brun-beige ; intérieur du labre, canaux anal et siphonal brun-pourpre ; bord du labre blanc croisé de bandes de même couleur ; columelle, bas du bord pariétal et intérieur blancs.

STROMBUS LUHUANUS *L. 1758.* D 70 mm. Du détroit de Malacca au Sud du Japon, îles de la Ligne et Fidji, est de l'Australie. Coquille conique ; spire lisse ou striée, basse, concave ; dernier tour très anguleux. Labre incurvé vers l'intérieur, finement ridé à l'intérieur. Indentation du labre profonde ; canal siphonal court, presque droit ; columelle lisse. Blanc ou crème, stries transversales brunes en zigzag formant 6 larges bandes longitudinales sur le dernier tour, intérieur du labre et ouverture roses, large bande calleuse brun très foncé sur la columelle.

STROMBUS DECORUS *RODING 1798.* D 70 mm. Nord et est de l'océan Indien. Semblable à *S. luhuanus.* Conique, spire déprimée, apex pointu. Test plutôt bosselé que tuberculé, forte bosse dorsale sur le dernier tour. Labre prolongé, bord fin. Indentation du labre profonde, canal siphonal presque droit, columelle lisse. Blanc, stries transversales ondulées brun foncé formant 7 bandes longitudinales sur le dernier tour ; columelle, intérieur du labre et canaux blancs ; intérieur abricot. Jeunes spécimens facilement pris pour une espèce du genre *Conus* lorsque le labre n'a pas encore sa forme définitive.

STROMBUS LATUS *GMELIN 1791.* D 150 mm. Afrique occidentale du Rio d'Oro à l'Angola et les îles du Cap-Vert. Seul Strombe connu de l'Atlantique est. Solide et lourd, spire moyenne. Stries longitudinales sur les premiers tours, côtes transversales formant des tubercules à la périphérie. 7 grands tubercules érodés sur le dernier tour, les plus gros près du labre ; 3 autres rangées de tubercules érodés de plus en plus petits. Stries rugueuses et irrégulières transversalement sur le dernier tour. Labre prolongé et épaissi, indentation large et profonde. Canal siphonal court, presque droit ; columelle lisse à cal épais. Blanc fortement marbré de brun, intérieur du labre et intérieur roses, bord épaissi du labre rose métallique, columelle et environs de l'indentation teintés d'orange.

STROMBUS GRANULATUS *SOWERBY 1822.* D 75 mm. De l'Equateur au golfe de Californie. Spire élevée anguleuse, stries longitudinales, premiers tours avec côtes, les suivants avec épines érodées ; étranglement sutural. 9 gros tubercules épineux, 3 autres rangées longitudinales de petits tubercules sur le dernier tour, apparition sur l'avant-dernier tour de cordons transversaux plus marqués près du labre. Fines stries d'accroissement sur celui-ci ; épaississement labial, puis enroulement vers l'intérieur ; bord tranchant. Intérieur du labre granulé. Indentation très profonde. Canal siphonal court incurvé à 45º. 6 légères côtes antérieures sur la columelle. Callosité antérieure sur le bord pariétal. Blanc ombré de brun clair et foncé ; lèvre interne, intérieur et columelle blancs, touche rose dans l'indentation et le canal siphonal ; bord pariétal rosâtre, léger aspect métallique à la base, verni clair sur la moitié supérieure.

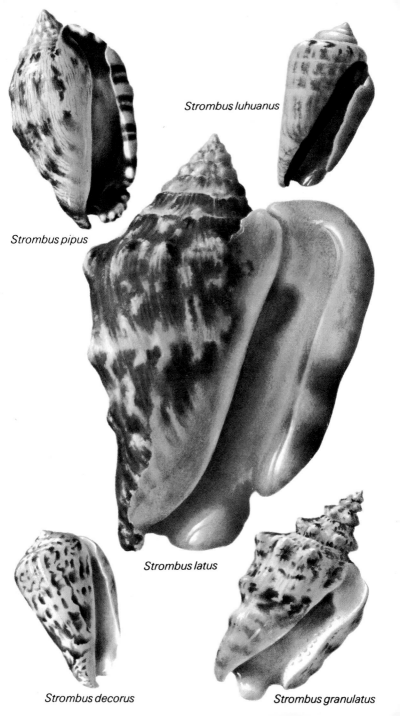

Strombus luhuanus

Strombus pipus

Strombus latus

Strombus decorus

Strombus granulatus

STROMBUS GRACILIOR *SOWERBY 1825* (non illustré). D 75 mm. Du Pérou au golfe de Californie. Très semblable au précédent, spire plus robuste, tubercules moins développés, intérieur du labre non granulé.

LAMBIS LAMBIS *L. 1758.* D 200 mm. De l'Afrique orientale et de la mer Rouge aux îles Marshall et Tonga. Spire pointue, environ 9 tours, stries longitudinales et transversales, petits tubercules à la périphérie anguleuse des tours. Dernier tour muni d'une rangée de 5 tubercules de taille croissante à partir du bord pariétal, les 2 derniers soudés ; seconde rangée de tubercules plus petits et troisième à peine visible. Labre très évasé, cordons longitudinaux et transversaux ; 6 longues digitations épineuses, les 2 postérieures plus longues et s'appuyant sur la spire. (Chez le mâle, environ 40 % plus petit que la femelle, les 3 épines antérieures sont très courtes et très peu incurvées ; chez la femelle elles sont égales à au moins 2 fois la longueur et incurvées à 50 ou 60o). Canal siphonal long, incurvé au-delà du plan du labre. Callosité à l'intérieur du labre entre les épines. Indentation large, profonde. Columelle lisse. Bord pariétal couvert d'un cal jusqu'à hauteur de l'apex. Petite côte sur la columelle et l'intérieur du labre au bout du canal anal, ouverture très étroite. Blanc crème fortement marbré de brun avec ou sans brun-pourpre, périostracum retnu par les épines même sec ; columelle, bord pariétal et intérieur rose chair.

LAMBIS CROCATA *LINK 1807.* D 150 mm. De l'océan Indien aux îles Ryû-Kyû, Marshall, Samoa et nord de l'Australie. Spire moyenne d'environ 12 tours, cordons longitudinaux et transversaux, rangée de petites boules au-dessus de la suture. Rangée longitudinale d'environ 4 tubercules dont les 2 derniers sont plus gros, puis 2 autres rangées de tubercules plus petits sur le dernier tour. 6 digitations avec cordons longitudinaux. Indentation large et profonde. Indentation large et profonde, long canal siphonal incurvé à 90o en 2 plans. Crème taché de brun-jaune ; intérieur du labre, intérieur et columelle rose orange. Sous-espèce des îles Marquises, *L. c. pilsbryi* ABBOTT 1961, 2 fois plus grande que *L. crocata,* digitations plus petites et moins incurvées.

LAMBIS MILLEPEDA *L. 1758.* D 145 mm. Est de l'Indonésie, Philippines. Spire assez courte avec environ 8 tours anguleux, côtes longitudinales, épines érodées à la périphérie des tours. 1 rangée de 3 gros tubercules et 1 petit, et 2 rangées de petits tubercules sur le dernier tour. Etroite ouverture. 3 longues digitations postérieures, 6 courtes recourbées face à la columelle. Indentation labiale très profonde, canal siphonal peu incurvé. Intérieur du labre fortement ridé sauf le bord, columelle pariétale large s'étendant jusqu'à la première digitation qui aboutit juste à l'apex. Crème maculé de brun, suture tachée de pourpre ; intérieur du labre, columelle et cal brun foncé, rides blanches sur fond pourpre, 2 dents blanches à la base du canal anal.

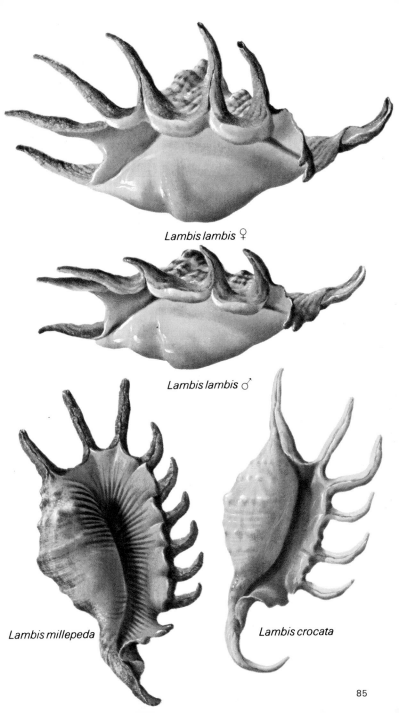

Lambis lambis ♀

Lambis lambis ♂

Lambis millepeda

Lambis crocata

85

LAMBIS TRUNCATA TRUNCATA *HUMPHREY 1786.* D 400 mm. Océan Indien. Spire très déprimée sauf 3 derniers tours, aspect tronqué ; cordons longitudinaux et transversaux. Gros tubercules rugueux à la périphérie des tours, dernier tour couvert de bosses et tubercules dont un spécialement élevé sur le côté dorsal. 6 digitations assez ouvertes, indentation labiale large à bord crénelé. Canal siphonal de la longueur des digitations, légèrement tourné vers l'arrière et vers l'ouverture. Columelle lisse à callosité épaisse, bord pariétal couvrant une partie du dernier tour et indenté à sa périphérie. Crème taché de brun ; ouverture, intérieur du łabre, columelle et canaux roses, rose plus foncé sur le bord pariétal.

LAMBIS TRUNCATA SABAE *KIENER 1843* (non illustré). D 300 mm Mer Rouge et golfe d'Oman, de l'Indonésie à Tuamotu. Semblable au précédent sauf taille, spire non tronquée mais pointue.

LAMBIS CHIRAGRA CHIRAGRA *L. 1758.* Ceylan à Tuamotu, aux îles Ryû-Kyû et au nord de l'Australie. Femelle plus grande que le mâle (jusqu'à 250 mm), marques différentes. Spire basse de 9 tours ; cordons longitudinaux, rugueux sur le dernier tour. Tours anguleux, nodules à la périphérie ; 4 tubercules sur le dernier tour, le dernier double et très long ; 3 ou 4 autres rangées de tubercules. Labre incurvé à l'arrière à 90° à travers le sommet de la columelle et derrière l'apex, couvrant presque la moitié de la spire ; 4 digitations longues et fortes, tournées plus ou moins vers l'arrière, 1 à l'extrémité du labre derrière le sommet de la columelle, 1 à l'extérieur du canal anal, 3 sur le labre dont 1 sous la profonde indentation labiale. Sixième digitation à la base du dernier tour. Columelle, intérieur du labre et large bord pariétal ridés. Bourrelet de 10 à 15 mm de long au sommet de la columelle et dans l'ouverture, au-delà de l'extrémité du canal anal. Blanc marbré de brun ; labre, columelle et intérieur nuancés de rose ; bord labial et interstices entre les rides plus foncés. Mâle, autrefois appelé *L. rugosa,* plus petit que la femelle (175 mm) ; 5 tubercules sur le dernier tour. Rides labiales et columellaires, plus fortes aux extrémités columellaires. Ouverture, intérieur, labre et columelle rose-rouge ; rides blanches, bas de la columelle pourpre. Rebord identique au sommet de la columelle.

LAMBIS CHIRAGRA ARTHRITICA *RODING 1798.* D 200 mm. Moitié occidentale de l'océan Indien. Remarquablement ressemblante au mâle *rugosa* de *L. c. chiragra.* Femelle un peu plus grande que le mâle. Labre et columelle fortement striés, plus que chez *rugosa.* Rides blanches, interstices pourpres sur fond rouge-brun ou rose. Bourrelet dans l'ouverture au sommet de la columelle remplacé par une excroissance arrondie sur laquelle se prolongent les rides columellaires et qui forme un côté du canal anal très étroit.

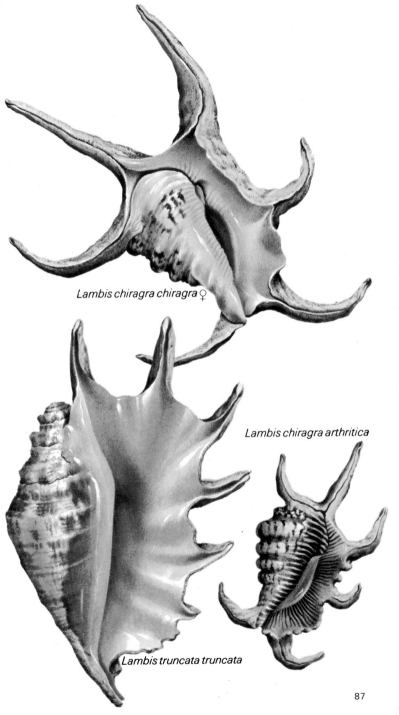

Lambis chiragra chiragra ♀

Lambis chiragra arthritica

Lambis truncata truncata

87

LAMBIS DIGITATA *PERRY 1811.* D 140 mm. De l'Afrique orientale à Samoa. Spire élevée, stries longitudinales, côtes basses se
terminant en tubercules tranchants à la périphérie. Rangée longitudinale de 6 tubercules sur le dernier tour, le plus gros au milieu
du côté dorsal ; 3 rangées de plus petits. Labre à bord aplati se
prolongeant en saillie étroite ; 8 digitations, 2 postérieures longues
dont 1 bifide longeant et dépassant la spire, et 6 courtes en face
de la columelle. Profonde indentation labiale, large, au bord découpé
comme le reste du bord labial en dessous. Canal siphonal moyennement long, presque droit. Columelle, bord pariétal et intérieur du
labre fortement ridés. Etroite côte sur chaque côté de l'extrémité
interne du canal anal se terminant en cheminée profonde. Blanc,
abondamment taché de brun ; intérieur du labre blanc.

LAMBIS SCORPIUS *L. 1758.* D 170 mm. Du détroit de Malacca
aux Ryû-Kyû, au nord de l'Australie aux Samoa. Sous-espèce de
l'océan Indien *L. s. indomaris.* Spire courte, cordons longitudinaux
jusque sur le labre, petits tubercules sur les périphéries anguleuses, bande sous-suturale granuleuse. Dernier tour avec 1 rangée
de 5 grands tubercules, 2 rangées de plus petits et une autre de
tubercules antérieurs encore plus petits. Extrémité postérieure du
labre courbée pour envelopper la moitié de la spire, petit déve-
loppement triangulaire arrondi au bas de la première digitation.
3 longues digitations postérieures, 3 courtes et courbes en face de
la columelle, les 6 courbées vers l'arrière. Indentation labiale à
bord découpé comme le reste du labre. Canal siphonal long, incurvé au bout fermé. Digitations de largeur variable, rugueuses, bosse-
lées. Columelle et ouverture fortement ridées. Blanc et gris pâle,
quelques taches et ombres brunes, intérieur du labre rose.

Famille des Aporrhaïdés

Les Aporrhaïdés ou pieds-de-pélican sont répartis en 6 espèces
de l'Atlantique nord et de la Méditerranée.

APORRHAIS PESPELICANIS *L. 1758.* D 50 mm. De la Méditerranée au nord de la Norvège. Spire élevée, cordons longitudinaux,
côtes transversales sur les 3 derniers tours. Dernier tour concave
avec une deuxième bande de petites côtes et un cordon granuleux.
Labre très évasé et épaissi, lignes de croissance rugueuses ; 4 digitations, 1 courte partiellement attachée à la spire, 1 plus longue,
1 courte et 1 formant le canal siphonal. Indentation labiale large,
peu profonde. 2 grosses arêtes sur le dernier tour formant l'« épine
dorsale » des 2 digitations centrales. Columelle lisse, callosité pariétale. Gris-brun, labre plus clair, ouverture blanche.

Famille des Struthiolariidés

Nouvelle-Zélande. 4 sous-espèces : *Struthiolaria papulosa gigas*
SOWERBY 1842, *Struthiolaria papulosa papulosa* MARTYN 1784,
Struthiolaria pelicaria vermis MARTYN 1784, *Struthiolaria pelicaria
tricarinata* LESSON 1880.

STRUTHIOLARIA PAPULOSA PAPULOSA *MARTYN 1784.* D 80 mm.
Solide, très anguleux ; périphérie des 4 derniers tours carénée,
cordons longitudinaux. Dernier tour assez aplati, lignes de croissance rugueuses. Labre évasé, columelle presque semi-circulaire,
callosités labiale et pariétale, moitié inférieure renflée. Canal siphonal court incurvé. Gris, stries transversales brunes peu apparentes.

STRUTHIOLARIA PELICARIA VERMIS *MARTYN 1784.* D 35 mm.
Ile du Nord. Semblable au précédent, lisse à part petits nodules
à la périphérie, parfois fins cordons longitudinaux granuleux. Variable : pourpre, brun ou jaune.

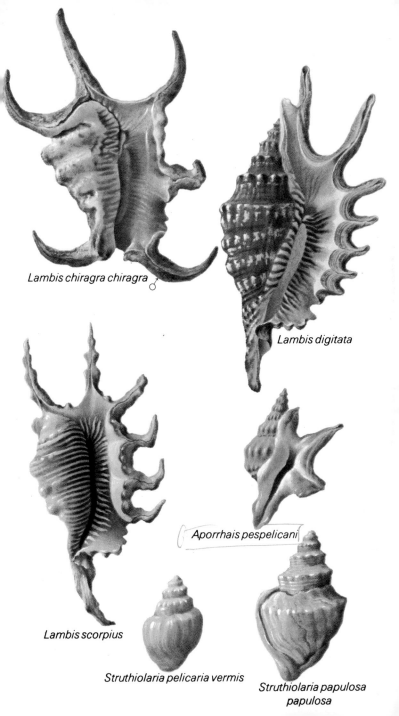

Lambis chiragra chiragra ♂

Lambis digitata

Lambis scorpius

Aporrhais pespelicani

Struthiolaria pelicaria vermis

Struthiolaria papulosa papulosa

Famille des Cypréidés

Les Cyprées ou porcelaines sont les coquillages les plus populaires parmi les collectionneurs à cause de leur vernis étincelant et de leurs couleurs éclatantes. Eaux tropicales et semi-tropicales ; se nourrissent d'algues. Grandissent en spirale comme les autres gastéropodes, puis à l'âge adulte le labre s'enroule, s'épaissit et des dents apparaissent sur le labre et la columelle. Vivent la nuit et se cachent le jour. Récifs coralliaires et eaux superficielles. Ces caractères généraux n'excluent toutefois pas les exceptions.

CYPRAEA ISABELLA *L. 1758.* D 30 mm. Océans Indien et Pacifique. Cylindrique, dents fines et courtes. Gris-beige, lignes noires longitudinales interrompues, extrémités et spire rouge orange, base blanche.

CYPRAEA ISABELLA MEXICANA *STEAVUS 1893* (non illustré). Ouest de l'Amérique centrale. Semblable au précédent, callosité brune, extrémités plus développées et plus claires.

CYPRAEA UNGERFORDI *SOWERBY 1888.* D 40 mm. Japon. Porcelaine japonaise la plus commune. Eaux profondes. Spécimens probablement de cette espèce découverts récemment au large du cap Moreton (Queensland). Dents fortes. Base couleur chair et côtés légèrement calleux se rejoignant en une bande blanchâtre tachetée de brun foncé qui borde une large bande longitudinale foncée avec un pointillé serré gris-brun ; bandes transversales plus sombres peu distinctes. Autres espèces japonaises : *Cypraea teramachii, Cypraea hirasei, Cypraea langfordi.*

CYPRAEA TESSELLATA *SWAISON 1822.* D 30 mm. Hawaii. Rare, une des plus belles Porcelaines. Dos élevé, bords fortement calleux, dents fines. Fond bleu-gris, 3 bandes plus foncées brun-gris, taches rectangulaires rouge-brun et blanches sur les côtés et les extrémités. Base brun-rouge avec taches blanches s'étendant de chaque côté jusqu'aux dents.

CYPRAEA LURIDA *L. 1758.* D 45 mm. Méditerranée et Atlantique oriental, des Açores à Sainte-Hélène et à l'Angola. Léger, en forme d'ovule. Brun-fauve, 3 bandes plus sombres avec 2 taches brun foncé à chaque bout, reflet rose-rouge à chaque extrémité de l'ouverture, base blanche. Voir *C. pulchra.*

CYPRAEA PULCHRA *GRAY 1824.* D 50 mm. Mer Rouge, golfe d'Aden, côte sud de la péninsule arabe jusqu'au golfe d'Oman. Ressemble à *C. lurida* ; beaucoup moins rugueux, moins renflé, plus lisse, plus brillant, plus clair ; pas de rouge aux extrémités. Dents brun-rouge beaucoup plus fines, s'étendant au milieu de la columelle sur 1/3 de la distance au-dessus de la base. Ouverture plus droite. Beaucoup plus solide. Rare. Une des plus belles Porcelaines.

Cypraea isabella

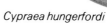

Cypraea hungerfordi

Cypraea cinerea

Cypraea tessellata

Cypraea lurida

Cypraea pulchra

CYPRAEA CHINENSIS *GMELIN 1791.* D 30 mm. De Tahiti au détroit de Malacca, du sud du Japon aux côtes septentrionales de l'Australie, côte orientale de l'Afrique du cap de Bonne-Espérance à Aden. Aspect quelque peu anguleux dû aux callosités latérales. Forte denticulation surtout sur l'extérieur du labre. Dos marbré de brun clair à vert, côtés crème tachetés de mauve, base et dents blanc crème, orangé dans les intervalles. Parfois plus allongé que le spécimen illustré.

CYPRAEA COLOBA *MELVILLE 1888.* D 25 mm. Sud-est de l'Inde, Ceylan, golfe du Bengale, centre de l'océan Indien entre les îles Andaman et Chagos où on signale son proche parent *C. chinensis.* Coquille plus déprimée, bords très calleux, forte denticulation grossière surtout sur le labre. Rose chair, minuscules taches gris-vert, base brun-rose.

CYPRAEA ONYX *L. 1758.* D 40 mm. De l'Afrique du Sud au Kenya, Madagascar, île Maurice, nord de l'océan Indien, Indonésie, Philippines, Japon, nord-ouest du Pacifique y compris les îles Marshall, Gilbert, Salomon et le nord de la Guinée. Base et côtés brun foncé à noir contrastant fortement avec le dos bleu-blanc pâle, 2 bandes jaunes très visibles chez les jeunes, faibles chez les adultes ; ligne dorsale brun foncé faisant ressortir les bandes jaunes. Chez *C. o. adusta* LAMARCK 1820 d'Afrique orientale, le dos est d'un beau brun profond avec une légère ligne dorsale plus claire. *C. o. sucsincta* L. 1758 (non illustré) d'Inde et d'Iran est brun-rouge sur la base et le dos avec 2 légères lignes pâles sur la base, dents plus claires.

CYPRAEA PYRUM *GMELIN 1791.* D 45 mm. Méditerranée et Afrique occidentale jusqu'au cap Frio. Piriforme, dentaculation très forte. Bords, base et extrémités rouge orange, dents et intérieurs blancs, dos brun, fond crème abondamment taché, 3 étroites bandes crème plus ou moins visibles.

CYPRAEA MUS *L. 1758.* D 45 mm. Côte septentrionale de l'Amérique du Sud, de l'extrémité du canal de Panama au golfe du Venezuela. Coquille large, légèrement anguleuse, dos élevé. Dents moyennement fortes. Fauve clair, lignes ondulées gris-fauve foncé sur le large péristome à partir des dents brun foncé du labre, lignes visibles uniquement sur le bord du péristome du côté de la columelle ; dents aussi brun foncé de ce côté couvertes d'une bande foncée qui traverse toute la coquille ; dos tacheté de gris-fauve, ligne dorsale claire marquée des 2 côtés par des taches brun très foncé semblant vouloir se rejoindre à l'extrémité postérieure du dos.

Cypraea onyx var. *adusta*

Cypraea chinensis

Cypraea onyx

Cypraea coloba

Cypraea mus

Cypraea pyrum

CYPRAEA ZICZAC *L. 1758.* D 20 mm. D'Afrique orientale au sud du Japon en passant par les mers de Chine, au nord-ouest de l'Australie et à la Grande Barrière de Corail, et à Tahiti par le Pacifique central, la Nouvelle-Guinée, les Nouvelles-Hébrides, les îles Salomon, Fidji, Samoa et Cook. Brun clair, 3 bandes de chevrons bleublanc très pâle ; base rouge-brun clair, taches noires s'étendant jusqu'au péristome plus clair et encerclant les extrémités ; petite tache foncée sur la spire déprimée.

CYPRAEA DILUCULUM *REEVE 1845.* D 25 mm. Afrique orientale de Durban à Aden, Seychelles, îles Maurice et de la Réunion. Assez semblable à *C. ziczac,* plus grand. Blanc ivoire, 3 bandes gris-brun foncé séparées par des chevrons de même couleur. Le spécimen illustré est moins coloré que le coquillage type. Péristome et base tachetés de même couleur sauf chez *C. d. virginalis* SCHILDER et SCHILDER 1938 des mêmes régions. Petite tache foncée sur la spire déprimée.

CYPRAEA CLANDESTINA *L. 1767.* D 20 mm. Océans Indien et Pacifique Ouest y compris sud du Japon, îles de Wake, Marshall, Gilbert, Cook et Lord Howe, Grande Barrière de Corail. Blanc, 3 larges bandes gris très pâle, fines lignes brun-rouge visibles presque uniquement à la loupe, extrémités rose très pâle, base et dents blanches.

CYPRAEA LUTEA *GMELIN 1791.* D 20 mm. Mer de Chine Méridionale y compris les Philippines et Singapour, Moluques, Célèbes, Ouest de la Nouvelle-Guinée et de l'Australie. Brun pâle à vert, petites taches brunes éparses, 2 étroites bandes bleu-blanc pâle très apparentes ; base et péristome rouge orange, nombreuses taches brun foncé ; extrémités brun foncé.

CYPRAEA SAULAE *GASKOIN 1843.* D 25 mm. Philippines, îles Carolines et Moluques, du détroit de Torres à Brisbane par la Grande Barrière de Corail. Rare, d'une beauté merveilleuse. 3 variétés, sur l'illustration *C. s. siasiensis* CATE 1960. Test étroit au dos quelque peu renflé. Blanc à fauve clair, taches marron s'agrandissant sur le péristome, grosse tache presque carrée sur le dos. Extrémités et dents jaune orange ou blanches.

CYPRAEA COXENI *COX 1873.* D 20 mm. Nord de la Nouvelle-Guinée, Nouvelle-Angleterre, îles Salomon. Assez rare. Coquille longue, étroite, cylindrique. *C. c. hesperina* SCHILDER-SUMMERS 1963 est plus petite, marques dorsales plus grandes et plus sombres. Fauve crème clair, dos fortement marqué de brun.

CYPRAEA PUNCTATA *L. 1771.* D 15 mm. Océan Indien, mer de Chine, Pacifique central y compris sud du Japon, îles Marshall, Tahiti, archipel Cook, Nouvelle-Calédonie, nord-est, nord et nord-ouest de l'Australie. Blanc plus ou moins pointillé de brun foncé, dents souvent rayées de brun

CYPRAEA WALKERI *SOWERBY 1892.* D 30 mm. Seychelles et Maldives, sud de la Malaisie et de Singapour. nord de Sumatra, Moluques, nord de l'Australie. 2 variétés dont une piriforme et renflée ; *C. w. surabajensis* SCHILDER 1937 des Philippines est étroit et allongé. Fauve fortement tacheté de brun-pourpre formant une bande au milieu du dos, péristome et extrémités semblablement tachés. Interstices marqués de pourpre entre les dents et le côté labial de la base.

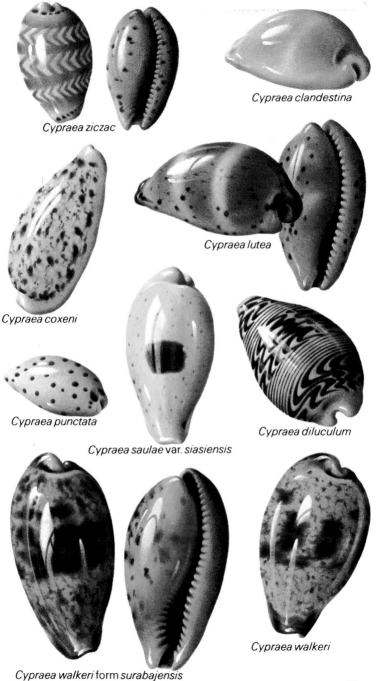

Cypraea ziczac

Cypraea clandestina

Cypraea lutea

Cypraea coxeni

Cypraea punctata

Cypraea saulae var. *siasiensis*

Cypraea diluculum

Cypraea walkeri form *surabajensis*

Cypraea walkeri

95

CYPRAEA PYRIFORMIS *GRAY 1824.* D 35 mm. De Singapour au sud des Philippines, du sud au nord de l'Australie. Piriforme et renflé. Bleu-blanc fortement pointillé de brun, 3 bandes interrompues brun plus foncé ; base crème, dents brun foncé très longues sur la columelle ; dents labiales crème courtes.

CYPRAEA TERES *GMELIN 1791.* D 40 mm. Océans Indien et Pacifique, de l'Afrique orientale aux Galapagos et du Japon au nord de l'Australie. 3 formes principales : étroite et cylindrique, cylindrique mais plus renflée, tout à fait arrondie. Cal labial plus ou moins développé, ne figure pas sur le spécimen illustré. Bleu-gris, nombreux points et taches vert-brun, taches formant 3 bandes brisées, base blanche, cal blanc tacheté de brun foncé.

CYPRAEA ASSELLUS *L. 1758.* D 20 mm. Océans Indien et Pacifique Ouest jusqu'à Samoa. Blanc, 3 larges bandes brun-noir liserées de brun plus clair.

CYPRAEA QUADRIMACULATA *GRAY 1824.* D 30 mm. Moitié septentrionale de l'Australie, Indonésie, est de la Malaisie, Singapour, Philippines, Nouvelle-Guinée. Assez carré, fortes dents. Blanc, légère nuance bleue, 2 fines bandes plus foncées sur le dos, pointillé brun clair, 2 grosses taches brun foncé à chaque extrémité.

CYPRAEA PALLIDULA *GASKOIN 1849.* D 20 mm. Japon, Philippines, nord de l'Australie, est de Samoa. Blanc ou brun clair moucheté de brun-vert, 4 étroites bandes bleu-gris équidistantes, base blanche. Variétés apparentées et très semblables : *C. interrupta* GRAY 1824 et *C. luchuana* KURUDA 1960.

CYPRAEA IRRORATA *GRAY 1828.* D 15 mm. Centre du Pacifique. Bleu-blanc tacheté de brun-rouge, taches plus foncées sur le péristome, parfois tache brun-rouge sur le bord columellaire comme illustré.

CYPRAEA FIMBRIATA *GMELIN 1791.* D 20 mm. Océans Indien et Pacifique jusqu'aux îles Tuamotu et Tahiti. Bleu-blanc, taches et bandes interrompues brun clair, taches brun plus foncé sur la lèvre columellaire ; 2 taches brun-pourpre sur le canal antérieur, plus précisément sur la spire et l'extrémité du prolongement postérieur du labre.

C. irrorata et *C. fimbriata* font partie avec *C. gracilis* (voir p. 98) d'un groupe de coquillages étroitement apparentés et très semblables. Autres membres : *Cypraea hammondae* IREDALE 1939, *Cypraea microdon* GRAY 1828, *Cypraea minoridens* MELVILLE 1901, *Cypraea serrulifera* SCHILDER et SCHILDER 1938. *Cypraea raysummersi* SCHILDER 1960 syn. de *C. hammondae*. Tous habitent les régions limitées par le Nord de l'Australie, l'Est de l'Indonésie, les Philippines et l'Est du Pacifique.

Cypraea asellus

Cypraea irrorata

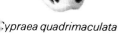

Cypraea quadrimaculata

Cypraea teres

Cypraea pallidula

Cypraea pyriformis

Cypraea fimbriata

97

CYPRAEA ALBUGINOSA *GRAY 1825.* D 20 mm. Golfe de Californie, baie de Panama, Equateur, Galapagos. Piriforme, fines dents. Lilas, ligne plus foncée sur le péristome, dos parsemé d'ocelles au contour brun-rouge foncé et au centre blanc lilas et de petites taches blanc lilas, 3 légères bandes apparentes, base lilas aux extrémités s'atténuant en blanc à l'ouverture, dents blanches.

CYPRAEA PORARIA *L. 1758.* D 15 mm. Océans Indien et Pacifique de l'Afrique orientale à Tahiti par le sud du Japon et le nordest de l'Australie. Ressemble à *C. albuginosa,* plus lourd et plus arrondi, extrémités moins étirées. Pourpre lilas, plus foncé que *C. albuginosa,* taches blanches, ocelles au contour pourpre au lieu de brun-rouge. Les couleurs ternissent rapidement une fois le coquillage recueilli.

CYPRAEA HELVOLA *L. 1758.* D 20 mm. Océans Indien et Pacifique de l'Afrique orientale à Tahiti par le sud du Japon et le nord de l'Australie. Comme chez *C. poraria* magnifiques couleurs se détériorant rapidement. Bleu pâle, taches plus claires, grandes taches rouge-brun foncé se rejoignant vers le péristome pour former 2 bandes irrégulières, 1 de chaque côté, qui ne se rejoignent pas aux extrémités. Péristome nettement séparé des côtés, couvert d'un cal ; ponctuations rouges sur la base et les dents grossières ; base convexe, tache rouge foncé au centre du côté columellaire. Coquille variable selon la région.

CYPRAEA GRACILIS *GASKOIN 1849.* D 15 à 25 mm. Océans Indien et Pacifique ouest par le sud du Japon, les Philippines, le sud de la Nouvelle-Guinée, le nord de l'Australie, la Grande Barrière de Corail et les Fidji. Nombreuses variétés. Bleu-gris, ponctuations brunes plus ou moins denses, une ou plusieurs taches brunes irrégulières au centre du dos, légères bandes, taches brunes sur le péristome, base blanche, 2 taches sombres à chaque extrémité s'étendant jusqu'aux canaux antérieur et postérieur.

CYPRAEA SPURCA *L. 1758.* D 25 mm. Atlantique, Méditerranée. Coquille méditerranéenne effilée, base légèrement renflée, canal antérieur très ouvert. Extrémités allongées surtout du côté antérieur. Beige clair, denses ponctuations plus foncées, grandes taches brun foncé autour du péristome légèrement calleux, base crème à beige clair.

CYPRAEA SPURCA ACICULARIS *GMELIN 1791.* D 20 mm. Amérique. Plus petite, plus ramassée, plus arrondie que *C. spurca.* Callosité épaisse sur le péristome. Taches dorsales orangées, base et péristome blancs, taches sombres du péristome moins voyantes. Nous possédons un magnifique spécimen trouvé dans l'appareil digestif du poisson *Amphyetis cryptocentum.*

CYPRAEA BOIVINII *KIENER 1843.* D 25 mm. Sud du Japon, Philippines, Malaisie, Singapour, Sumatra. Coquille étroite à très fortes dents. Bleu-gris très pâle, taches brunes indistinctes, ligne dorsale très apparente liserée de brun clair d'une tache de la spire au bord du canal antérieur ; extrémités, péristome et base blancs.

CYPRAEA LABROLINEATA *GASKOIN 1849.* D 20 mm. Centre des océans Indien et Pacifique de Sumatra aux Fidji et à Hawaii par Okinawa, le nord et le nord-ouest de l'Australie. Coquille allongée, dents assez rugueuses. Vert foncé fortement tacheté de blanc, ligne de taches foncées se rejoignant souvent autour du péristome surtout sur les côtés des canaux antérieur et postérieur, extrémités et base blanches.

Cypraea albuginosa

Cypraea helvola

Cypraea poraria

Cypraea gracilis
(Philippines)

Cypraea spurca

Cypraea gracilis
(Singapore)

Cypraea boivinii

Cypraea labrolineata

Cypraea spurca acicularis

CYPRAEA EBURNEA *BARNES 1824.* D 50 mm. Ouest et sud de la Nouvelle-Guinée, Queensland, îles Salomon, Fidji et Cook. Extrémités allongées, lèvre columellaire piquée, fortes dents. Blanc pur ou très légère touche crème sur le dos.

CYPRAEA MILIARIS *GMELIN 1791.* D 45 mm. Nord de l'Australie, Philippines et Malaisie jusqu'au sud du Japon. Même forme que *C. eburnea.* Brun pâle ou vert-brun, petites taches blanches de taille variable, généralement une ligne dorsale sans tache ; base et extrémités blanches.

CYPRAEA LAMARCKII *GRAY 1825.* Ouest de l'océan Indien jusqu'au détroit de Malacca et le nord de Karachi. Semblable aux 2 précédents, mêmes marques que *C. miliaris,* quelques taches dorsales, parfois nombreux ocelles. Taches brun plus foncé sur le péristome, lignes transversales de même couleur aux extrémités, base blanche.

CYPRAEA EROSA *L. 1758.* D 55 mm. Océans Indien et Pacifique de l'Afrique orientale à Tahiti par le sud-est de l'Afrique, les golfes d'Aden et d'Oman, le Queensland, le Japon et Hawaii. Variable, généralement assez aplatie, callosités un peu allongées. Base convexe, très fortes dents. Brun ou brun-vert, nombreuses ponctuations blanches, parfois quelques ocelles, quelques taches brunes plus grandes ; péristome crème tacheté de brun, habituellement tache carrée plus ou moins colorée de brun-pourpre vers le milieu de chaque bord et pouvant s'étendre sur la base.

CYPRAEA NEBRITES *MELVILLE 1888.* D 35 mm. Mer Rouge, golfe d'Aden jusqu'à Zanzibar, golfe d'Oman, golfe Persique. Ressemble à *C. erosa,* plus calleux. Dos plus sombre, taches du péristome et grandes taches carrées ne s'étendant pas sur la base. Base tachetée de brun-rouge, surtout sur le bout des dents labiales.

CYPRAEA CAPUTSERPENTIS *L. 1758.* D 40 mm. Océans Indien et Pacifique de l'Afrique orientale à Tahiti, de l'Afrique du Sud à l'Arabie et au Japon, du Queensland à Hawaii. Assez aplati, péristone large et anguleux, dos arrondi. Large bande foncée sur le péristome et une partie de la base, devenant blanche à l'ouverture ; tache rose pâle à crème plus ou moins carrée divisant la bande à chaque extrémité, dos brun tacheté de blanc, extrémités à nuance pourpre.

Cypraea nebrites

Cypraea erosa

Cypraea lamarckii

Cypraea eburnea

Cypraea caputserpentis

Cypraea miliaris

CYPRAEA CAPUTDRACONIS *MELVILLE 1888.* D 30 mm. Ile de l'Est (Pacifique oriental), seule Porcelaine vivant là-bas. Ressemble superficiellement à *C. caputserpentis,* coquille moins déprimée à dos élevé, péristome moins évasé. Péristome, base et interstices entre les dents brun très foncé à noir ; taches bleu pâle sur le dos brun clair, plus petites que chez *C. caputserpentis.* Ligne dorsale rouge-brun.

CYPRAEA SULCIDENTATA *GRAY 1824.* D 45 mm. Hawaii. Large, arrondi ; péristome calleux, base convexe, dents très rapprochées formant des sillons. Péristome et base brun foncé ; couleurs ternissant rapidement, dents devenant presque blanches ; 4 bandes fauves plus foncées sur le dos bleu-gris.

CYPRAEA SCHILDERORUM *IREDALE 1939.* D 30 mm. Pacifique central de Guam à la Société et de Hawaii aux îles Fidji et Tonga. Très apparenté à *C. sulcidentata* et *Cypraea kuroharai* HALE 1961. Plus petit que *C. sulcidentata,* plus déprimé, base et dents blanc pur, dents fines. Dessins et couleurs semblables, ligne brun-rouge sur le bord supérieur du péristome.

CYPRAEA VENTRICULUS *LAMARCK 1810.* D 50 mm. Pacifique sud des Salomon et de la Nouvelle-Calédonie aux Marquises. Test déprimé solide et lourd à larges callosités latérales. Bandes dorsales comme chez les 2 espèces précédentes ; dos rouge-brun se dégradant en gris-brun sur le péristome et en blanc sur les lèvres, bande irrégulière beige crème au travers du dos.

CYPRAEA CARNEOLA *L. 1758.* D 50 mm. Océans Indien et Pacifique Ouest et central. Rose-brun pâle, 4 bandes plus foncées, dents violacées. Grands spécimens de 100 mm appartenant parfois à l'espèce *Cypraea laviathan* SCHILDER et SCHILDER 1937 Pacifique central et nord de l'Australie.

CYPRAEA TALPA *L. 1758.* D 55 mm. Océans Indien et Pacifique Ouest et central. Base, péristome et extrémités brun très foncé à noir, bandes dorsales à reflets brun doré sur fond crème. Très semblable à *Cypraea exusta* SOWERBY 1832 du golfe d'Aden, piriforme et aux dents plus fines.

CYPRAEA CRIBRARIA *L. 1758.* D 25 mm. D'Afrique orientale au centre du Pacifique, du Japon au nord de l'Australie. La plus connue de tout un groupe de Porcelaines apparentées et semblables, dont *Cypraea cribellum* GASKOIN 1849 des îles Maurice et de la Réunion, *Cypraea esontropia* DUCLOS 1833 de l'île Maurice, *Cypraea catholicorum* SCHILDER et SCHILDER 1938 de Nouvelle-Angleterre et Nouvelle-Calédonie, *Cypraea cumingii* SOWERBY 1822 de Polynésie orientale, *Cypraea haddnightae* TRENBERTH 1973 au sud de l'Australie. Variable selon la région, divisé en plusieurs variétés selon principalement la profondeur de couleurs et la callosité du péristome. Base et péristome blancs, dos brun-rouge, grandes taches blanches presque circulaires.

Cypraea caputdraconis

Cypraea sulcidentata

Cypraea schilderorum

Cypraea talpa

Cypraea cribraria

Cypraea ventriculus

Cypraea carneola

CYPRAEA ARABICA Les coquillages de ce groupe causent depuis longtemps des problèmes aux conchyliologues en raison de leurs caractéristiques fort semblables. On s'accorde cependant à penser aujourd'hui qu'il y aurait 7 espèces. Il est assez aisé de classer un spécimen typique d'une de ces espèces, mais des spécimens non typiques possèdent des caractéristiques semblables à celles d'une autre espèce. La classification peut ainsi s'avérer bien difficile, même lorsqu'on possède un large éventail de coquillages à comparer.

CYPRAEA ARABICA *L. 1758.* D 80 mm. Océans Indien et Pacifique, d'Afrique orientale à Tahiti et du Japon au nord de l'Australie. Subcylindrique, épaisse callosité sur le péristome. Blanc, crème ou brun clair ; dos sillonné de fines lignes brunes généralement transversales, interrompues par des vides ou des réticulations ; pointillé brun foncé sur le cal ; base blanche, crème ou brun clair ; pas de marque sombre sur la columelle ; dents brun clair ou foncé souvent plus longues au milieu de la columelle.

CYPRAEA EGLANTINA *DUCLOS 1833.* D 70 mm. Centre des océans Indien et Pacifique, de la Malaisie aux Samoa y compris le nord de l'Australie, Taïwan et les îles Marshall. Cylindrique et allongé, ouverture relativement droite, callosité peu développée sur le péristome. Base convexe. Dents courtes. Réticulations dorsales plus petites et plus régulières que chez *C. arabica*. Généralement petite marque sombre sur la spire.

CYPRAEA HISTRIO *GMELIN 1791.* Océan Indien de l'Afrique orientale à l'Australie occidentale. Légèrement bossu, forte callosité sur le péristome, dents moyennement fortes, base convexe. Blanc ou bleu-blanc très pâle, larges réticulations dorsales, lignes brunes peu distinctes, grandes taches brun-pourpre sur le cal et une sur la spire, base blanche, dents rouge brique.

CYPRAEA MACULIFERA *SCHILDER 1932.* D 90 mm. Pacifique central des îles Fidji et Tonga à Tahiti et Hawaii. Le plus grand du groupe. Forte callosité sur le péristome. Lignes dorsales brunes faisant place à un fond brun uniforme avec grandes réticulations. Caractérisé surtout par une grande tache brun foncé sur la columelle.

CYPRAEA GRAYANA *SCHILDER 1930.* D 65 mm. Mer Rouge, golfes d'Aden, d'Oman et Persique. Base convexe. Bosse postérieure dorsale, marques intermédiaires entre celles de *C. arabica* et *C. histrio*. Tache rare sur la spire. Bandes au travers du dos plus fortes que chez la plupart des autres espèces du groupe.

CYPRAEA SCURRA *GMELIN 1791.* D 50 mm. Océans Indien et Pacifique, de l'Afrique orientale à l'îles de Clipperton et Tahiti. Cylindrique, allongé. Base très arrondie. Grandes réticulations dorsales, taches pourpres à brun-pourpre sur le péristome, pas de tache sur la spire, dents brun-rouge.

CYPRAEA DEPRESSA *GRAY 1824.* D 55 mm. Océan Indien de l'Afrique orientale à Java, Pacifique central des îles Marshall, Clipperton et de Nouvelle-Calédonie à Tahiti ; absent de Bornéo, Philippines, Nouvelle-Guinée et Australie. Epaisse callosité, péristome évasé donnant un aspect déprimé et arrondi. Base très convexe. Dents relativement grandes et rugueuses. Réticulations petites et nettes, blanches sur fond brun-rouge ; grosses taches brunes et zones brun-pourpre sur le péristome tendant à se rassembler sur la base blanche ; dents brun-rouge.

Cypraea histrio

Cypraea eglantina

Cypraea arabica

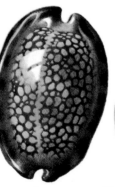

Cypraea maculifera

Cypraea grayana

Cypraea depressa

Cypraea scurra

CYPRAEA TIGRIS *L. 1758.* D 100 mm. Océan Indien, ouest et centre du Pacifique. Probablement la Porcelaine la plus connue, la plus variable en taille, forme et couleurs. Les plus grands spécimens à Hawaii. Base blanche ; dos habituellement blanc crème, taches pourpre-noir parfois très éparses, parfois tellement denses que la coquille paraît noire. Seule Porcelaine que l'auteur ait jamais trouvée exposée sur un récif pendant le jour ; toutes les autres étaient plus ou moins bien cachées parmi le corail, les rochers, les irrégularités sous-marines ou en dessous.

CYPRAEA PANTHERINA *LIGHTFOOT 1786.* D 65 mm. Mer Rouge, golfe d'Aden. Extrémité antérieure de l'ouverture élargie. Couleurs très variables. Base blanche ; dos de diverses couleurs, du blanc à petites taches brun-pourpre foncé et à zones bleu clair peu prononcées au brun-pourpre foncé fortement marbré de couleurs plus foncées ; ligne dorsale contrastante.

CYPRAEA CAMELOPARDALIS *PERRY 1811.* D 50 mm. Mer Rouge, golfe d'Aden, sauf au nord. Semblable à *C. pantherina,* beaucoup plus rare, coloration fixe. Base, péristome et extrémités blanc chair ; dos rose-fauve taché légèrement de blanc ou bleu pâle, rainure columellaire pourpre avec dents de couleur chair.

CYPRAEA VITELLUS *L. 1758.* D 50 mm. Océans Indien et Pacifique Ouest et central jusqu'à Tahiti. Taille variable. Semblable à *C. cameleopardalis* sauf dos brun clair et taches blanches. Rainure columellaire non colorée. Beaucoup plus commun.

Rares, non illustrés et étroitement apparentés à *C. vitellus* :

CYPRAEA NIVOSA *BRODERIP 1827.* D 60 mm. Centre de l'océan Indien jusqu'à la Thaïlande. Mouchetures dorsales presque blanches. Quelques taches blanches près du péristome, base rose-brun. Extrémités brun pâle au lieu de crème ou blanc.

CYPRAEA BRODERIPII *SOWERBY 1832.* D 90 mm. Est de l'Afrique du Sud. Une des Porcelaines les plus rare, 10 spécimens connus. Blanc, dos à réticulations rouge orange.

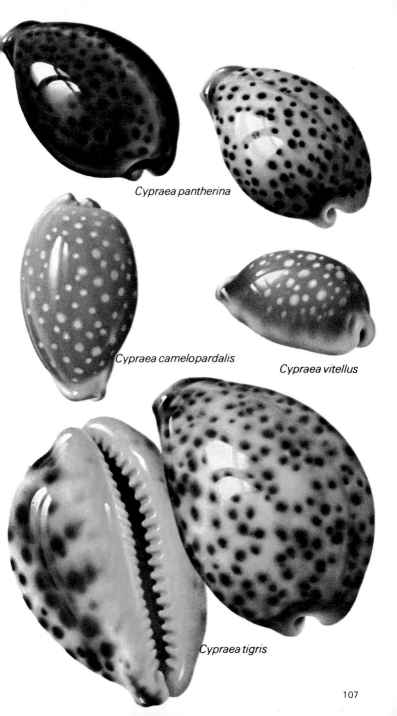

Cypraea pantherina

Cypraea camelopardalis

Cypraea vitellus

Cypraea tigris

CYPRAEA CERVUS *L. 1771.* D 130 mm. Floride, Bahamas. La Porcelaine la plus longue. Plus longue, moins volumineuse et plus cylindrique que *C. tigris ;* plus renflée que *C. cervinetta,* coquille très semblable. Base bleu-gris à dents brun foncé, intérieur bleu ; dos bleu-gris fortement marbré de brun, taches plus ou moins distinctes, certaines ocellées ; large ligne dorsale peu apparente sauf sur la columelle elle-même peu distincte.

CYPRAEA CERVINETTA *KIENER 1843.* D 75 mm. Golfe de Californie, nord-ouest de l'Amérique du Sud, Galapagos. Plus petite, plus allongée et moins renflée que *C. cervus.* Même coloration.

CYPRAEA ZEBRA *L. 1758.* D 75 mm. Des Caraïbes et de l'est de l'Amérique du Sud au sud du Brésil. Ornementation semblable à celle de *C. cervinetta.* Presque toutes les taches latérales ocellées, pas de nuance pourpre. Une variété originaire du Nord de l'Amérique du Sud est plus petite et plus sombre : *C. z. dissimilis* SCHILDER 1924.

Cypraea cervus

Cypraea zebra

Cypraea cervinetta

CYPRAEA MAPPA *L. 1758.* D 75 mm. Océans Indien et Pacifique central sauf nord et ouest de l'Australie, sud de l'Indonésie et Hawaii, forme et couleurs variables, mais toujours très beau. Ligne dorsale inhabituelle. Parfois très renflé ou subcylindrique. Base blanche ou rose, dents blanches ou orange, dos brun ou parfois blanc avec réticulations plus sombres et autres taches, péristome légèrement calleux fauve à taches sombres.

CYPRAEA STERCORARIA *L. 1758.* Taille variable. Afrique occidentale des îles du Cap-Vert à Loanda. Coquille renflée, callosités latérales s'étendant jusqu'aux extrémités allongées. Dents rugueuses au travers de la rainure columellaire et de la fossule bien visible, atteignant les bords des extensions calleuses à l'extrémité antérieure de l'ouverture. Dents blanches à interstices noirs, base blanche ou fauve, péristome bleu-gris tacheté de brun avec zone plus sombre au bord supérieur, dos fauve à bleu marbré de brun, petite tache sur la spire. Spécimens nains dans les îles du golfe du Biafra.

CYPRAEA TURDUS *LAMARCK 1810.* Mer Rouge, golfes d'Aden et d'Oman, côte africaine orientale jusqu'au Mozambique et Madagascar. Forme et taille variables. Habituellement déprimé, péristome calleux. Blanc, nombreuses petites taches brun olive sur le dos, taches pourpres plus grandes sur les côtés et le péristome, base blanche.

CYPRAEA LYNX *L. 1758.* D 30 mm. Océans Indien et Pacifique central et occidental. Commun, taille et forme variables selon la région, facilement reconnaissable cependant. De chaque côté de la base, côte couvrant toute la longueur de la coquille. Ligne dorsale très visible. Dos crème, taches petites et grandes, base blanche, interstices orange entre les dents.

CYPRAEA MAURITANIA *L. 1758.* D 65 mm. Océans Indien et Pacifique Nord et central sauf nord et ouest de l'Australie et la plus grande partie de la mer de Chine. Souvent là où la mer est agitée. Coquille lourde et massive, péristome fortement calleux, dos bossu. Base et côtés presque noirs, dents brun foncé à interstices blancs, dos brun foncé à réticulations brun-rose, ligne dorsale acajou.

Cypraea mappa

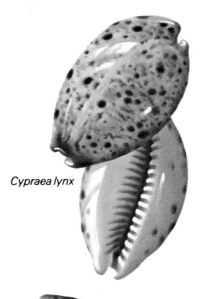

Cypraea lynx

Cypraea turdus

Cypraea mauritiana

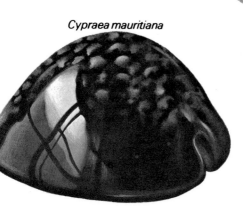

Cypraea stercoraria

Cypraea stercoraria

CYPRAEA TESTUDINARIA *L. 1758.* D 105 mm. Pacifique, océan Indien central de Monbasa et Madagascar à Tahiti, y compris Ceylan, la Malaisie, le nord des îles indonésiennes, les Philippines et le nord de la Nouvelle-Guinée. Lourd, allongé. Base fauve, ouverture et dents claires, dos fauve moucheté de brun foncé avec taches irrégulières brun clair et foncé surtout aux extrémités. Minuscules taches blanches à peine visibles sans loupe sauf près de l'ouverture, incorporées dans le verni de la coquille, ressemblant à des imperfections.

CYPRAEA AURANTIUM *GMELIN 1791.* D 80 mm. Pacifique central, îles de la Société, Elice, Gilbert, Marshall, Carolines, Guam, Fidji et Nouvelle-Calédonie ; trouvé aussi aux Philippines. Rare, très recherché. Coquille lourde, globuleuse. Orange doré, base et extrémités blanches, dents orange.

CYPRAEA ARGUS *L. 1758.* D 90 mm. Océans Indien et Pacifique Nord, Ouest et central. Autre magnifique Porcelaine de taille variable. Allongé, péristome peu calleux. Base fauve, 2 grosses taches brun foncé de chaque côté de l'ouverture, celles de droite (labre) parfois absentes ou presque ; dents liserées de brun ; dos fauve clair avec 4 bandes plus foncées, les plus foncées au sommet du coquillage. Anneaux brun-rouge foncé d'épaisseur variable sur le dos.

Cypraea testudinaria

Cypraea aurantium

Cypraea argus

113

CYPRAEA LIMACINA *LAMARCK 1810.* D 35 mm. Océans Indien et Pacifique Ouest, de Samoa et du nord de l'Australie au Japon. A l'âge adulte, coquille couverte de fins nodules plus forts sur les côtés, sauf les individus habitant des eaux calmes, qui sont aussi lisses que les jeunes. Rouge-brun foncé à noir fraîchement récolté, déteint rapidement ; dos parsemé de petites taches blanches absentes chez les jeunes ; labre calleux, blanc et piqué ; base blanche, longues et fortes dents rouge-brun ainsi que les extrémités.

CYPRAEA STAPHYLEA *L. 1758.* Mêmes régions que *C. limacina ;* semblable à celui-ci, plus rond, plus globuleux ; petits nodules généralement blancs et plus nombreux. Foncé, à l'air libre se dégrade en gris presque blanc. La principale différence est la base entièrement cannelée par les dents. Extrémités brun-rouge.

CYPRAEA NUCLEUS *L. 1758.* D 30 mm. Océans Indien et Pacifique jusqu'à Tahiti sauf le nord et le nord-est de l'Australie, la Nouvelle-Guinée et Salomon. Petites pustules et fines côtes sur le dos ; celles-ci semblent être des prolongements des dents couvrant complètement la base et un peu le péristome calleux, ne traversent cependant pas la ligne dorsale. Base convexe. Brun clair à blanc cassé vernissé très brillant.

CYPRAEA GRANULATA *PEASE 1862.* D 40 mm. Hawaii. Seule Porcelaine perdant son brillant à l'âge adulte. Plus arrondi que *C. nucleus,* pustules dorsales moins nombreuses et plus élevées de même que les dents et leurs prolongements en côtes dorsales. Certaines côtes (1 sur 2 ou 3) beaucoup plus grosses. Brun-gris à blanc, brun-pourpre sur le bord des dents et autour des pustules.

CYPRAEA BISTRINOTATA *SCHILDER et SCHILDER 1937.* D 20 mm. Océans Indien et Pacifique jusqu'à Tahiti sauf Afrique du Sud-Est et Hawaii. Dos couvert de pustules chez les adultes, 3 grandes taches brun foncé divisées par la ligne dorsale, callosité postérieure. Jeune coquille lisse. 4 taches brun foncé à chaque coin de la base. Dents proéminentes au travers de la base, traversant le péristome jusqu'au bord du dos du côté antérieur sur la columelle. Fait partie d'un groupe de 5 ou 6 espèces aux caractéristiques semblables : coquille petite, globuleuse, aux extrémités allongées généralement brun pâle ou beige.

CYPRAEA CICERCULA *L. 1758.* D 24 mm. Centre de l'océan Indien et Pacifique jusqu'à Tahiti y compris Hawaii. Dos pustuleux mais sans callosité ; rainure avec une petite tache sombre sur la spire. Pas de tache sur la base. Longues dents. Généralement plus clair que *C. bistrinotata. Cypraea margarita* DILLWYN 1817, lisse au sommet du dos et aux dents plus courtes, peut être une espèce différente.

CYPRAEA GLOBULUS *L. 1758.* D 24 mm. Océans Indien et Pacifique jusqu'à Tahiti sauf mer d'Oman et nord-ouest de l'Australie. Dos lisse. Avec ou sans 4 taches sombres sur la base. Dents antérieures sur la columelle ne traversant pas le péristome jusque sur le dos. Souvent ponctuations brunes sur le dos et surtout sur les côtés. Cal postérieur sur le dos comme *C. bistrinotata.*

Du même groupe mais non illustrés :

CYPRAEA DILLWYNI *SCHILDER 1922.* D 15 mm. Pacifique central. Allongé, brun clair ; base blanche, petites taches blanches sur le dos, grande tache brune à chaque extrémité.

CYPRAEA MARIAE *SCHILDER et SCHILDER 1927.* D 20 mm. Philippines, Pacifique central y compris les îles Salomon, Tonga, Hawaii et Tuamotu. Extrémités à peine allongées. Blanc, petits anneaux bruns sur le dos et les côtés.

Cypraea bistrinotata

Cypraea cicercula

Cypraea globulus

Cypraea limacina

Cypraea staphylaea

Cypraea granulata

Cypraea nucleus

Cypraea staphylaea

CYPRAEA KIENERI *HIDALGO 1906.* D 22 mm. Océans Indien et Pacifique Ouest jusqu'aux Fidji. Fait partie avec les 2 espèces suivantes d'un petit groupe de Porcelaines très semblables. Légèrement renflé surtout du côté postérieur, côté antérieur quelque peu en forme de rostre. Cal du péristome très petit sauf chez les spécimens d'Australie. Dents moyennes, très courtes du côté antérieur de la columelle (principale différence avec *C. hirundo* ci-dessous). Crème ou blanc, dos largement ombré de bleu et divisé en 3 par 2 bandes irrégulières ondulées. Intensité de couleur variable. Péristome couvert d'une grande zone crème puis bleue, tacheté de brun-rouge. 2 grandes taches brun foncé à chaque extrémité, taches formant une bande plus ou moins brisée sur le dos, dos finement moucheté de brun, base blanche.

CYPRAEA HIRUNDO *L. 1758.* D 22 mm. Mêmes régions que *C. kieneri* sauf nord du Pacifique, est du Japon et Philippines. Semblable à *C. kieneri* ; dents plus fines, traversant la plus grande partie de la base.

CYPRAEA URSELLUS *GMELIN 1791.* D 12 mm. Pacifique Ouest dans le triangle sur du Japon, île Tonga et Grande Barrière. Plus petit et plus renflé que *C. hirundo,* dents couvrant presque toute la base. Extrêmement malaisé, si pas impossible, de distinguer *C. ursellus* d'un petit *C. hirundo.*

CYPRAEA STOLIDA *L. 1758.* D 35 mm. Océans Indien et Pacifique jusqu'à Samoa. Très beau coquillage de taille, forme et couleur variables. Subcylindrique, allongé ou presque rectangulaire. Callosité moyenne, dents fortes sauf chez *Cypraea breventata* SOWERBY 1870 dont les dents columellaires sont courtes. Base crème ou blanche, dos bleu pâle à bleu-vert généralement avec une tache brun foncé plutôt carrée plus ou moins reliée à d'autres taches rectangulaires à chaque coin.

CYPRAEA ERYTHRAENSIS *SOWERBY 1837* (non illustré). D 27 mm. Mer Rouge, golfe d'Aden. Très semblable à *C. stolida,* dents plus fines, habituellement marques brun plus foncé.

CYPRAEA CYLINDRICA *BORN 1778.* D 40 mm. Nord de l'Australie, Singapour, Malaisie, des Philippines à Guam, Nouvelles-Hébrides, Nouvelle-Calédonie. Ordinairement allongé et cylindrique, spécimens du nord-ouest de l'Australie parfois renflés. Dents variables ; l'auteur possède des spécimens du nord-ouest de l'Australie et de Singapour aux dents petites, de l'est de la Malaisie aux dents plus longues et plus fortes, des Philippines aux dents encore plus longues et plus fortes. Bleu ou vert-bleu pâle, une ou plusieurs grandes taches brunes plus ou moins foncées sur le dos.

CYPRAEA CAURICA *L. 1758.* D 55 mm. Océans Indien et Pacifique jusqu'à Samoa, du Japon au nord de l'Australie. Allongé, généralement un peu renflé. Dents labiales très fortes, callosité plus ou moins développée. Crème, 3 bandes dorsales bleu-brun. Denses ponctuations brunes sur le dos.

CYPRAEA XANTHODON *SOWERBY 1832.* D 35 mm. Est de l'Australie de Sydney vers le nord. Piriforme, péristome calleux. dos bleu-vert, denses mouchetures brunes, 3 bandes noires peu distinctes. Taches brun foncé s'étendant vers la base sur le péristome, 1 sur la spire et 1 sur chaque côté de l'extrémité antérieure. Péristome et base crème, dents plus foncées.

CYPRAEA SUBVIRIDIS *REEVE 1835.* D 40 mm. Nord de l'Australie, Nouvelle-Calédonie et Fidji. Variable : piriforme et renflé à l'ouest de l'Australie, plus petit et plus cylindrique vers l'est. Bleu crème pâle moucheté de brun, tache irrégulière brune.

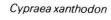
Cypraea xanthodon

Cypraea subviridis

Cypraea caurica

Cypraea kieneri

Cypraea hirundo

Cypraea cylindrica

Cypraea stolida

Cypraea ursellus

117

Le groupe des Porcelaines d'Australie du sud soulève des problèmes de classification considérables qui ont déjà valu de nombreuses études et en exigent encore beaucoup plus. L'auteur a suivi les recherches de C. B. Burgess qui a étudié ce groupe en détail dans son éminent ouvrage *The Living Cowries* publié en 1970. Les problèmes découlent du grand nombre de noms d'espèces et de sous-espèces octroyés en raison de la grande variété des caractéristiques individuelles de spécimens d'une même espèce. Certaines caractéristiques varient beaucoup avec l'âge ou la croissance d'un individu ainsi qu'avec la profondeur à laquelle il vit. Les caractéristiques de l'animal lui-même n'ont pas encore fourni les moyens d'identifier les espèces.

CYPRAEA ANGUSTATA *GMELIN 1791.* D 35 mm. Sud-est de l'Australie, nord et est de la Tasmanie. Légèrement renflé. Les variétés d'eau profonde *C. a. emblema* et *C. a. molleri* IREDALE 1931 sont plus renflées, plus fines et plus claires. Généralement pas de bande dorsale, rose-brun pâle, péristome couvert de taches brunes.

CYPRAEA DECLIVIS *SOWERBY 1870.* D 28 mm. De l'Australie du sud au cap Howe, du sud de Sydney au nord de la Tasmanie et la Grande Baie australienne. Brun foncé à crème ou rose, ponctuations brun clair à foncé sur le dos et le péristome, base blanche.

CYPRAEA COMPTONII *GRAY 1847.* Sud de l'Australie, pas tout à fait jusqu'à Sydney ou Perth. Le plus variable, spécialement en couleur. Brun-rose assez foncé (*C.c. trenberthae* TRENBERTH 1961), crème (*C. angustata varmayi BEDDOME 1897)* à blanc pur *(C. angustata* var. *albata* BEDDOME 1897). Habituellement mouchetures brunes ou gris-brun sur le péristome, parfois quelques brunes sur le dos. 2 étroites bandes rapprochées au milieu du dos sauf chez la variété blanc pur. Parfois une troisième sur la spire et une quatrième du côté antérieur. Chez *C. c. wilkinsi* GRIFFITHS 1959 mouchetures et bandes peu visibles ou absentes ; chez *C. angustata* var. *subcarnea* de couleur chair pâle.

CYPRAEA PIPERITA *GRAY 1825.* D 25 mm. Mêmes régions que *C. comptonii,* Perth compris. Crème à blanc, mouchetures et/ou réticulations brun pâle. 3 larges bandes de taches irrégulières brun foncé, fines taches claires ou foncées sur le péristome, les côtés et le bord extérieur de la base ; base blanche. Probablement aussi connu sous le nom *Cypraea bicolor* GASKOIN 1849.

CYPRAEA PULICARIA *REEVE 1846* (non illustré). D 20 mm. Uniquement sud-ouest de l'Australie, de la Swan au Cap Leeuwin. Cylindrique. Crème ou blanc, 4 étroites bandes brunes irrégulières sur le dos, péristome tacheté de brun. Dents columellaires relativement plus longues que chez les autres espèces du groupe. Sa principale caractéristique est une forte fossule concave s'étendant jusque dans l'ouverture.

CYPRAEA ERRONES *L. 1758.* D 40 mm. Est de l'océan Indien, ouest du Pacifique du détroit de Malacca à Samoa et du Japon au nord de l'Australie. Taille, forme et couleur très variables. Piriforme ou cylindrique, plus ou moins renflé et calleux, spire déprimée. Ouverture plus large du côté antérieur. Généralement vert pâle ou bleu-vert sur le dos, 3 ou 4 légères bandes plus bleues abondamment tachetées de vert ou de vert-brun, souvent une grande tache irrégulière brun foncé au milieu du dos et une tache de chaque côté à l'avant.

CYPRAEA OVUM *GMELIN 1791.* D 40 mm. Mêmes régions que *C. errones* mais pas aussi loin à l'est. Très semblable à *C. errones,* de l'orange ou du jaune entre les dents, généralement plus piriforme.

Cypraea angustata
var. *mayi*

Cypraea angustata
var. *molleri*

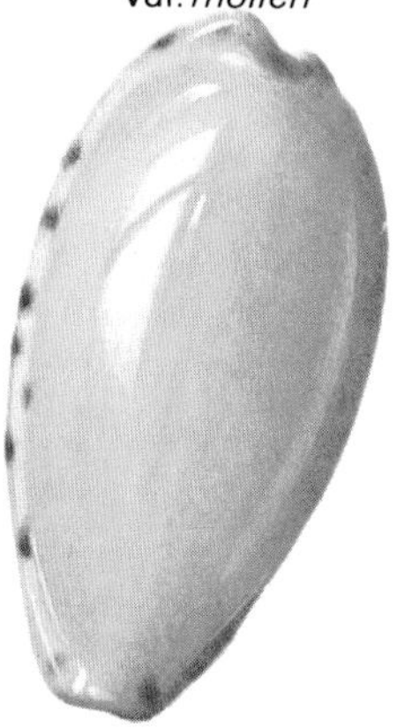

Cypraea piperata

Cypraea errones

Cypraea ovum

Cypraea ovum

Cypraea comptonii

Cypraea declivis

Cypraea errones

CYPRAEA MONETA *L. 1758.* D 40 mm. Océans Indien et Pacifique, d'Afrique orientale aux Galapagos. Très variable, généralement aplati avec côtés anguleux et fortement calleux. Dos jaune clair ou profond, parfois un anneau fin et très clair comme *C. annulus* ; côtés et péristome plus pâles, base blanche, 3 étroites bandes dorsales plus ou moins apparentes. Le spécimen illustré possède cet anneau peu habituel et des côtés blancs, phénomène rare. Dents moins rugueuses que chez *C. annulus* mais couvrant parfois une grande partie de la base comme des côtes érodées.

CYPRAEA ANNULUS *L. 1758.* D 30 mm. Océans Indien et Pacifique Ouest et Sud. Variable, généralement ovale, dos bossu. Péristome tout à fait lisse. Dos jaune-vert ou bleu-vert avec légères bandes, étroit anneau jaune orange clair entre le dos et les côtés calleux ; de couleur chair sous l'anneau, plus pâle vers les dents.

CYPRAEA OBVELATA *LAMARCK 1810.* D 25 mm. Centre-est du Pacifique y compris Tahiti, les îles de la Société, Marquises et Jarvis. Semblable à *C. annulus,* callosité latérale très forte et si épaisse qu'un sillon la sépare du dos. Dents rugueuses, longues. Dos bleu pâle, étroites bandes légères ou absentes ; généralement fin anneau jaune. Callosité et base rose très clair, parfois blanches.

CYPRAEA FELINA *GMELIN 1791.* D 25 mm. Océans Indien et Pacifique, d'Afrique orientale à Samoa et du Japon au nord de l'Australie. Nombreuses variétés auxquelles on a parfois donné un nom. Petites taches foncées, presque noires sur le péristome. *C. felina,* le plus grand, vient d'Afrique orientale de Zanzibar vers le sud ; ovale ; dos crème à vert pâle, 4 bandes bleues, petites ponctuations brunes ; péristome calleux beige pâle, grandes taches noires spécialement sur chaque côté des 2 extrémités ; base beige pâle. *Cypraea fabula* KIENER 1843 des golfes d'Aden et d'Oman ; beaucoup plus arrondi ; marques dorsales plus foncées ; taches plus nombreuses, plus grandes et se rejoignant parfois sur le péristome ; base plus claire ou blanche. *Cypraea listeri* GRAY 1825 des îles Maurice et Seychelles ; plus cylindrique, dos bleu-blanc, bandes bleues plus visibles, taches du péristome plus denses ; base blanche, bandes bleues apparaissant sur la gauche. *Cypraea melvilli* HIDALGO 1906 du Japon au nord de l'Australie ; proche de *C. listeri,* plus cylindrique, généralement plus vert que bleu.

CYPRAEA ARABICULA *LAMARCK 1810.* D 30 mm. Ouest de l'Amérique centrale du sud du golfe de Californie et de Basse-Californie au Pérou et aux Galapagos. Haute bosse dorsale du côté postérieur, péristome calleux assez aigu. Base convexe, fines dents tranchantes, fossule profonde. Dos mauve pâle, réticulations vert-brun foncé ; péristome mauve pâle large au centre, taches mauve foncé à noir parfois très abondantes et s'étendant sur la partie extérieure de la base, petite tache blanc crème de la spire au canal postérieur.

CYPRAEA ROBERTSI *HIDALGO 1906.* D 30 mm. Mêmes régions que *C. arabicula.* Piriforme, péristome calleux, base convexe. Dents beaucoup plus rugueuses que *C. arabicula.* Dos mauve très pâle à blanc ou bleu-blanc, réticulations vert-brun foncé fines et denses. Large péristome brun couvert de taches mauves pouvant s'étendre jusqu'à la base blanche, tache pourpre-brun foncé sur chaque côté des canaux et tache blanc crème au milieu.

CYPRAEA SPADICEA *SWAINSON 1823.* D 60 mm. Sud de la

Cypraea felina var. listeri

Cypraea felina var. fabula

Cypraea annulus

Cypraea obvelata

Cypraea spadicea

Cypraea moneta

Cypraea arabicula

Cypraea robertsi

121

Californie de la baie de Monterey à l'île de San Benito. Extrémité antérieure allongée. Dos brun bordé par une zone irrégulière brun plus foncé, large péristome avec très légères taches gris-rose ou gris crème parfois visibles sous le cal, base blanche.

CYPRAEA EDENTULA *GRAY 1825.* D 25 mm. Afrique du Sud, du Cap au nord de East London. Fait partie d'un groupe de Porcelaines sud-africaines dont pratiquement aucune n'a été prise vivante. Généralement sans dents. Dos bossu, labre calleux et allongé du côté postérieur, spire déprimée, base blanche, dos brun clair avec taches plus foncées.

CYPRAEA CAPENSIS *GRAY 1828.* D 25 mm. Afrique du Sud, du Cap à East London. Autre membre du groupe de Porcelaines sud-africaines avec *Cypraea algoensis* GRAY 1825, *Cypraea fuscorubra* SHAW 1909, *Cypraea fultoni* SOWERBY 1908 (rare) et *Cypraea broderipii* SOWERBY 1832 (très rare ; voir p. 106). *C. capensis* est un peu plus cylindrique que *C. edentula* mais a aussi le labre allongé du côté postérieur et la spire déprimée. Fines côtes sauf sur le sillon dorsal donnant l'impression d'une empreinte de pouce, encore accrue par la couleur chair avec marques et légères bandes brunes, tache brune sur la spire.

CYPRAEA FRIENDII *GRAY 1831.* D 70 mm. Sud et ouest de l'Australie, du golfe de Spencer à la baie du Requin. Forme et couleur très variables. *Cypraea thersites* GASKOIN 1849 appartiendrait à *C. friendii,* plus petit, vivant en eaux moins profondes et au nord-est de l'aire d'expansion. Péristome s'étirant à l'avant et à l'arrière pour former un bourrelet, plus grand sur le labre, à chaque extrémité de la coquille. Base et péristome brun foncé, dents blanches, columelle blanche avec taches brunes. *C. thersites,* vivant plus à l'est dans des eaux plus profondes, est plus renflé. Base blanche autour de l'ouverture, coloration brun foncé du péristome s'étendant jusqu'au bord extérieur de la base. Dos crème presque entièrement recouvert de brun foncé.

CYPRAEA DECIPIENS *SMITH 1880.* D 50 mm. Nord-ouest de l'Australie. Piriforme, péristome peu calleux. Spire et labre prolongés à l'arrière. Base et dents brunes, dos blanc presque caché par un réseau de marques brun clair et foncé.

CYPRAEA HESITATA *IDEDALE 1916.* D 95 mm. Sud-est de l'Australie du détroit de Bass à Sydney. Eaux profondes. Rares autrefois ; 3 formes : forme normale, forme naine *beddomei* SCHILDER 1930 (qui peut être la femelle) et variété albinos *howelli* IREDALE 1931. Piriforme, extrémité antérieure allongée, extrémité postérieure tournée à 45º vers la gauche ou le côté columellaire. Spire très enfoncée. Dos blanc avec nombreuses taches brun clair et foncé ; extrémités brun clair. *C. beddomei,* 50 mm, est coloré de la même manière.

Les fausses Porcelaines sont apparentées aux vraies ; elles englobent les familles des Ovulidés ou Amphipératidés, des Eratoïdés et des Lamellariidés.

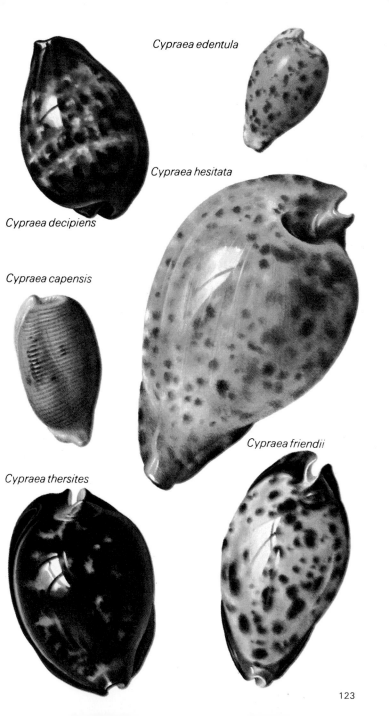

Cypraea edentula

Cypraea hesitata

Cypraea decipiens

Cypraea capensis

Cypraea friendii

Cypraea thersites

123

Famille des Ovulidés

OVULA OVUM *L. 1758.* D 120 mm. Océans Indien et Pacifique Ouest. Lisse, sans spire, canal postérieur allongé, côtes rugueuses sur le labre. Blanc brillant, intérieur chocolat ou brun-rouge. Sur les récifs corallifères. Beaucoup utilisé dans les mers du Sud comme bijou ou décoration des embarcations.

OVULA COSTELLATA *LAMARCK 1810.* D 50 mm. Océans Indien et Pacifique. Semblable au précédent ; canal postérieur entaillé sur le dernier tour, l'intérieur rose.

CALPURNUS VERRUCOSUS *L. 1758.* D 35 mm. Océans Indien et Pacifique Ouest. Semblable à une Porcelaine sauf 2 côtes dorsales donnant un aspect anguleux et un tubercule à chaque extrémité du dos. Base assez anguleuse, très fines stries longitudinales. Labre pourvu de dents et de côtes rugueuses. Blanc, extrémités rosâtres.

VALVA BREVIROSTRIS *L. 1758.* D 40 mm. Mer de Chine Méridionale. Coquille effilée, ouverture étroite sauf près du canal siphonal où le labre s'évase légèrement. Labre épaissi et lisse comme la columelle, légères rides longitudinales aux extrémités. Rouge, jaune-rose ou chair selon la couleur des gorgones sur lesquelles il vit.

VOLVA VOLVA *L. 1758.* D 130 mm. Centre des océans Indien et Pacifique. Dernier tour arrondi avec fines rainures transversales, labre évasé et épaissi ; canaux très longs, légèrement incurvés, à côtes obliques ; columelle lisse. Brun-rose ou chair, labre blanc ou rose pâle, extrémités des canaux teintées de brun.

VOLVA SOWERBYANA *WEINKAUF 1881.* D 30 mm. Océans Indien et Pacifique Ouest. Légèrement renflé, fines stries transversales. Canaux courts aux stries obliques, labre épaissi souligné à l'arrière par un sillon, environ 20 stries obliques du côté antérieur de la columelle, large côte épaisse du côté postérieur. Rose chair foncé, légères bandes centrales crème ; labre blanc, extrémités parfois orange.

CYPHOMA GIBBOSA *L. 1758.* D 30 mm. Sud-est des Etats-Unis, Antilles. Coquille massive et calleuse encerclée par une grosse côte. Dents labiales érodées, columelle lisse. Abricot crème, long rectangle blanc effilé sur le dos, callosité plus claire.

JENNARIA PUSTULATA *LIGHTFOOT 1786.* D 25 mm. Ouest de l'Amérique centrale. Dos déprimé et granuleux. 15 côtes rugueuses de chaque côté de la base, de l'ouverture au péristome, avec souvent une côte intermédiaire petite et courte. Bleu-blanc, pustules orange entourées de brun, base bleu-blanc tachée de brun foncé.

Famille des Eratoïdés

TRIVIA SANGUINEA *SOWERBY 1822.* D 14 mm. Basse-Californie. Coquille renflée à dos élevé, petite fronce le long de la ligne médiane. Environ 23 cordons transversaux blancs saillants et rugueux de chaque côté, traversant la base jusqu'à l'ouverture ; péristome légèrement évasé. Brun-pourpre, tache plus foncée au centre du dos, intérieur de la columelle et labre blancs.

TRIVIA MONACHA *DA COSTA 1778.* D 15 mm. De la Méditerranée aux îles Britanniques. Petite coquille massive au dos assez élevé. Environ 25 cordons rugueux. Labre épaissi souligné à l'arrière par une légère rainure. Couleur chair, une tache pourpre à chaque extrémité et au milieu du dos, base blanche. *Trivia artica* MONTAGU 1803 (non illustré) de la même région est semblable mais sans les taches pourpres.

Jennaria pustulata

Volva brevirostris

Cyphoma gibbosa

Trivia monacha

Ovula ovum

Volva volva

Trivia sanguinea

Calpurnus verrucosus

Volva sowerbyana

Ovula costellata

Famille des Cassidés ou Cassididés

Coquillages solides appelés casques, pourvus d'un dernier tour volumineux et d'une croute spire, généralement couverts de tubercules et de varices ; labre épaissi et denté. Habituellement une large callosité à côté de la columelle ou sur le bord pariétal. Fin opercule corné. Zones tropicales et tempérées, eaux profondes ou superficielles sur fonds sableux. Se nourrissent d'oursins et autres échinodermes. Environ 60 espèces

CASSIS CORNUTA *L. 1758.* D jusqu'à 350 mm. Océans Indien et Pacifique. Très lourd et massif, courte spire de 7 tours environ. Surface ponctuée de petits trous situés entre de fines côtes longitudinales. Entre 5 et 7 tubercules épineux saillants sur la périphérie, généralement soulignés par la suture sur les premiers tours, 3 bandes lisses, 1 petite et 2 moyennes sur le dernier tour, avec des tubercules très émoussés. Extrémités postérieures des anciennes lèvres formant des varices sur les premiers tours, 1 tous les 2/3 de tour. Labre épaissi, élargi, au bord retourné. Canal siphonal retors et dressé verticalement. Ombilic étroit. Grande callosité pariétale cachant presque tout le dernier tour vu par en dessous. 12 dents érodées sur le labre. Quelque 15 plis columellaires. Coloration et ornementations visibles à travers la callosité pariétale à l'extrémité postérieure de la columelle. Extrémité antérieure, columelle et alentours de la callosité découpés. Blanc à zones brun clair, quelques taches brunes, taches brun-pourpre sur les bandes lisses, environ 7 carrés bruns sur le labre, dents et labre blancs ; interstices entre les dents, intérieur, columelle et intérieur de la callosité orange-brun ; reste de la callosité rose-blanc. Mâles généralement plus petits que les femelles, avec callosité plus petite.

CASSIS FLAMMEA *L. 1758.* D 125 mm. Caraïbes. Spire basse d'environ 7 tours à côtes transversales ; 2 rangées de tubercules sur la périphérie, visibles ou non sur les premiers tours ; 2 rangées de nodules entre la suture et la périphérie. Anciennes varices environ tous les 2/3 de tour. Labre épaissi avec cal, environ 10 dents : quelque 20 plis columellaires longs et saillants, canal siphonal court et incurvé verticalement. Couleur visible à travers la callosité pariétale ; blanc marbré de brun, zigzags transversaux brun foncé, environ 6 taches brun foncé sur le labre dont 2 ou 3 visibles sur anciennes varices.

CASSIS TUBEROSA *L. 1758.* D 230 mm. Des Caraïbes au Brésil. Spire très basse couverte de très petits cordons transversaux. Rangée de tubercules sur la périphérie, 2 autres de protubérances beaucoup plus petites. Anciennes varices. Labre épaissi avec callosité, environ 11 dents ; canal siphonal court et tourné vers le haut, rides columellaires rugueuses et fortes, expansion pariétale de forme triangulaire. Blanc à gris-bleu, lignes transversales pourpre-brun foncé en zigzag ; environ 7 lignes longitudinales brun foncé aboutissant à des taches rectangulaires brun foncé sur le labre. Intérieur et dents blanc sale, interstices bruns, columelle et intérieur de la callosité pariétale brun foncé, rides blanches, une partie de l'expansion pariétale brun-rose métallique. Le spécimen illustré est un jeune coquillage aux couleurs particulièrement prononcées.

Cassis cornuta

Cassis flammea

Cassis flammea

Cassis tuberosa

127

CASSIS TESSELLATA *GMELIN 1791.* D 260 mm. Afrique occidentale. Léger et fragile pour sa taille. Spire basse de 7 tours environ, anciennes varices environ tous les 2/3 de tour, dernier tour renflé avec 3 rangées de petits tubercules assez acérés à la périphérie. Rangée de très petits tubercules au-dessus des plus gros et de petits cordons immédiatement sous la suture. Lignes de croissance transversales, intérieur du labre retourné sur lui-même vers l'intérieur et l'arrière. 9 dents, la centrale assez allongée. 8 plis columellaires longs et fins, le plus grand au milieu. 4 dents au bas de l'expansion pariétale, callosité pariétale fine contenant parfois de fins grains de sable ou autres corps étrangers. Canal siphonal vertical, étroit ombilic. Brun clair, tubercules tachés de brun foncé ou de blanc, autres rangées longitudinales brunes ou blanches, taches de même couleur au bas du dernier tour ; labre, intérieur et columelle blancs ; expansion pariétale blanche laissant transparaître les dessins sous-jacents.

CASSIS NANA *TENISON-WOODS 1879.* D 60 mm. Est de l'Australie. Spire très basse, apex court et pointu. Environ 5 ou 6 tours, 2 rangées longitudinales de petits tubercules acérés sur la périphérie et en dessous ; parfois jusqu'à 3 autres rangées de nodules émoussés plus bas sur le dernier tour. Anciennes varices apparentes, stries de croissance fines. Labre retourné sur lui-même et denté, fins plis sur les dents et la columelle. Fin bord pariétal, rainure soulignée de rides à l'extrémité antérieure. Rebord columellaire dans l'ouverture à l'extrémité antérieure. Gris-blanc, flammules transversales brun pâle sur la spire, coïncidant avec les rangées de nodules, 3 rangées de taches blanches et orange-brun sur le dernier tour, labre blanc teinté de brun à chaque extrémité, columelle blanche, callosité pariétale brune tachetée à l'arrière.

CASSIS MADAGASCARIENSIS *LAMARCK 1882.* D jusqu'à 350 mm Caraïbes, Bermudes, sud-est des Etats-Unis. Très courte spire d'environ 10 tours, renflée surtout du côté ventral. Côtes ; cordons longitudinaux, le plus gros sous la périphérie du dernier tour avec 6 épines. Deuxième rangée de petits tubercules, parfois une ligne de bosses. Suture longeant plus ou moins la périphérie sur les premiers tours, varices environ tous les 2/3 de tour. Labre retourné vers l'intérieur et vers l'extérieur, quelque 11 dents. Canal siphonal tourné vers le haut. Gros cordon et plis columellaires s'étendant sur le bord pariétal. Callosité pariétale piriforme, protubérances sous-jacentes sur le bord pariétal et dans l'ouverture. Blanc crème, zones brun pâle surtout sur la spire, labre et callosité pariétale roses, columelle et alentours de l'expansion pariétale brun foncé, rides blanches, interstices bruns entre les dents et le labre. *C. madagascariensis* et *C. tuberosa,* très semblables, peuvent être aisément identifiés à la forme de la callosité pariétale piriforme au bord arrondi chez le pemier, triangulaire au bord droit chez le second.

Cassis nana

Cassis tessellata

Cassis madagascariensis

CYPRAECASSIS RUFA *L. 1758.* D 180 mm. Océans Indien et Pacifique Ouest. Test solide, spire basse, apex aigu, périphéries anguleuses. 3 ou 4 rangées de tubercules sur le dernier tour, les plus grands du côté postérieur. Bandes et cordons longitudinaux couverts de petits tubercules ou de côtes transversales du côté antérieur, fins cordons transversaux sur toute la surface. Labre épaissi, large, incurvé ; 22 dents allongées. Columelle dentée et fortement ridée. Grande expansion pariétale. Canal siphonal incurvé verticalement. Brun-rouge, bandes orange-brun.

CYPRAEACASSIS TESTICULUS *L. 1758.* D 80 mm. Eaux tropicales de l'Atlantique Est et Ouest. Test solide, courte spire, profonde suture soulignée de petits nodules. Dernier tour couvert de petites côtes transversales et de très fines stries longitudinales à chaque extrémité, lisse au centre. 2 rangées de 9 petits nodules dont 1 sur la périphérie. Labre épaissi et calleux, rainure profonde et étroite à l'arrière, 25 dents alternativement grandes et petites. Columelle couverte de 24 longues côtes, expansion pariétale fortement calleuse, canal siphonal tourné verticalement. Brun pâle, taches plus foncées.

PHALIUM GLAUCUM *L. 1758.* D 120 mm. Océans Indien et Pacifique Ouest. Premiers tours arrondis à fins cordons longitudinaux et transversaux, les 3 derniers anguleux et crénelés, généralement une ou plusieurs varices ; dernier tour évasé, arrondi et lisse. Etroite côte sous la suture, irrégularités noduleuses sur la périphérie. Labre épaissi, rainure à l'arrière, 3 ou 4 fortes épines antérieures, jusqu'à 25 dents dans le labre. Large callosité columellaire antérieure. Ombilic profond et étroit, canal siphonal tourné verticalement. Gris, labre orange, columelle et callosité rose crème à blanc, intérieur brun-pourpre foncé, région ombilicale blanche.

PHALIUM STRIGATUM *GMELIN 1791.* D 110 mm. Mer de Chine Orientale, Japon. Solide, spire concave. Varices tous les 2/3 de tour, cordons longitudinaux sur les premiers tours ; petites côtes transversales, érodées sur l'avant-dernier tour. Cordons et sillons sous la suture du dernier tour, rainures longitudinales de plus en plus profondes vers le côté antérieur. Labre épaissi, incurvé, souligné par un profond sillon ; 24 dents. Expansion antérieure de la columelle, stries longitudinales sur le dessus de la callosité pariétale et de la columelle, plis irréguliers et rugueux sur la partie inférieure. Blanc, stries transversales brunes, 6 taches brun clair sur le labre.

PHALIUM DECUSSATUM *L. 1758.* D 70 mm. Indonésie, Asie du Sud-Est jusqu'à Taïwan. Spire moyenne, 6 ou 7 anciennes varices, fines sculptures croisées y compris sur le haut de la callosité pariétale. Labre épaissi et retroussé, rainure étroite et profonde, 20 dents. Côtes longitudinales irrégulières et rugueuses sur la partie inférieure de la columelle et du bord pariétal, 4 petites dents columellaires sur la partie supérieure. 2 petites côtes visibles sur des varices de l'extrémité postérieure du labre. 2 variétés de couleur : à taches comme *P. areola* ou à stries comme *P. strigatum*. Bleu-gris, stries ou taches brun foncé, callosité et partie antérieure de la columelle blanches, intérieur brun foncé, labre et varices blancs à carrés bruns.

PHALIUM AREOLA *L. 1758.* D 70 mm. Afrique orientale, centre des océans Indien et Pacifique. Même forme que *P. decussatum*. Réticulations sur la spire et la périphérie de l'avant-dernier tour. Fines rainures longitudinales visibles sous la suture du dernier tour et près de la base, peu distinctes au centre. Labre, columelle et bord pariétal semblables à ceux de *P. decussatum*. Bleu-blanc, rangées de carrés bruns.

Phalium decussatum

Phalium strigatum

Cypraecassis testiculus

Phalium glaucum

Cypraecassis rufa

Phalium areola

131

PHALIUM PYRUM *LAMARCK 1822.* D 90 mm. Nouvelle-Zélande, Tasmanie, Sud de l'Australie et Afrique du Sud. Nombreuses variétés ayant reçu un nom. Généralement globuleux, parfois allongé. Cordons longitudinaux parfois striés sur les premiers tours ; parfois petits tubercules sur l'avant-dernier tour, plus gros sur le dernier tour ; rainure sous-suturale sur les 2 ou 3 derniers tours. Labre retroussé, denticulé ou presque lisse. 4 plis columellaires et pariétaux, cal blanc et lisse sur la partie supérieure du bord pariétal. Brun-gris à zones rouge-brun, 4 légères bandes de marques brunes.

PHALIUM LABIATUM *PERRY 1811.* D 75 mm. 3 sous-espèces : *Phalium labiatum labiatum* PERRY 1811 d'Australie et Nouvelle-Zélande, *Phalium labiatum iredalei* et *Phalium labiatum iheringi.*

PHALIUM LABIATUM IREDALEI *BAYER 1935.* D 70 mm. Du Natal au cap de Bonne-Espérance. Formes variables entre périphérie lisse (illustration) et périphérie tuberculée. Var. *zeylanica* LAMARCK. Foncé, columelle plissée en dessous. Le spécimen illustré possède la périphérie arrondie de *P. l. iredalei* et les dessins dorsaux bleu-blanc caractérisant généralement *P. l. zeylanica.*

PHALIUM LABIATUM IHERINGI *CARCELLES 1953.* Amérique du Sud. Allongé, 7 ou 8 tours ; stries longitudinales sur les premiers tours, derniers tours arrondis, 7 petits nodules sur la périphérie du dernier tour. Labre retroussé et denticulé, 1 grand pli et 4 petits sur la columelle et le bord pariétal, fine expansion pariétale. Gris crème, taches brunes sous la suture, 3 rangs de dessins bruns.

PHALIUM THOMSONI *BRAZIER 1875.* D 90 mm. Sud-est de l'Australie, nord de la Nouvelle-Zélande. Assez léger, spire habituellement plus courte que sur l'illustration. Réticulations sur les premiers tours, cordons longitudinaux sur la périphérie des derniers tours anguleux, nodules éventuels ; sillons longitudinaux à la base du dernier tour. Labre incurvé et généralement lisse, parfois très légères dents. Quelques petits plis à l'extrémité columellaire postérieure, bord du bourrelet columellaire arqué, plis sur la partie inférieure de la columelle, bourrelet froncé de nombreux petits plis obliques par rapport aux plis columellaires. Blanc terne.

PHALIUM GLABRATUM *DUNKER 1852.* D 60 mm. 3 sous-espèces : *Phalium glabratum glabratum* DUNKER 1852 des Philippines et d'Indonésie, *Phalium glabratum angasi, Phalium glabratum bulla* HABE 1961 de Chine, Japon et Hawaii.

PHALIUM GLABRATUM ANGASI *IREDALE 1927.* Australie orientale. Fin et allongé, spire moyenne. Cordons longitudinaux finement granuleux sur les premiers tours, périphéries arrondies ; fines stries longitudinales sur le dernier tour, 5 rainures longitudinales à la base. Labre épaissi et denticulé, plus fortement du côté antérieur. Légers plis au sommet de la columelle, sur la partie inférieure et le bourrelet ; bourrelet avec profonde indentation. Beige brillant ou blanc opalin, légère nuance brune sur le dos.

PHALIUM BISULCATUM *SCHUBERT et WAGNER 1829.* D 70 mm. Océans Indien et Pacifique Ouest. Variétés diverses. Lourd ou léger, spire moyenne, globuleux ou mince, lisse à stries longitudinales ou stries sous-suturales et basales ; petites dents labiales fines ou épaisses, bourrelet columellaire rugueux. Blanc ou crème, parfois nuance bleu-gris ; avec ou sans 5 rangées de carrés brun clair plus ou moins proéminents ; labre avec ou sans 5 groupes de taches brun clair ou foncé ; columelle et bourrelet blancs, intérieur blanc ou pourpre-brun. Formes illustrées : *P. b. diuturnum* IREALE 1927 à stries longitudinales avec ou sans marques claires.

Phalium pyrum

Phalium labiatum iheringi

*Phalium labiatum
iredalei*

Phalium bisulcatum

Phalium bisulcatum
form *sophia*

Phalium thomsoni

*Phalium glabratum
angasi*

Phalium bisulcatum
form *diuturnum*

133

PHALIUM BANDATUM *PERRY 1811.* D 120 mm. Japon, Philippines, Indonésie, nord de l'Australie. De 0 à 3 anciennes varices. Labre épaissi et retroussé, 20 longues dents plus grandes au centre. 5 petits plis columellaires antérieurs, rides saillantes sur le bourrelet columellaire. Blanc, 5 bandes longitudinales brun clair, flammules transversales, carrés brun foncé aux intersections, 6 taches brun-pourpre et 3 petites épines postérieures sur le labre. Chez *P. b. exaratum* REEVE 1848 des îles de l'océan Indien central, rainures longitudinales, tours moins anguleux, épines réduites ou absentes sur le côté antérieur du labre.

PHALIUM GRANULATUM *BORN 1778. VALENCIENNES 1832.* Ouest de l'Amérique centrale et *P. g. undulatum.*

PHALIUM GRANULATUM UNDULATUM *GMELIN 1791.* D 110 mm. Méditerranée, îles de l'Atlantique est. Spire élevée, périphéries anguleuses. Cordons longitudinaux granuleux sur les premiers tours et le côté postérieur du dernier tour, petites côtes transversales près du labre. Labre large et épaissi, 17 dents. Columelle lisse du côté postérieur, granuleuse du côté antérieur et sur le bourrelet. Coussinet calleux entre le labre et le reste de la coquille. Brun crème, flammules transversales brunes, interstices brun foncé entre les cordons, bandes brunes larges et étroites sur le labre ; intérieur du labre, columelle, bourrelet et coussinet blancs. Chez *P. g. granulatum* spire plus courte, cordons longitudinaux plus nombreux, pas de flammules ni de lignes longitudinales. *P.g. centriquadratum* semblable à *P.g. granulatum,* parfois des tubercules et une spire assez basse.

CASMARIA ERINACEUS *L. 1758.* Syn. *Casmaria vibex* L. 1758. 3 sous-espèces : *Casmaria erinaceus erinaceus, Casmaria erinaceus kalosmodix* MELVILLE 1883 du Pacifique est et central, *Casmaria erinaceus vibexmexicana* STEARNS 1894 de l'oust de l'Amérique centrale.

CASMARIA ERINACEUS ERINACEUS *L. 1758.* D 70 mm. De l'Afrique au Pacifique Ouest. Forme typique à périphérie noduleuse, var. *vibex* à périphérie lisse. Spire moyenne, tours arrondis, légères stries transversales, plis transversaux près du labre. Labre épaissi et retroussé, 5 ou 6 petites pointes antérieures. 2 plis columellaires antérieurs, côtes longitudinales sur le bourrelet. Brun crème, reflets pourpres ; ouverture blanche ; canal siphonal tourné vers le haut.

CASMARIA PONDEROSA *GMELIN 1791.* D 50 mm. Océans Indien et Pacifique. Sous-espèces aux limites de son aire d'extension. Plus tronqué que *C. erinaceus.* Spire moyenne, périphérie parfois noduleuse, labre épaissi et retroussé aux petites dents acérées. Crème, 2 bandes longitudinales brun clair, taches brun foncé sous la suture et sur le côté antérieur du dernier tour, premiers tours bleu-blanc, canal siphonal tourné vers le haut taché de brun-pourpre, rectangles brun foncé sur le labre. *C. p. turgida* REEVE 1848 est assez grand, plus léger et lisse.

GALEODEA ECHINOPHORA *L. 1787.* D 110 mm. Méditerranée. Spire moyenne ; 5 côtes longitudinales, 4 rangées postérieures noduleuses ; côte noduleuse sur la périphérie de l'avant-dernier tour, cordons longitudinaux entre la suture et les périphéries et sur le côté antérieur, lisse entre les côtes. Labre légèrement épaissi, évasé, denticulé à l'intérieur. Côtes sur la columelle, bourrelet lisse, bord pariétal légèrement calleux. Canal siphonal moins incurvé que *C. ponderosa.* Gris-brun, nodules blancs, interstices bruns, ouverture blanche.

Phalium bandatum

Galeodea echinophora

Casmaria erinaceus erinaceus

Casmaria erinaceus erinaceus form *vibex*

Casmaria ponderosa

Casmaria ponderosa form *turgida*

Phalium granulatum undulatum

MORUM ONISCUS *L. 1758.* D 25 mm. Caraïbes. Spire aplatie, cordons longitudinaux et côtes transversales sur le dernier tour. 3 cordons adjacents sous-suturaux saillants, 2 au milieu et 1 du côté antérieur, formant aux intersections des tubercules avec les côtes transversales. Environ 15 dents sur le labre épaissi.

MORUM GRANDE *A. ADAMS* D 70 mm. Sud du Japon. Solide et assez allongé, spire moyenne. Gros cordons longitudinaux devenant des lamelles sur les derniers tours, fortes côtes transversales formant des tubercules aigus aux intersections. Labre allongé, épaissi, non incurvé ; nombreux plis et dents. Bourrelet columellaire et callosité pariétale assez fins, granuleux et rugueux. Canal siphonal court, légèrement incurvé. Blanc sale, 4 légères bandes brunes interrompues plus visibles sur le bord du labre ; intérieur du labre, intérieur, columelle, bourrelet et callosité blancs.

MORUM MACANDREWI *HENLEY 1888.* D 50 mm. Sud du Japon, Chine. Spire moyenne et renflée à la périphérie, côté antérieur anguleux. Cordons longitudinaux, côtes transversales lamellées, lignes de croissance transversales. Tubercules aux intersections entre les côtes et les cordons. Labre large et épaissi, environ 12 grandes dents séparées par des plus petites. Etroit bourrelet columellaire et bord pariétal légèrement calleux, tous deux granuleux et rugueux de même que la columelle. Blanc, bandes et marbrures gris-brun foncé, 10 courtes stries labiales noires ; lèvre interne.

MORUM PONDEROSUM *HENLEY* D 40 mm. Océans Indien et Pacifique. Lourd et massif, spire basse ; fins cordons longitudinaux, périphéries noduleuses. 10 larges côtes longitudinales entre les cordons sur le dernier tour, lignes de croissance lamellées. Labre épaissi, quelque 15 petites dents émoussées aux extrémités. Rides columellaires fines et saillantes, bord pariétal calleux et lisse. Blanc, 4 bandes brun-rouge, quelques petites taches, labre blanc avec petites taches brunes, intérieur et rides blancs.

MORUM TUBERCULOSUM *REEVE 1842.* D 17 mm. De la Basse-Californie au Pérou. Semblable à *M. oniscus* L. 1758 de la côte atlantique de l'Amérique centrale. Spire aplatie, apex pointu. Surface réticulée, cordons longitudinaux. 5 rangées longitudinales de quelque 6 gros tubercules, sauf sur le bord pariétal. Ouverture étroite. Labre tourné vers l'intérieur, environ 18 dents. Columelle lisse, callosité mince et fine. Brun foncé presque noir, taches blanches ou jaunes, bord du labre et intérieur blancs ou jaunes.

MORUM CANCELLATUM *SOWERBY* D 45 mm. Sud du Japon, Chine. Même ornementation que *M. macandrewi* ; plus petit, plus délicat. Blanc ou crème, environ 4 bandes longitudinales brunes plus ou moins distinctes, intérieur blanc.

Famille des Ficidés

Coquillages tropicaux. En forme de figue, fins ; spire basse, grand dernier tour, ouverture longue et large. Sur fonds sableux en eau généralement profonde.

FICUS GRACILIS *SOWERBY* D 150 mm. Japon. Petite spire avec cordons longitudinaux et cordons transversaux plus petits. Brun clair, nombreuses lignes transversales onduleuses brun foncé.

FICUS FICOIDES *LAMARCK 1822.* D 100 mm. Océans Indien et Pacifique. Spire presque plate, canal siphonal relativement plus court que chez l'espèce précédente. Fins cordons longitudinaux et transversaux. Rose-beige, environ 5 étroites bandes très pâles ou blanches, taches brun foncé surtout sur les bandes pâles.

Morum oniscus

Morum ponderosum

Morum grande

Ficus gracilis

Morum macandrewi

Morum tuberculosum

Morum cancellatum

Ficus ficoides

Famille des Tonnidés

Famille pas très grande comportant des coquillages minces assez fragiles et quelques grands à spire courte et dernier tour assez renflé. Sculptures longitudinales. Principalement dans les régions tropicales sur fonds sableux près des récifs. Carnivores se nourrissant d'échinodermes et de crustacés.

TONNA VARIEGATA *LAMARCK 1822.* D 160 mm. Océans Indien et Pacifique. Globuleux, spire basse, 7 tours, profonde suture. Environ 16 larges côtes proéminentes sur le dernier tour dont 5 visibles sur l'avant-dernier. Légers cordons dans les interstices postérieurs, rainures dans les autres. Ombilic étroit, profond. Labre crénelé. Petit bourrelet columellaire, zone pariétale légèrement calleuse. Blanc crème, taches rose crème pâle ou rouge-fauve, stries transversales indistinctes ; quelques côtes tachées de brun-rouge surtout près de la suture (très légèrement sur l'illustration) ; intérieur du labre blanc, intérieur orange.

TONNA TESSELLATA *LAMARCK 1816.* D 80 mm. Du Pacifique Ouest à la mer de Chine Méridionale. Spire moyenne, environ 7 tours, suture profonde. Environ 14 côtes arrondies assez étroites sur le dernier tour, 4 sur l'avant-dernier tour. Interstices larges et lisses, parfois un sillon. Labre cannelé, environ 10 paires de dents sur le bord intérieur. Petit bourrelet pariétal. Dernier tour blanc opaque, côtes blanches tachées de brun, avant-dernier tour à nuance rose, bande longitudinale rose foncé sur les premiers tours jusqu'à l'apex.

TONNA CEPA *RODING 1798.* D 130 mm. Océans Indien et Pacifique. Ové, spire moyenne, quelque 7 tours, suture profonde. Cordons longitudinaux sur les premiers tours, émoussés sur l'avant-dernier tour. Environ 16 larges côtes plates séparées par d'étroites rainures sur le dernier tour. Périphéries arrondies, ombilic étroit. Taches longitudinales irrégulières brun clair, brun-pourpre et blanc crème, surtout sur la périphérie ; intérieur du labre, petit bourrelet columellaire et mince callosité pariétale blancs ; intérieur brun.

TONNA LUTEOSTOMA *KUSTER 1857.* D 200 mm. Pacifique Ouest, du Japon à la Nouvelle-Zélande. Globuleux, spire basse, environ 7 tours, suture profonde. Environ 17 larges côtes assez aplaties sur le dernier tour dont 5 visibles sur l'avant-dernier tour ; côtes séparées par d'étroites rainures dont certaines marquées d'un cordon du côté postérieur. Labre crénelé, petit bourrelet columellaire cachant le profond ombilic sans le fermer, mince callosité pariétale. Blanc ou beige clair avec rayures transversales alternativement blanches ou rouge-brun, certaines côtes à longues raies brunes sans blanc, très brillant, columelle et labre blancs, callosité pariétale blanchâtre, intérieur brun. Coloration assez variable.

TONNA DOLIUM *L. 1758* (non illustré). D 150 mm. Océans Indien et Pacifique Ouest. Très variable. Globuleux, 10 à 20 côtes longitudinales larges et plates séparées ou non par des lignes sur le côté postérieur, 2 à 4 côtes visibles sur l'avant-dernier tour. Profonde suture, labre cannelé, ombilic ouvert et profond, pas d'expansion pariétale. Blanc à fauve, taches rectangulaires orange-brun sur les côtes, apex et intérieur bruns.

Tonna variegata

Tonna tessellata

Tonna cepa

Tonna luteostoma

139

TONNA ALLIUM *DILLWYN 1817.* D jusqu'à 90 mm. Océans Indien et Pacifique. Spire assez élevée, aspect plutôt ové que globuleux. Environ 14 côtes espacées sur le dernier tour, 3 visibles sur l'avant-dernier, plus rapprochées à l'extrémité antérieure. Interstices concaves et lisses sauf fines lignes de croissance. Profonde suture, labre crénelé avec jusqu'à 12 paires de dents. Columelle petite et fine, expansion pariétale. Ombilic étroit. Blanc opaque, touche brune sur les côtes, apex et moitié inférieure des premiers tours pourpres.

TONNA SULCOSA *BORN 1778.* D 120 mm. Océans Indien et Pacifique Ouest. Spire moyenne, 7 tours. Côtes plates, environ 20 sur le dernier tour et 4 sur l'avant-dernier ; côtes et rainures intermédiaires de largeur variable. Labre épaissi et légèrement prolongé, environ 20 dents dont quelques-unes par paires. Bourrelet columellaire petit et fin au-dessus d'un ombilic très étroit, mince callosité pariétale. Blanc, 3 ou 4 bandes brunes couvrant à peu près 2 côtes chacune, apex pourpre sombre.

TONNA PERDIX *L. 1758.* D 200 mm. Océans Indien et Pacifique. Test étroit, spire élevée et assez fine, périphéries arrondies, suture peu profonde. Environ 20 côtes plates sur le dernier tour et 8 sur l'avant-dernier, séparées par des rainures étroites. Labre légèrement épaissi, callosité pariétale petite et mince, ombilic profond, canal siphonal tourné vers l'ouverture. Brun tacheté de brun foncé et de blanc sur les côtes, surtout près de la suture, de la base et du labre ; taches blanches à droite des brunes. Chez certains spécimens, comme ceux illustrés, taches blanches et brunes couvrant presque toute la coquille. Columelle et callosités blanches, intérieur brun.

TONNA MACULOSA *DILLWYN 1817* (non illustré). D 130 mm. Eaux tropicales d'Amérique orientale. Très semblable au précédent ; spire plus basse, côtes longitudinales plus nombreuses. Taches rectangulaires plus ternes.

TONNA GALEA *L. 1758.* D 200 mm. Zones tropicales des océans Indien, Pacifique, Atlantique ouest et de la Méditerranée. Globuleux, spire basse, environ 7 tours. 15 à 20 côtes larges et plates sur le dernier tour, jusqu'à 3 côtes intermédiaires plus petites sur la moitié supérieure, jusqu'à 5 entre les 2 côtes supérieures. Suture profonde, 2 ou 3 cordons dans la rainure, environ 3 côtes principales visibles sur l'avant-dernier tour. Labre cannelé légèrement prolongé, quelques dents émoussées. Ombilic étroit presque fermé par le petit bourrelet columellaire, mince callosité pariétale. Chocolat clair, stries transversales et suture plus claires, apex pourpre foncé, intérieur et columelle blancs, marques brunes à l'intérieur du labre et sur le bord du canal siphonal.

TONNA TETRACOTULA *HEDLEY 1919* (non illustré). D 200 mm. Australie orientale, Nouvelle-Zélande. Assez semblable à *T. sulcosa* dont il est peut-être une sous-espèce des eaux tempérées. Globuleux, environ 20 côtes aplaties plus petites à l'extrémité antérieure du tour. Quelques cordons intermédiaires plus nombreux à l'extrémité postérieure. Suture profonde, intérieur du labre finement denticulé par paire, ombilic étroit et profond. Blanc avec ou sans bandes longitudinales brunes pouvant ou non encercler complètement le dernier tour ; une partie du dernier tour parfois brun crème pâle, alentours de l'encoche siphonale parfois gris-brun, intérieur du labre blanc, intérieur beige, columelle et fine callosité pariétale blanches.

Tonna allium

Tonna sulcosa

Tonna perdix

Tonna galea

141

TONNA OLEARIUM *L. 1758.* D 200 mm. Sud du Japon et mer de Chine Méridionale jusqu'aux Philippines, Indonésie et Malaisie. Très semblable à *T. galea,* spire plus élevée. Environ 17 côtes principales sur le dernier tour, plus étroites et un peu plus arrondies parfois séparées par de fins cordons. Périphéries plus arrondies, canal siphonal plus long. Brun plus foncé, labre bordé de brun foncé, premiers tours plus clairs.

TONNA CERIVESINA *HEDLEY 1919* (non illustré). D 240 mm. Sud-est du Pacifique. Semblable à *T. galea.* Environ 20 côtes assez plates séparées par de légères rainures sur le dernier tour ; certaines rainures ont de petites lignes intermédiaires, de même que les 5 ou 6 côtes visibles sur les premiers tours. Lignes de croissance rugueuses près de l'ouverture. Labre crénelé. Petite expansion pariétale couvrant en partie le profond ombilic ; bord pariétal vernissé. Du brun foncé avec taches et stries plus claires au blanc cassé avec quelque 5 bandes longitudinales brunes et taches brunes sur les zones blanches intermédiaires, parfois blanc cassé avec de rares taches brunes.

MALEA RINGENS *SWAINSON 1822.* D 100 mm, parfois jusqu'à 240 mm. Ouest tropical de l'Amérique. Solide, massif, spire basse. Environ 7 tours. 18 côtes plates sur le dernier tour, 3 sur l'avant-dernier. Suture peu profonde, périphéries arrondies. Labre présentant un fort étranglement avant de s'évaser et de s'aplatir, bord extérieur cannelé, bord interne avec quelque 17 dents longues. Columelle avec renflement traversé de 3 côtes et 5 plis étroits et élevés, les 2 premiers et les 2 derniers joints. Bourrelet columellaire irrégulier, légèrement rugueux, fermant presque l'ombilic. Large callosité pariétale, canal siphonal incurvé. Beige clair ; labre, columelle, callosité et premiers tours plus clairs ; intérieur brun pâle.

MALEA POMUM *L. 1758.* D 75 mm. Océans Indien et Pacifique. Solide, spire basse, environ 7 tours, suture légèrement découpée. Une vingtaine de côtes arrondies et interstices peu profonds sur le dernier tour, 3 côtes sur l'avant-dernier tour. Labre cannelé présentant un étranglement avant de s'épaissir et de s'aplatir, lignes de croissance rugueuses. 10 ou 11 gros plis à l'intérieur du labre. Columelle et zone pariétale calleuses, rainures sous-jacentes visibles au sommet de la columelle. Extrémité inférieure avec 4 plis et 1 grande côte au-dessus de l'encoche siphonale. Ombilic couvert par la callosité pariétale. Crème-fauve, taches carrées et rectangulaires blanches sur les côtes, quelques marques fauve foncé ; labre blanc devenant brun orangé dans l'ouverture, columelle et callosité blanches.

Malea pomum

Malea ringens

Malea ringens

Tonna olearium

143

Famille des Cymatidés

Coquillages assez solides et anguleux avec des côtes et cordons longitudinaux, des protubérances, des tubercules et des varices. Opercule corné, long canal siphonal. Régions tropicales du monde entier, en eau peu profonde et profonde, sur fonds sableux et rocheux. Périostracum parfois épais et velu. Se nourrissent d'échinodermes et de mollusques. Stade de longue larve véligère avant la forme définitive.

CHARONIA TRITONIS *L. 1758.* D 400 mm. Parfois utilisé comme trompe, surtout dans le Pacifique. Spire élevée et pointue, cordons longitudinaux rugueux, côtes transversales sur les premiers tours. Côtes longitudinales sous la suture (2 granuleuses sur les premiers tours et 3 sur le dernier), larges et aplaties, séparées par une petite côte. Labre élargi en une grande ouverture, côte basse avant que le labre ne s'incurve. Anciennes côtes et lèvres se présentant comme des varices sur les premiers tours à raison de 1 tous les 2/3 de tour et s'alignant donc transversalement tous les 2 tours. Environ 15 côtes longitudinales à l'intérieur du labre, formant des denticulations jumelées du côté postérieur. Columelle concave fortement ridée, ombilic étroit, canal siphonal court. Blanc crème, taches brunes et pourpres en écaille sur les côtes longitudinales, labre blanc rosé, intérieur de l'ouverture et côtes internes orange, denticulations blanches, columelle rose orangé, interstices brun-pourpre entre les rides.

CHARONIA VARIEGATA *LAMARCK 1816.* D 380 mm. De la Floride au Brésil. Semblable au précédent, plus trapu. Tours parfois irrégulièrement renflés, débordant quelquefois sur la suture. Bord extérieur du labre découpé mais moins étendu, quelque 10 denticulations pour la plupart jumelées. Même coloration que *C. tritonis* sauf zones brune autour des dents blanches, intérieur de l'ouverture orange rosé, intérieur blanc.

CHARONIA NODIFERA *LAMARCK 1822.* D jusqu'à 300 mm. Méditerranée. Cordons longitudinaux, 2 rangs de nodules par tour parfois couverts par la suture. Varices environ tous les 2/3 de tour. 2 larges côtes plates sur le dernier tour avec les cordons, nodules presque disparus. Labre étendu, épaissi, découpé, environ 12 denticulations. 1 grand pli columellaire postérieur et 1 petit, 3 ou 4 grands plis obliques du côté antérieur, nombreux plis plus fins entre les 2. Ombilic caché par le bord pariétal. Canal siphonal un peu plus grand que chez l'espèce précédente. Blanc, bandes brunes irrégulières transversales et longitudinales sur le dernier tour, dents brunes, tache brune à la base de la columelle.

Charonia variegata

Charonia tritonis

Charonia nodifera

145

CYMATIUM GUTTURNIUM *RODING 1798.* D 90 mm. Environ 6 tours, cordons longitudinaux, petites côtes ou plis transversaux, côtes plus grandes formant des tubercules aux intersections avec les cordons longitudinaux. Léger étranglement sutural. Anciennes varices tous les 240°. Labre épaissi, 1 cal, 7 fortes dents. Epaisse callosité columellaire et pariétale avec 3 ou 4 plis au sommet, forte côte près de l'extrémité inférieure, environ 3 plus petites au sommet du canal siphonal long et tranchant. Blanc, marques transversales brunes le long des grandes côtes transversales ; intérieur du labre, columelle, cal et intérieur du canal siphonal orange-rouge, parfois blancs ou jaunes.

CYMATIUM (RANULARIA) PYRUM *L. 1758.* D 80 mm. Océans Indien et Pacifique. Solide, massif. Cordons longitudinaux granuleux. Côtes noduleuses, environ 8 sur le dernier tour avec chacune 4 à 6 nodules, 2 ou 3 visibles sur les premiers tours. Grosse varice labiale, labre avec 7 fortes dents et environ 8 paires de dents plus petites. Plis columellaires et pariétaux, long canal siphonal retors. Brun-rouge, varices tachées de foncé et de clair, intérieur et intérieur du labre blancs avec du rose autour des dents, columelle orange-rouge, plis blancs. Périostracum épais et rugueux.

CYMATIUM LOTORIUM *L. 1758.* D 100 mm. Océans Indien et Pacifique. Lourd et massif, surface raboteuse. Suture lisse, spire élevée, dernier tour égal à un peu plus de la moitié de la longueur totale. Epaisse varice tous les 240°. Fines lignes et cordons longitudinaux. Périphéries anguleuses couvertes de 3 cordons et formant de gros tubercules, 3 ou 4 entre les varices. Environ 7 dents labiales. 1 côte columellaire fortement calleuse à l'extrémité postérieure, 1 petite au sommet du long canal siphonal, séparées par des plis. Bourrelet columellaire étroit, ridé au bord là où il croise la fasciole. Jaune-brun, varices brun foncé et blanches, intérieur et intérieur du labre blancs, bord du cal columellaire taché de brun foncé, taches brun clair sur la columelle.

CYMATIUM (MONOPLEX) PARTHENOPEUM *VON SALIS 1793.* D 150 mm. Sud et sud-est de l'Australie. Solide, spire assez élevée. Anciennes varices légères et irrégulières. Tours anguleux, fines lignes longitudinales, côtes noduleuses, fines lignes de croissance, plis transversaux. Epaisse varice labiale, callosité intérieure, dents longues et fines. Etroite expansion pariétale ; columelle ridée, 1 dent à l'extrémité postérieure. Canal siphonal court, légèrement incurvé. Brun foncé, zones plus claires ; varices blanches et brun très foncé ; intérieur du labre rose, denticulations blanches sur fond brun foncé ; columelle brun foncé, rides et dent blanches ; intérieur blanc.

CYMATIUM (SEPTA) PILEARE *L. 1758.* D 100 mm. Océans Indien et Pacifique. Spire élevée et effilée, varices tous les 240°. Côtes longitudinales granuleuses de taille variable, lignes intermédiaires. 2 côtes sur la périphérie formant de petits nodules. Labre pourvu d'une épaisse varice, quelque 8 paires de longues denticulations. Columelle fortement ridée. Traînées de beige clair et foncé, varices brun foncé et blanches ; intérieur du labre, intérieur et columelle rouge profond ou orange pâle. Périostracum très velu.

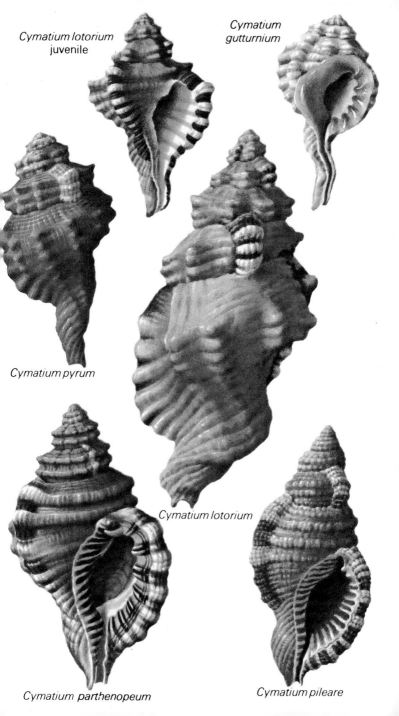

Cymatium lotorium
juvenile

*Cymatium
gutturnium*

Cymatium pyrum

Cymatium lotorium

Cymatium **parthenopeum**

Cymatium pileare

CYMATIUM (SEPTA) HEPATICUM *RODING 1798.* D 50 mm. Pacifique, Indonésie. Larges côtes espacées, petites côtes transversales. Bosse au milieu du dos. Labre avec 1 épaisse varice et 9 denticulations, columelle ridée, intérieur parcouru de rainures longitudinales. Cordons rouges ou brun orangé, interstices noirs ; varices blanches, noires ou rouges ; bord labial rose, intérieur blanc, columelle rouge à rides blanches.

CYMATIUM (TURRITELLA) GIBBOSUM *BRODERIP 1833.* D 40 mm. Ouest de l'Amérique centrale. Etranglement sutural, expansions variqueuses. Fins cordons longitudinaux granuleux, petites côtes transversales. Cordon périphérique muni de 3 petits tubercules et 1 grand, les autres cordons en ont 2 ou 3. Epaisse varice, 4 faibles denticulations sur le labre. Columelle légèrement denticulée, callosité sur l'extrémité inférieure de l'avant-dernière varice et une grande partie du dos. Brun-rouge, 5 bandes longitudinales brun-pourpre peu distinctes, premiers tours gris-pourpre ; varices blanches bordées de brun du côté de l'ouverture ; protoconque très visible, lisse.

CYMATIUM (CYMATRITON) NICOBARICUM *RODING 1798.* D 50 mm. Océans Indien et Pacifique. Cordons noduleux longitudinaux séparés par des fines lignes. Varices tous les 240°, 3 à 5 gros tubercules entre chaque paire. Labre muni d'une épaisse varice et de 7 à 24 longues dents, columelle ridée. Gris taché de rouge, quelques bandes crème peu apparentes, varice gris foncé et blanches ; labre, dents et rides blanches ; intérieur et columelle jaune ou jaune orangé.

CYMATIUM (LIMATELLA ; GELAGNA) CLANDESTINUM *LAMARCK 1816.* D 45 mm. Océans Indien et Pacifique. Léger, pas de varice, 6 tours renflés avec 20 cordons longitudinaux (7 sur l'avant-dernier tour) séparés par des rainures larges et lisses. Légères côtes transversales sauf sur le dernier tour. Intérieur cannelé ; labre élargi, pas épaissi ; columelle lisse. Brun pâle, cordons rouges ; intérieur du labre, intérieur et bas de la columelle blancs.

CYMATIUM (MAYENA) AUSTRALASIA *PERRY 1811.* D 90 mm. Sud de l'Australie, Nouvelle-Zélande. Très fines stries longitudinales, nodules périphériques (12 sur le dernier tour), varices obliques tous les 200°. Labre fortement denticulé, 1 pli columellaire, bas de la première varice débordant dans le haut de l'ouverture derrière la columelle. Brun foncé, varices brun foncé et blanches.

CYMATIUM LABIOSUM *WOOD 1828.* D 30 mm. Océans Indien et Pacifique, Caraïbes. Fines stries longitudinales granuleuses, 6 cordonc longitudinaux ; 4 côtes transversales entre les varices, formant des tubercules aux intersections. Forte varice labiale, 6 denticulations dans l'ouverture, 1 dent columellaire postérieure et 1 antérieure, bord columellaire finement plissé. Brun-rouge ; ouverture blanche.

CYMATIUM (ARGOBUCCINUM) ARGUS *GMELIN 1791.* D 60 mm Afrique du Sud en eau profonde. Stries longitudinales ; 5 rangées de petits nodules sur le dernier tour, 2 sur les autres. Varices tous les 200°. Labre épaissi, faible varice, 8 paires de dents. 3 plis columellaires postérieurs, plis pariétaux antérieurs. Brun clair, raies brun foncé passant sur les nodules brun clair, 1 au-dessus et 2 au-dessous sans nodules.

CYMATIUM (CABESTANA) DOLARIUM *L. 1758.* D 40 mm. Afrique du Sud. Anguleux, côtes longitudinales cannelées au centre, petit cordon entre les côtes, côtes transversales (10 sur le dernier tour) formant des nodules aux intersections. Labre évasé et crénelé, 7 dents dont certaines bifides. Columelle lisse. Brun ou blanc cassé.

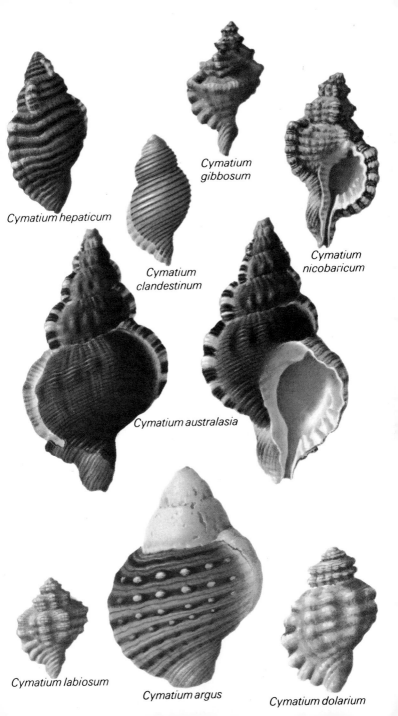

Cymatium hepaticum

Cymatium gibbosum

Cymatium clandestinum

Cymatium nicobaricum

Cymatium australasia

Cymatium labiosum

Cymatium argus

Cymatium dolarium

CYMATIUM (CABESTANA) SPENGLERI *PERRY 1811.* D 120 mm. Est de l'Australie, Nouvelle-Zélande. Côtes et cordons longitudinaux fortement granuleux de différentes largeurs. Petites côtes transversales rapprochées, lignes longitudinales saillantes, fins cordons. Périphéries anguleuses, 6 petits tubercules. Varices tous les 240º. Labre avec épaisse varice, 7 paires de dents. Columelle légèrement cannelée, dent postérieure bifide. Etroite expansion pariétale, granuleuse du côté antérieur ; canal ouvert. Beige crème.

CYMATIUM MURICINUM *RODING 1798.* D 80 mm. Océans Indien et Pacifique, Caraïbes. Solide, long canal siphonal ; cordons et stries rugueux, longitudinaux et transversaux, embrouillés sous la suture. Varices tous les 240º. 7 cordons principaux sur le dernier tour, 3 sur l'avant-dernier. Côtes transversales formant des tubercules aux intersections. Forte varice labiale, épaisse callosité labiale et pariétale. Canal incurvé à 45º. Blanc marbré de gris et de brun.

CYMATIUM (FUSITRITON) LAUDANDUS *FINLAY 1927.* D 110 mm. Sud de la Nouvelle-Zélande en eau profonde. Périphéries arrondies, fins cordons longitudinaux, côtes transversales et nodules aux intersections. Anciennes varices peu apparentes, petite varice labiale.

CYMATIUM (RANELLA) GIGANTEUM *LAMARCK 1816. Ranelle géante.* D 210 mm. De la Méditerranée à l'Afrique du Sud. Varices tous les 200º. Fins cordons longitudinaux, côtes basses dont 6 visibles sur les premiers tours. Fines stries transversales rapprochées. 20 côtes sur les premiers tours dont 10 indistinctes sur les 3 premiers. Petits nodules acérés aux intersections sur les premiers tours ; nodules épineux plus gros sur les 3 derniers, surtout au milieu. Labre au bord aplati et légèrement prolongé derrière la varice, 17 dents. Forte dent columellaire postérieure, petite callosité pariétale. Canal siphonal un peu incurvé. Blanc tacheté de brun clair, intérieur et columelle blancs. On croyait ce coquillage répandu uniquement dans les régions méditerranéennes et lusitaniennes.

CYMATIUM AFRICANUM *A. ADAMS 1855.* D 60 mm. Afrique du Sud. Effilé ou tronqué. Côtes longitudinales de la protoconque émoussées et noduleuses sur les périphéries des quelques derniers tours. 6 nodules sur le dernier tour. Varices tous les 200º. Epaisse varice et 7 dents sur le labre. Dent columellaire postérieure ; ombiliqué. Rouge-brun ; labre, intérieur et columelle blancs.

GYRINEUM GYRINUM *L. 1758.* D 50 mm. Océans Indien et Pacifique. Aplati. Cordons longitudinaux petits et grands (7 sur le dernier tour, 3 sur les premiers), cordons et côtes transversales formant des nodules aux intersections. Varices tous les 200º. 7 denticulations labiales parfois bifides. Dent postérieure, légers plis sur la columelle. Brun foncé, bande dorsale blanche.

GYRINEUM NATATOR *RODING 1798.* D 40 mm. Océans Indien et Pacifique. Comprimé ; 10 cordons longitudinaux sur le dernier tour, 4 sur les premiers. Fins cordons saillants, 15 côtes transversales par tour, nodules brillants aux intersections. Forte varice, 7 dents sur le labre. Dent postérieure et plis sur la columelle. Gris-beige, nodules et bandes brun foncé, varices brunes et blanches.

BIPLEX BITUBERCULARIS *LAMARCK 1816.* D 40 mm. Océans Indien et Pacifique Ouest. Légèrement renflé. Varices tous les 180º. Fins cordons longitudinaux et transversaux. Côtes longitudinales (10 sur le dernier tour), côtes transversales (5 entre chaque varice sur les premiers tours, 2 ou 3 sur les 2 derniers). Nodules aux intersections, plus grands sur les 2 ou 3 côtes du milieu. 9 dents labiales ; columelle plissée aux extrémités, rugueuse au centre.

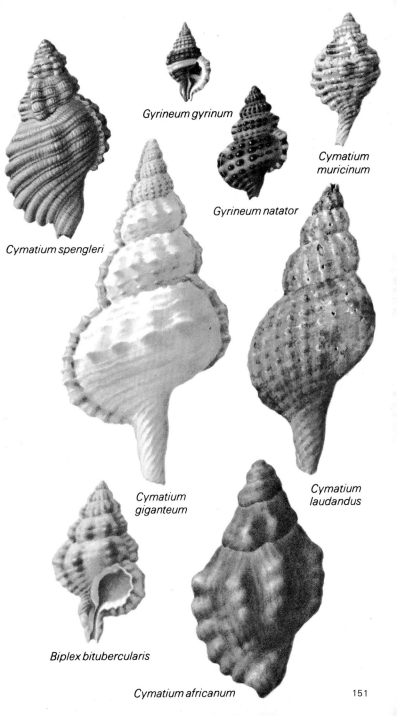

Gyrineum gyrinum

Cymatium spengleri

Gyrineum natator

Cymatium muricinum

Cymatium giganteum

Cymatium laudandus

Biplex bitubercularis

Cymatium africanum

151

BIPLEX JUCUNDUM *A. ADAMS 1854.* D 25 mm. Nord de l'Australie, Indonésie, Malaisie. Mieux connu comme *Biplex pulchella* FORBES 1852. Très aplati. Varices tous les 180º, fines, prolongées, se confondant. Cordons longitudinaux alternativement étroits et larges (5 sur le dernier tour), interstices profonds et étroits. Petites côtes transversales (25 sur le dernier tour), nodules aux intersections. Labre et columelle lisses, canal siphonal fin. Crème ou gris-brun.

BIPLEX PERCA *PERRY 1811.* D 80 mm. Centre de l'océan Indien, Pacifique Ouest. Aplati. Expansions variqueuses aplaties tous les 180º Cordons et côtes longitudinaux (7 sur le dernier tour), côtes transversales (20 sur le dernier tour). Nodules aux intersections. Denticulations labiales rugueuses ou érodées, légers plis et dent postérieure jumelée sur la columelle, canal siphonal prolongé et légèrement coudé. Gris-brun pâle taché de brun sur les derniers tours, nodules crème, ouverture blanche.

DISTORTIO ANUS *L. 1758.* D 80 mm. Océans Indien et Pacifique sur les récifs. Spire pointue. Tours irrégulièrement renflés donnant un aspect distordu. Côtes noduleuses longitudinales, côtes transversales. Labre crénelé, 1 rangée de 7 dents pointées vers l'extérieur et 1 autre de plus grosses vers l'intérieur séparées par 1 rainure. Bourrelet pariétal épais et rugueux cannelé le long du bord. Très grande columelle, fente centrale large et profonde. Côtes de chaque côté du canal siphonal fort incurvé. Blanc, taches et bandes longitudinales brunes, ouverture et bourrelet blanc brillant avec zones roses et brunes.

DISTORTIO RETICULATA *RODING 1798.* D 55 mm. Océans Indien et Pacifique en eau profonde. Semblable au précédent. Cordons longitudinaux, côtes transversales, nodules acérés aux intersections. Labre aplati, 10 très petites dents extérieures, dents internes au bout des côtes croisant le labre. Mince callosité pariétale. Longue dent au sommet de la columelle, grande fente rectangluaire centrale, partie inférieure plissée. Crème, dents et intérieur blancs.

DISTORTIO CLATHRATA *LAMARCK 1816.* D 60 mm. Caraïbes, Afrique occidentale, eau profonde. Semblable à *D. reticulata,* sculptures plus rugueuses et nodules épineux au milieu des tours. Labre plus étroit, 10 dents externes et internes, plus grandes face à la fente columellaire. Côtes sur le bord pariétal et non rangées noduleuses. Crème à zones brunes, intérieur et columelle blancs, callosité pariétale brun brillant.

Famille des Colubrariidés

Faux tritons. Effilés, varices, canal siphonal court, opercule corné. Famille peu étudiée qui pourrait être classée plus justement parmi les Buccinidés.

COLUBRARIA OBSCURA *REEVE 1844.* D 60 mm. Océan Indien, régions tropicales de l'Atlantique. Etroit ; spire élevée, solide, assez aplatie. Varices tous les 240º. Rangées longitudinales granuleuses dont 20 sur le dernier tour, lignes de croissance transversales. Canal siphonal court. Epaisse varice et environ 13 dents sur le labre. 1 dent columellaire postérieure. Crème, taches brun clair sur les varices et quelques nodules.

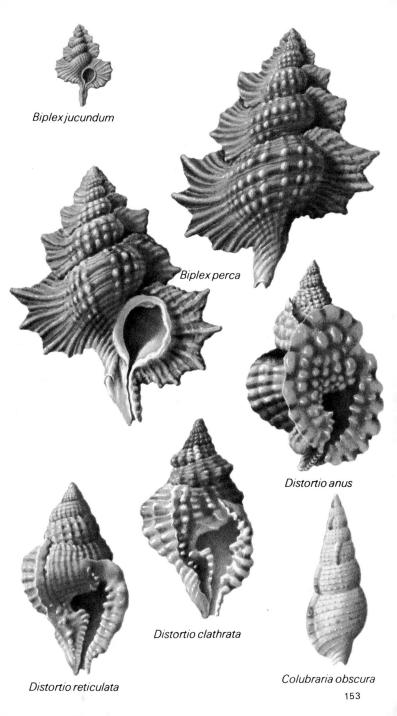

Biplex jucundum

Biplex perca

Distortio anus

Distortio clathrata

Distortio reticulata

Colubraria obscura

153

Famille des Bursidés

Très apparentée aux Cymatidés. Principalement dans les régions tropicales en eau peu profonde parmi les rochers et le corail. Noduleux pour la plupart, épaisses varices, canaux antérieurs et postérieurs importants.

BURSA CAELATA *BRODERIP 1833.* D 50 mm. De la Californie au Pérou. Rectangulaire et aplati, spire aux côtés droits, 5 tours. Fines côtes longitudinales légèrement granuleuses, 6 rangées de nodules plus grosses sur la partie la plus large du dernier tour. Labre cannelé, fortement denticulé. Columelle et bord pariétal ridés, granuleux. Canal postérieur court, profond ; canal antérieur profond, ouvert, incurvé ; faible fasciole. Brun-rouge foncé, nodules brillants, intérieur et columelle blancs avec zones marron clair.

BURSA ROSA *PERRY 1811.* D 40 mm. Océans Indien et Pacifique Ouest. Massif, spire moyenne, 2 varices par tour, fins cordons longitudinaux. 3 côtes longitudinales inégales dont les 2 postérieures fusionnent pour former 2 ou 3 tubercules entre les varices. Labre étroit et noduleux, 9 denticulations petites et fortes. Columelle ridée à l'arrière, 3 fortes dents antérieures. Canal postérieur long, presque tubulaire ; canal antérieur profond, incurvé. Blanc crème, lignes irrégulières brun-rouge sur les côtes.

BURSA BUFONIA *GMELIN 1791.* D 80 mm. Océans Indien et Pacifique Ouest. Massif, spire assez élevée, 2 varices par tour. Côtes longitudinales granuleuses formant 3 tubercules sur la périphérie entre les varices. Labre évasé et cannelé, 9 dents sur les bords interne et externe. Columelle à plis rugueux. Canal postérieur profond, tubulaire ; canal antérieur profond, fortement incurvé, presque fermé. Forte fasciole. Blanc crème taché de brun.

BURSA GRANULARIS *RODING 1798.* D 60 mm. Océans Indien et Pacifique Ouest. Légèrement aplati, spire élevée. Léger étranglement sutural. Rangées longitudinales de nodules séparées par de fines stries. 14 dents labiales fortes. Columelle ridée. Canal postérieur court, profond ; canal antérieur profond, incurvé, ouvert ; faible fasciole. Brun-rouge, granulation blanche sur les varices, labre et columelle crème intérieur blanc.

BURSA BUBO *L. 1758.* D 260 mm. Océans Indien et Pacifique. Lourd et massif, sculptures rugueuses, spire assez élevée. Grands cordons longitudinaux formant des tubercules à la périphérie (5 entre 2 varices). Léger étranglement sutural, ouverture circulaire. Labre évasé et denticulé, les dents internes bordant le canal postérieur. Columelle concave et plissée, 1 dent postérieure. Canal postérieur court, profond, ouvert ; canal antérieur court, profond, retors, presque fermé ; bord pariétal large, calleux. Blanc crème tacheté et moucheté de brun clair, ouverture crème à orange pâle.

BURSA RUBETA *L. 1758.* D 250 mm. Océans Indien et Pacifique. Semblable à *B. bubo*, spire un peu plus haute. Bord extérieur du labre denticulé, 14 dents internes, intérieur du labre ridé. Quelques plis columellaires, plus forts du côté antérieur et couvrant aussi une bonne partie de l'expansion pariétale. Blanc crème taché de brun.

BURSA FOLIATA *BRODERIP 1825.* D 90 mm. Océan Indien. Massif, spire moyenne, 2 varices aplaties par tour formant un rebord de chaque côté. Fins cordons longitudinaux noduleux, 3 rangées de tubercules épineux plats plus gros du côté postérieur, 4 tubercules entre 2 varices, petits tubercules sur les varices. Ouverture ovale ; labre évasé, aplati, cannelé, denticulé ; columelle plissée ; canal postérieur court, profond, ouvert ; canal antérieur court, coudé. Crème ou beige pâle avec zones brun foncé.

Bursa caelata

Bursa rosa

Bursa bufonia

Bursa granularis

Bursa bubo

Bursa rubeta

Bursa foliata

Ordre des Néogastéropodes
Famille des Muricidés

Eaux tropicales généralement peu profondes parmi les rochers et le corail. Carnivores se nourrissant d'autres mollusques en perçant un trou dans leur coquille. Ornementation complexe à nombreuses épines. Quelques genres et de nombreuses espèces.

MUREX TROSCHELI *LISCHKE 1873.* D 140 mm. Du nord de l'Australie au Japon en passant par les Philippines. Spire moyenne, suture profonde, 3 varices par tour. Cordons longitudinaux étroits séparés par de petites lignes (12 sur le dernier tour), petites côtes érodées près de l'ouverture. Epaisse varice labiale présentant de longues épines tranchantes à l'extrémité des cordons, les plus longues environ à 90º de la surface de la coquille, les plus courtes pointant plutôt vers l'ouverture. Canal siphonal très long et presque fermé, épines semblables. Dent labiale antérieure, columelle lisse avec un petit bourrelet. Blanc crème, cordons brun clair.

MUREX PECTEN *SOLANDER 1786.* D 125 mm. Océans Indien et Pacifique Ouest. Syn. *Murex triremis* PERRY 1811. Spire moyenne, profonde suture, cordons longitudinaux alternativement petits et grands. Côtes transversales et petites lamelles, noduluses aux intersectuions. 3 varices par tour, environ 16 longues épines et d'autres plus courtes, épines de la périphérie du dernier tour et de la spire tournée du côté postérieur. Canal siphonal long, droit, presque fermé ; labre denticulé souligné par une petite varice, 1 grande dent antérieure ; columelle lisse. Blanc crème.

MUREX MINDANAOENSIS *SOWERBY 1814.* D 63 mm. Philippines. Spire élevée, fortes côtes longitudinales séparées par un fin cordon. 3 varices pourvues d'épines courtes, tranchantes et creuses par tour, 3 fortes côtes transversales entre les varices. Labre finement denticulé, 3 plis columellaires antérieurs, canal siphonal long et incurvé. De jaune-beige clair à brun, canal siphonal plus foncé.

MUREX NIGRISPINOSUS *REEVE 1845.* D 90 mm. Océans Indien et Pacifique Ouest. Spire moyenne. Fines stries, lamelles longitudinales microscopiques. Environ 6 grandes côtes longitudinales sur le dernier tour ; 4 ou 5 côtes transversales entre les varices, noduleuses aux intersections. 3 varices par tour, épines fortes, plutôt droites, plus grandes sur la périphérie. 1 forte varice sur le labre, 3 grandes dents et 6 petites. Canal siphonal long, mais moins que chez l'espèce précédente. Blanc, bout des épines gris foncé.

MUREX TRAPA *RODING 1798.* D 110 mm. Centre des océans Indien et Pacifique. Spire plutôt élevée, fortes côtes longitudinales ; cordons transversaux sur les premiers tours, cordons érodés sur le dernier ; stries transversales inégales. 3 varices par tour, épines grandes et petites dont certaines incurvées du côté postérieur. Labre denticulé, varice peu forte, 1 grande dent aplatie et proéminente du côté postérieur. Canal siphonal long, droit. Bleu-gris teinté de brun sur les premiers tours, ouverture blanche, taches brun foncé à l'intérieur de la base des grandes épines, intérieur brun.

MUREX TRIBULUS *L. 1758.* D 120 mm. Océans Indien et Pacifique. Spire moyenne. Cordons longitudinaux, côtes transversales, nodules aux intersections. 3 varices épineuses par tour, épines plus longues à la périphérie. Faible varice labiale, labre denticulé avec 1 grande dent antérieure. Canal siphonal long, presque droit. Beige clair, ouverture blanche, bord du labre couvert de petites taches brunes moins visibles sur les premiers tours.

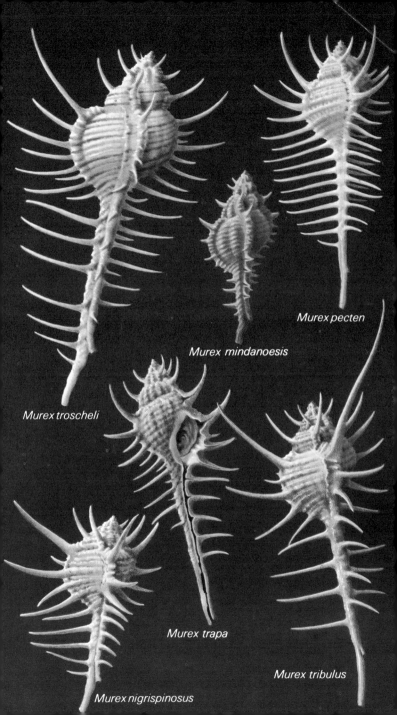

Murex pecten

Murex mindanoesis

Murex troscheli

Murex trapa

Murex tribulus

Murex nigrispinosus

HAUSTELLUM HAUSTELLUM *L. 1758.* D 110 mm. Océans Indien et Pacifique. Dernier tour massif, spire basse ; canal siphonal long, effilé, presque fermé. Côtes transversales, 3 varices par tour, 3 côtes transversales entre les varices (4 sur le dernier tour). Tubercules aux intersections des côtes et des périphéries anguleuses. Cordons longitudinaux élevés couvrant aussi en grande partie le canal, 3 ou 4 rangées noduleuses longitudinales sur les côtes antérieures du dernier tour. Ouverture large ; labre finement denticulé, ridé à l'intérieur ; columelle concave, rugueuse du côté antérieur. Crème taché de brun foncé, cordons brun-rouge, ouverture rose, intérieur blanc.
finement denticulé, ridé à l'intérieur ; columelle concave, rugueuse du côté antérieur. Crème taché de brun foncé, cordons brun-rouge, ouverture rose, intérieur blanc.

HAUSTELLUM TWEEDANIUM *MACPHERSON 1962.* D 65 mm. Australie orientale. Semblable au précédent ; plus petit, canal siphonal plus court à petites épines. Cordons longitudinaux fort espacés, finement granuleux. Blanc, zones brunes, touches jaune moutarde sur les varices et les cordons.

BOLINUS CORNUTUS *L. 1758.* D 150 mm. Afrique occidentale. Massif, canal siphonal long et presque fermé, spire courte, périphéries anguleuses, léger étranglement sutural, fines côtes longitudinales, stries transversales. Environ 7 varices par tour, pas très élevées sauf entre la périphérie et la suture ; extrémités postérieures des anciens labres apparaissant comme des côtes basses et ondulées sur la spire. Varices pourvues d'une forte épine plus ou moins creuse à la périphérie, d'une seconde au centre du dernier tour et de 2 ou 3 courtes sur le canal siphonal. Large ouverture, labre denté avec côtes à l'intérieur, columelle concave et lisse. Forte expansion pariétale. Crème à blanc, zones brunes généralement longitudinales, zone pariétale et interstices entre les dents du labre beiges.

BOLINUS BRANDARIS *L. 1758.* D 90 mm. Méditerranée, Portugal, Afrique occidentale. Semblable au précédent, plus petit. Epines beaucoup plus courtes et moins pointues, base plus rugueuse. Beige, ouverture un peu plus foncée. De ce coquillage, les Romains tiraient la Pourpre royale.

MUREX CABRITI *BERNARDI 1859.* D 70 mm. Floride, Caraïbes. Spire moyenne, canal siphonal prolongé, côtes longitudinales. 3 varices par tour avec chacune 3 ou 4 longues épines et séparées par des côtes transversales. Canal siphonal long et fragile, 3 rangées d'épines. Blanc cassé, parfois une touche rose entre les varices.

MUREX KIIENSIS *KURODA 1955.* D 50 mm. Japon. Spire moyenne, étranglement sutural, canal siphonal effilé et droit. 3 varices par tour avec de courtes épines et séparées par 2 ou 3 côtes transversales. Fins cordons longitudinaux saillants sur toute la surface. Labre finement denticulé ; canal siphonal presque fermé, quelques petites épines postérieures. Blanc, bande brune presque invisible sur le dernier tour et le canal, cordons brun-rouge sur les 3 derniers tours, ouverture blanche.

SIRATUS PLICIFEROIDES *KURODA 1942.* D 110 mm. Japon. Spire moyenne, étranglement sutural. 3 petites varices par tour avec de petites épines, plus grandes à la périphérie. Fines stries longitudinales, 2 tubercules allongés à la périphérie entre chaque paire de varices. Labre denticulé, columelle lisse ; canal siphonal presque fermé, couvert d'épines, incurvé, moins prolongé que chez les autres espèces de cette page. Blanc, quelques zones brunes, ouverture blanche.

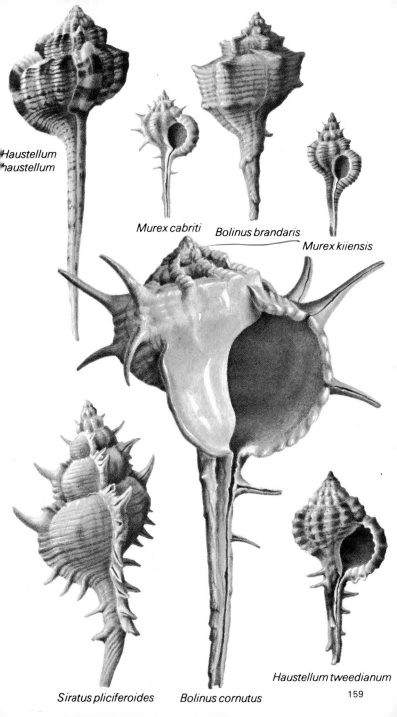

Haustellum
haustellum

Murex cabriti   Bolinus brandaris

Murex kiiensis

Siratus pliciferoides   Bolinus cornutus

Haustellum tweedianum

159

CHICOREUS BREVIFRONS *LAMARCK 1822.* D 150 mm. Caraïbes, sud de la Floride. Spire moyenne, 3 varices par tour, fins cordons longitudinaux, 2 côtes transversales noduleuses entre les varices. Solides varices couvertes de longues épines foliées de la périphérie à l'extrémité du canal siphonal incurvé. Labre denticulé, côte longitudinale postérieure sur la columelle. Brun clair. ,

CHICOREUS RAMOSUS *L. 1758.* D 300 mm. Océans Indien et Pacifique. Spire assez courte, tours anguleux et renflés, 3 varices par tour, fines stries longitudinales. 1 ou 2 petites côtes transversales tuberculées entre les varices, 10 épines incurvées sur les varices de la périphérie à l'extrémité du canal siphonal, canal siphonal fort long pour le genre. Labre denticulé, 1 grande dent antérieure. Blanc, ouverture rosée.

CHICOREUS CORNUCERVI *RODING 1798.* D 110 mm. Nord-ouest de l'Australie. Syn. *Murex monodon* SOWERBY 1825. Spire assez élevée, angles périphériqes arrondis, suture profonde, fines côtes longitudinales, cordons transversaux plus fins et inégaux. 3 varices par tour avec ramifications incurvées, 3 plus étroites et plus longues sur le labre ; 1 ou 2 côtes érodées entre les varices. Epines sur le bord du labre, grande dent labiale antérieure. Columelle lisse, dent postérieure courte ; canal siphonal assez long, incurvé. Généralement brun, épines brun foncé, rares spécimens blancs, ouverture blanche, bord columellaire rose.

CHICOREUS PALMAROSAE *LAMARCK 1822.* D 100 mm. Océans Indien et Pacifique. Allongé, spire élevée. 3 varices par tour, forts cordons longitudinaux granuleux. Fortes varices avec ramifications jusqu'à la base du canal siphonal, plus grandes et plus frangées sur la périphérie ; 2 côtes transversales entre les varices. 10 petites denticulations labiales soulignées par une rainure et une rangée de dents arrondies. Columelle lisse, petits plis obliques sur le bord externe. Canal siphonal long, profond, presque fermé, incurvé. Brun pâle, cordons plus foncés ; extrémités des ramifications blanches, parfois roses ; ouverture et plis columellaires blancs.

CHICOREUS KAWAMURAI *SHIKAMA 1964.* D 70 mm. Taïwan. Spire moyenne, 3 varices très grandes par tour. Fins cordons longitudinaux couverts de minuscules granulations, cordons transversaux érodés. 2 côtes entre les varices ; varice formant 1 longue épine creuse légèrement frangée à la périphérie, 1 courte en dessous et 1 très courte près du canal siphonal allongé et légèrement coudé. Labre finement denticulé, 1 grande dent postérieure, bord interne légèrement ridé. Columelle lisse. Crème, zones brun clair.

CHICOREUS SAULII *SOWERBY 1841.* D 125 mm. Océans Indien et Pacifique. Coquille solide et assez allongée, spire élevée, fins cordons longitudinaux à minuscules granulations. 3 varices par tour avec 8 épines frangées, les plus petites incurvées légèrement vers l'avant ; 1 grande côte transversale et 1 petite entre les varices. Labre denté ; columelle lisse avec côte longitudinale postérieure ; canal siphonal long, profond, coudé. Jaune-brun pâle. ,

MUREX SENEGALENSIS *REEVE 1840.* D 55 mm. Afrique occidentale. Ramassé, légèrement anguleux ; fins cordons longitudinaux granuleux, côtes. 3 varices par tour séparées par 1 grande côte transversale légèrement de guingois. Epines creuses sur le labre et les varices, celles de la périphérie longues et incurvées, 2 moyennes et 2 très petites. Labre denticulé, 2 côtes postérieures sur la columelle, canal siphonal profond et un peu ouvert. Crème, zones brunes.

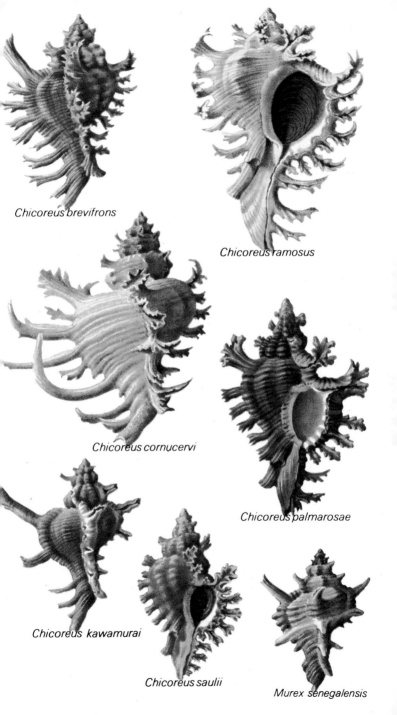

Chicoreus brevifrons

Chicoreus ramosus

Chicoreus cornucervi

Chicoreus palmarosae

Chicoreus kawamurai

Chicoreus saulii

Murex senegalensis

CHICOREUS RUBIGINOSUS *REEVE 1845.* D 90 mm. Australie. Spire élevée. Fins cordons longitudinaux granuleux, 3 varices par tour, épines droites et frangées assez longues intercalées parmi des plus petites. Bord labial denticulé. Côte longitudinale postérieure et légers plis sur la colunelle ; canal siphonal profond, ouvert, coudé. Brun rouille, côtes longitudinales et franges plus foncées ; parfois crème ou rouge orange ; ouverture blanche, bord de la columelle rose. Peut-être une variété de *Chicoreus torrefactus* SOWERBY 1841, mais chez celui-ci les épines sont généralement plus courtes et moins frangées, et la coquille plus allongée.

CHICOREUS TERRITUS *REEVE 1845.* D 70 mm. Queensland. Côtes longitudinales finement granuleuses, séparées par une rainure pustuleuse, avec 1 cordon granuleux de chaque côté ; 3 varices épineuses par tour ; 1 ligne noduleuse entre les varices, parfois 1 seconde beaucoup plus petite. Epines ouvertes soudées en une frange de la suture au sommet du canal siphonal très long et presque droit. Labre denticulé, dent columellaire postérieure. Blanc, crème, gris ou brun, ouverture en général blanche. L'auteur possède cependant un spécimen caramel à l'extérieur comme à l'intérieur.

CHICOREUS TORREFACTUS *SOWERBY 1841.* D 100 mm. Océans Indien et Pacifique. Spire élevée, nombreux cordons longitudinaux granuleux assez rapprochés, petites côtes, 3 varices par tour avec des épines ou des franges. 2, 3 ou 4 très petites côtes transversales, fortes varices, épines très courtes et frangées, labre denticulé. 1 côte postérieure et 1 fente antérieure sur la columelle ; canal siphonal profond, coudé, presque fermé. Côtes longitudinales gris-brun, épines plus foncées, intérieur blanc, columelle rose ou orange plus foncée au bord.

CHICOREUS DAMICORNIS *HEDLEY 1903.* D 60 mm. Sud-est de l'Australie. Coquille mince, spire élevée, étranglement sutural. Fins cordons longitudinaux granuleux. 3 fortes varices par tour séparées par 1 ou 2 côtes transversales ; varices formant à la périphérie 1 longue épine creuse au bout légèrement foliacé et des épines plus petites en dessous. Labre finement denticulé, columelle lisse, canal anal court et bien développé, canal siphonal long et droit. Crème ou brun très pâle, légère nuance rosée.

CHICOREUS CAPUCINUS *RODING 1798.* D 65 mm. Sud-ouest du Pacifique, de Samoa à la Malaisie. Spire élevée, 6 tours, 3 varices par tour. Fortes côtes longitudinales, parfois 2 légères côtes transversales larges et plates entre les varices, pas d'épine sur les varices. Labre denticulé, petite denticulation postérieure columellaire, canal siphonal de longueur moyenne. Brun foncé, ouverture gris-brun, intérieur blanc.

CHICOREUS BRUNNEUS *LINK 1807.* D 75 mm. Océans Indien et Pacifique. Lourd, massif ; nombreux cordons longitudinaux rapprochés, finement granuleux. 3 varices par tour. Ramifications foliacées larges. 1 grand tubercule entre les varices à la périphérie. Labre finement denticulé, dent postérieure columellaire, canal siphonal court et fermé. Gris-brun foncé ou brun-noir, ouverture blanche bordée d'orange. Variable. On connaît notamment une forme beaucoup moins lourde et rugueuse à Singapour ; ramifications moins nombreuses, moins foliacées et généralement plus longues ; tubercule plus petit entre les varices ; ouverture et columelle pourpre-bleu foncé. Illustré en bas à gauche.

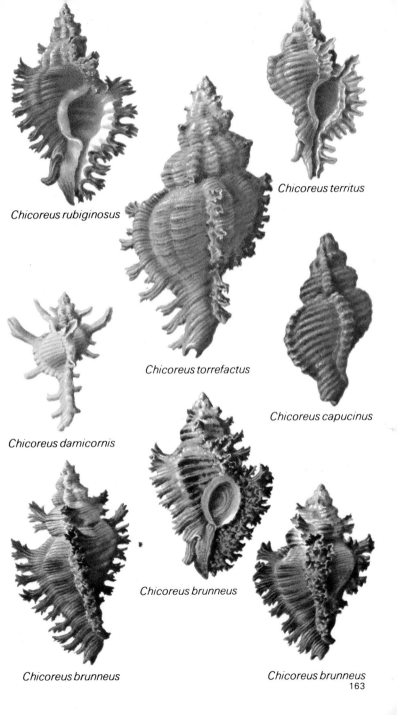

Chicoreus rubiginosus

Chicoreus territus

Chicoreus damicornis

Chicoreus torrefactus

Chicoreus capucinus

Chicoreus brunneus

Chicoreus brunneus

Chicoreus brunneus

163

CHICOREUS LACINIATUS *SOWERBY 1841.* D 60 mm. Philippines. Assez allongé, spire plutôt courte, étranglement sutural. 3 varices légèrement foliacées par tour, séparées par 2 côtes transversales ; côtes et cordons longitudinaux lamellés. Labre finement crénelé, columelle lisse ; canal siphonal large, ouvert, incurvé au bout. Blanc à nuances mauves et brun très clair, ramifications des varices brun plus foncé, columelle et intérieur du canal mauves, reste de l'ouverture blanc.

HEXAPLEX STAINFORTHI *REEVE 1843.* D 65 mm. Nord-ouest de l'Australie. Solide, renflé ; spire moyenne, léger étranglement sutural. 8 varices par tour, épines courtes et foliacées ; côtes, fins cordons longitudinaux. Labre denticulé, columelle lisse ; canal siphonal large, court, presque complètement fermé, incurvé au bout. Blanc avec du jaune, du rose ou de l'orange entre les varices brun foncé et parfois sur l'ouverture.

HEXAPLEX CICHOREUS *GMELIN 1791.* D 75 mm. Océans Indien et Pacifique. Spire moyenne, léger étranglement sutural. 6 faibles varices par tour, épines ouvertes plus ou moins foliacées. Côtes longitudinales supportant les épines séparées par de fins cordons. Labre crénelé, columelle lisse ; canal siphonal large, à peine ouvert ; canal anal profond, étroit. Profond ombilic. Blanc, bandes brun foncé ; épines alternativement blanches et brunes, brunes à la périphérie et sur le canal ; ouverture blanche. Une forme entièrement blanche existe aussi.

HEXAPLEX SAXICOLA *BRODERIP 1832.* D 100 mm. Philippines. Parfois considéré comme un syn. de *H. cichoreus.* Pourtant plus long sur l'illustration, épines plus longues et plus frangées.

HEXAPLEX HOPLITES *FISCHER 1876.* D 200 mm. Afrique occidentale. Spire moyenne, suture de plus en plus étranglée vers le côté antérieur. 6 ou 7 varices par tour, fortes épines courtes et légèrement foliacées. Côtes et cordons longitudinaux. Labre denticulé, columelle lisse ; canal siphonal large, ouvert, coudé. Profond ombilic. Brun clair, la plupart des épines plus foncées, labre blanc taché de rose, columelle rose tachée de blanc, intérieur blanc.

HEXAPLEX REGIUS *SWAINSON 1821.* D 150 mm. Eaux tropicales d'Amérique occidentale. Globuleux, spire assez courte, léger étranglement sutural. 8 varices par tour ; épines fortes et ouvertes, les plus grandes à la périphérie, presque toutes jumelées. Surface rugueuse, fins cordons longitudinaux. Labre crénelé, columelle lisse; canal siphonal fort, large, ouvert, coudé ; canal anal développé. ombilic parfois profond. Blanc, zones brun clair ; 1 bande de taches brunes surtout sur les varices et le dernier tour, 1 autre à côté du canal siphonal ; ouverture rose, zone brun foncé sur le bord pariétal visible sur la suture des premiers tours, quelques taches brunes sur le labre surtout du côté antérieur, labre brun foncé du côté de l'ouverture avec une couche bleu-blanc pâle.

PHYLLONOTUS POMUM *GMELIN 1791.* D 110 mm. Sud-est des Etats-Unis, Caraïbes. Solide, spire moyenne, léger étranglement sutural. 3 varices par tour formant des tubercules aux intersections, côtes longitudinales basses et granuleuses, fins cordons ; une côte transversale courte entre les varices, plus élevées à la périphérie. Labre crénelé ; canal siphonal large, rugueux, ouvert et légèrement coudé. Brun clair ou foncé, quelques taches blanc cassé et brun plus foncé sur les varices, ouverture brillante blanche à orange ou jaune, taches brun foncé sur le labre et une sur le bord pariétal près du labre, parfois taches brun clair sur la columelle et à l'extrémité antérieure du bord pariétal, intérieur plus clair.

Hexaplex stainforthi

Chicoreus laciniatus

Hexaplex cichoreus

Hexaplex hoplites

Hexaplex regius

Phyllonotus pomum

Hexaplex saxicola

HEXAPLEX BRASSICA *LAMARCK 1822.* D 150 mm. Ouest de l'Amérique centrale du Mexique au Pérou. Spire basse, 7 tours anguleux, environ 6 varices par tour. Fins cordons longitudinaux inégaux. Sur chaque varice une forte épine visible à la périphérie juste au-dessus de la suture sur les premiers tours, 2 ou 3 petites épines et environ 6 épines creuses et tranchantes de longueur différentes à la base du dernier tour et sur le canal siphonal. Quelque 15 petites ponctuations sur le bord du labre et des varices. Dent columellaire postérieure. Canal siphonal et extrémités des varices en éventail. Blanc, 3 bandes brunes, zones brunes ; ouverture blanche, labre et bord pariétal rose saumon.

HEXAPLEX KUSTERIANUS *TAPPAROE-CANEFRI 1875.* D 170 mm. Golfe Persique. Massif, environ 5 tours, 6 varices par tour. Côtes longitudinales arrondies et inégales sillonnées par de fins cordons. Epines creuses à la périphérie des varices, nodules en dessous, rangée de plus grandes épines près de l'extrémité antérieure. Labre découpé, columelle lisse, dent postérieure. Beige, bord columellaire rose.

HEXAPLEX ERYTHROSTOMA *SWAINSON 1831.* D 100 mm. Du golfe de Californie au Pérou. Spire moyenne, environ 8 tours. Fins cordons longitudinaux, lignes de croissance finement lamellées. Environ 6 varices par tour, quelque 8 épines creuses sur la côte d'un ancien labre plissé ; courte côte, 3 épines pleines au milieu du dernier tour entre chaque varice. Columelle, dent postérieure, bourrelet pariétal plissé et prolongé. Canal siphonal long, profond, coudé, légèrement ouvert. Blanc, parfois nuancé de rose, ouverture rose brillant.

MURICANTHUS NIGRITUS *PHILIPPI 1845.* D 150 mm. Golfe de Californie. Spire moyenne, environ 7 tours, 8 varices par tour ; fins cordons longitudinaux. Varices formant des épines creuses plus grandes à la périphérie, une plus petite en dessous puis 2 très petites et environ 12 de taille variable dont 3 assez grandes. Labre découpé. Canal siphonal ouvert en éventail laissant voir les divers stades de croissance. Columelle lisse. Blanc, épines et extrémité du canal siphonal brun presque noir, stries longitudinales brunes derrière les épines, ouverture blanche.

MUREX RADIX *GMELIN 1791.* D 100 mm. De Panama au sud de l'Equateur. Massif, piriforme ; petite reproduction de *M. nigritus,* plus solide et plus épineux. Dent postérieure columellaire. Blanc, épines, zones derrière celles-ci, canal siphonal brun presque noir, ouverture blanche.

MUREX CALLIDINUS *BERRY 1958.* D jusqu'à 100 mm. Amérique centrale du Guatemala au Costa Rica. Environ 9 varices par tour ; épines ramifiées longues et minces, plus longues à la périphérie. Dent postérieure columellaire. Blanc, épines et canal siphonal brun foncé, raies longitudinales brunes de largeur variable, ouverture blanche.

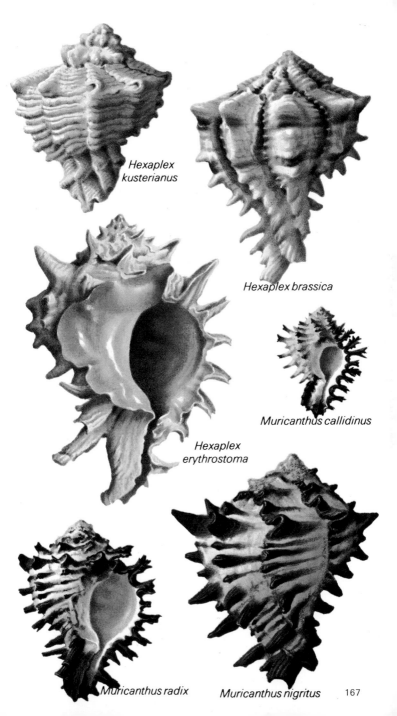

Hexaplex kusterianus

Hexaplex brassica

Muricanthus callidinus

Hexaplex erythrostoma

Muricanthus radix

Muricanthus nigritus

167

CERATOSTOMA NUTTALLI *CONRAD 1857.* D 55 mm. Californie. Massif, spire moyenne. 3 varices par tour séparées par une côte transversale noduleuse, côtes et cordons longitudinaux, solides varices aux bords acérés. Bord du labre finement denticulé, longue dent pointue près de l'extrémité antérieure ; lèvre columellaire avec environ 5 dents. Columelle lisse, dent postérieure. Canal siphonal profond, court, presque fermé. Crème, brun ou avec bandes crème ou brunes, ouverture blanche.

CERATOSTOMA FOLIATUS *GMELIN 1791.* D 80 mm. De l'Alaska à la Californie. Spire élevée, environ 7 tours, étranglement sutural. Fortes côtes longitudinales bien séparées, dont 2 grandes à la périphérie. Varices très foliacées et lamellées près de l'ouverture, une grande côte et plusieurs petites entre les varices. Labre à bord rugueux, grande dent pointue près de l'extrémité postérieure. Columelle lisse ; canal siphonal court, fermé, tourné vers la droite. Blanc, bandes brun clair ou foncé ; 2 grandes côtes de la périphérie et zone intermédiaire blanches, ouverture blanche.

PTEROPURPURA TRIALATUS *SOWERBY 1834.* D 80 mm. Californie. Spire élevée, 7 tours, 3 varices par tour. Fins cordons longitudinaux, environ 6 côtes basses sur le dernier tour ; tubercule à la périphérie entre les varices ; varices ramifiées et foliacées, ramification de la périphérie pointée vers le haut, l'extérieur et légèrement vers l'arrière. Labre denticulé, columelle lisse. Canal siphonal long, profond, fermé, un peu coudé. Chair, zones brun foncé surtout entre les côtes, ouverture blanche.

PTEROPURPURA ERINACEOIDES *VALENCIENNES 1832.* D 50 mm. Sud de la Californie, nord-ouest du Mexique. Spire moyenne, environ 6 tours, 3 varices par tour, 1 grande côte transversale tuberculée entre les tours. Environ 6 côtes longitudinales sur le dernier tour, terminées par des pointes courbes sur les varices. Fins cordons longitudinaux, lamelles très fines. Bord du labre finement denticulé, columelle lisse, canal siphonal fermé et légèrement coudé. Brun-rouge, plus foncé sur les tubercules et les épines, ouverture blanche.

PTERYNOTUS VESPERTILIO *KIRA 1955.* D 85 mm. Sud du Japon. Délicat et allongé, environ 6 tours, 3 varices par tour. Cordons longitudinaux, varices foliacées. Brun clair tacheté de plus foncé.

PTERYNOTUS BEDNALLI *BRAZIER 1878.* D 85 mm. Nord-ouest de l'Australie. Délicat et allongé, un des plus beaux Murex. Spire élevée, environ 7 tours, léger étranglement sutural, 3 varices par tour, côtes longitudinales bien séparées. Varices avec grandes et minces expansions légèrement cannelées au bord lisse, évasées aux périphéries mais se rejoignant sur les anciennes varices. Légères côtes sur le labre, columelle lisse, canal siphonal profond et légèrement ouvert à l'extrémité coudée. Crème brillant, touche rosée ; taches et lignes brun pâle sur les varices, ouverture blanche.

PTERYNOTUS TRIPTERUS *BORN 1778.* D 60 mm. Océans Indien et Pacifique Ouest. Spire moyenne, environ 7 tours, 3 varices par tour. Granuleux, cordons longitudinaux. Varices avec expansions foliacées, lamellées du côté de l'ouverture ; 1 tubercule à la périphérie entre les varices. Labre denticulé, environ 7 dents à l'intérieur ; de 7 à 10 dents sur la columelle. Canal siphonal profond et étroit à l'extrémité incurvée. Blanc ou crème, ouverture blanche, touche de jaune-vert pâle sur le bord de la columelle.

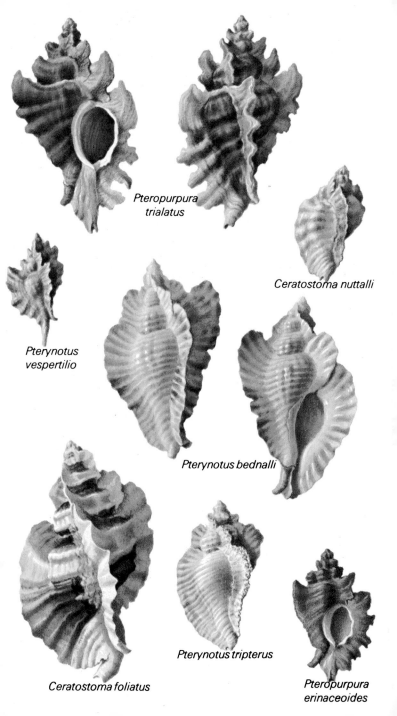

*Pteropurpura
trialatus*

Ceratostoma nuttalli

*Pterynotus
vespertilio*

Pterynotus bednalli

Ceratostoma foliatus

Pterynotus tripterus

*Pteropurpura
erinaceoides*

SIRATUS MOTACILLA *GMELIN 1791.* D 60 mm. Antilles, trouvé aussi par REEVE au Sénégal. Solide, canal délicat. Spire moyenne, 7 tours, 3 varices par tour ; côtes longitudinales et stries transversales ; 2 côtes noduleuses entre les varices, courte épine acérée à la périphérie et à leur contact avec le canal siphonal. Labre denté et plissé, 3 petites dents postérieures. Columelle lisse, étroite callosité pariétale au bord plissé. Canal siphonal long, droit, incurvé vers le haut, presque fermé. Blanc crème, bandes et taches brun-rose pâle.

SIRATUS CAILLETI *PETIT DE LA SAUSSAYE 1857.* D 60 mm. Caraïbes, Floride. Très semblable à *S. motacilla.* Solide ; canal siphonal long, droit et tourné vers le haut ; épines de la périphérie minuscules ou absentes, côtes plus fines, spire un peu plus basse.

PTERYNOTUS ALATA *RODING 1798.* D 70 mm. Est de l'Asie. Mieux connu sous la dénomination incorrecte *Pterynotus pinnatus* SWAINSON 1822. Allongé, spire élevée. Environ 8 tours, 3 varices par tour. Fines côtes longitudinales ; 1 côte entre les varices présentant une expansion fine et délicate en éventail de la suture à l'extrémité du canal siphonal long, coudé et assez ouvert. Labre finement denté sur le bord et à l'intérieur, columelle lisse. Blanc assez translucide.

PTERYNOTUS ELONGATUS *SOLANDER 1786.* D 100 mm. Océans Indien et Pacifique. Syn. *Murex clavus* KIENER 1842. Joli et recherché. Allongé, environ 7 tours, fins cordons longitudinaux légèrement granuleux ; 3 varices par tour séparées par une côte basse et pourvues d'expansions en éventail, légèrement pointues et se terminant à l'extrémité incurvée du long canal siphonal presque fermé. Labre finement denticulé. Blanc ou crème, bord pariétal légèrement teinté de rose.

PTERYNOTUS BIPINNATUS *REEVE 1845.* D 45 mm. Océans Indien et Pacifique. Effilé, spire turriculée. Environ 7 tours, fines côtes longitudinales et transversales ; environ 7 tubercules sur les premiers tours ; 3 varices sur le dernier tour, les 2 plus proches de l'ouverture avec expansion en aile. Bord du labre avec petites dents aiguës et plissé à l'intérieur comme la columelle. Canal siphonal presque aussi long que la spire et légèrement ouvert. Blanc, ouverture rose pâle.

CERATOSTOMA FOURNIERI *CROSSE 1861.* D 50 mm. Japon. Spire assez basse, environ 6 tours avec 3 varices chacun, côtes longitudinales basses. Entre les varices grand tubercule pourvu d'une expansion en nageoire ondulée. Labre irrégulier, grande dent antérieure. Canal siphonal de longueur moyenne, profond, coudé, fermé. Blanc, nombreuses zones brunes.

PTEROPURPURA PLORATOR *A. ADAME et REEVE 1849.* D 40 mm. Sud du Japon, Corée. Spire moyenne, environ 6 tours avec 3 varices, 1 tubercule à la périphérie entre les varices. Fines côtes longitudinales, stries transversales. Expansions ailées et ondulées sur les varices pointant vers le haut et l'extérieur à la périphérie. Labre denté, columelle lisse, canal siphonal fermé. Blanc, lignes longitudinales beiges, rangées de flammules transversales ondulées, ouverture blanche.

EUPLEURA MURICIFORMIS *BRODERIP 1833.* D 40 mm. Du golfe de Californie à l'Equateur. Environ 6 tours, varice tous les 3/4 de tour. Côtes longitudinales, environ 4 tubercules entre les varices à la périphérie. Labre denticulé, columelle lisse ; canal siphonal allongé, coudé, ouvert. Blanc à gris-brun foncé, grande tache brun foncé sur les varices, intérieur brun-pourpre.

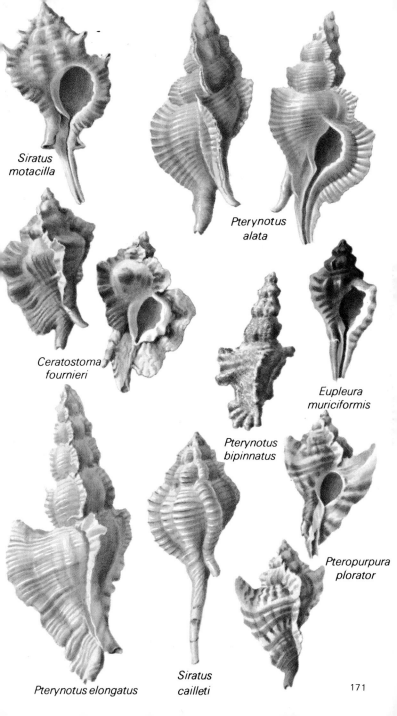

Siratus
motacilla

Pterynotus
alata

Ceratostoma
fournieri

Eupleura
muriciformis

Pterynotus
bipinnatus

Pteropurpura
plorator

Pterynotus elongatus

Siratus
cailleti

171

HOMALOCANTHA SCORPIO *L. 1758.* D 60 mm. Philippines, Indonésie orientale. Spire basse, environ 4 tours, 7 varices par tour. Suture large et très profonde croisée par les varices, cordons longitudinaux, périphéries anguleuses. Anciennes varices porteuses d'épines courtes et creuses s'allongeant au fur et à mesure des tours ; 2 dernières avec longues expansions creuses plutôt triangulaires, apex sur la varice, « base » plate loin du dernier tour ; se rejoignant au bord du labre par une sorte de petit volant. Labre finement denté, columelle lisse, canal siphonal long et droit. Brun foncé à noir, gris clair ou blanc par endroits, ouverture teintée de pourpre.

HOMALOCANTHA ZAMBOI *BURCH 1960.* D 55 mm. Philippines. Spire courte, environ 5 tours. Suture large et profonde croisée par les varices (5 par tour) ; 4 dernières varices avec 4 expansions creuses aux extrémités élargies ou même palmées et petites digitations à leur base pointant vers le labre finement denté. Columelle et intérieur du labre lisses. Canal siphonal long et presque fermé à l'extrémité incurvée. Blanc, ouverture rose à brun pâle.

TRUNCULARIOPSIS TRUNCULUS *L. 1758.* D 100 mm. Méditerranée, zones atlantiques voisines. Spire moyenne ou élevée, environ 7 tours anguleux. Cordons longitudinaux finement lamellés et fort rapprochés. Environ 5 côtes longitudinales basses, 6 à 12 épines plus ou moins pointues sur celle de la périphérie. 6 varices par tour avec les épines les plus grandes. Entre les varices de 0 à 4 côtes transversales basses avec petits tubercules aux intersections avec les côtes longitudinales. Columelle lisse, dent postérieure. Canal siphonal profond, lourd, ouvert, coudé. Blanc, 3 larges bandes brunes ou brun-pourpre ; columelle blanche ou tachée de pourpre ; bandes visibles par transparence à l'intérieur. Aisément reconnaissable, ornementation et couleurs très variables ; 2 variétés illustrées.

PTEROPURPURA TRIQUETER *BORN 1778.* D 55 mm. Philippines. Massif, allongé ; 6 tours, 3 varices par tour. Côtes longitudinales, 3 côtes transversales entre les varices ; varices du dernier tour avec expansions en éventail, étroites du côté postérieur, plus larges du côté antérieur et sur le canal siphonal droit et presque complètement fermé. Labre denté à l'intérieur, columelle lisse. Crème, bandes et taches brunes, ouverture blanche, bandes visibles par transparence.

MUREX RECTIROSTRIS *SOWERBY 1841.* D 85 mm. Japon, Taïwan. Lourd, 8 tours, spire moyenne ; 3 varices par tour, 2 côtes transversales entre chaque paire. Fines côtes longitudinales alternativement petites et grandes. Grosses varices, petites épines à la périphérie soulignées par 1 rainure large et profonde, quelques épines courtes et creuses du côté antérieur et sur le canal siphonal profond et coudé. Labre finement denté, columelle lisse. Brun pâle, bandes pâles peu distinctes, ouverture blanche. Spécimen illustré particulièrement grand et robuste.

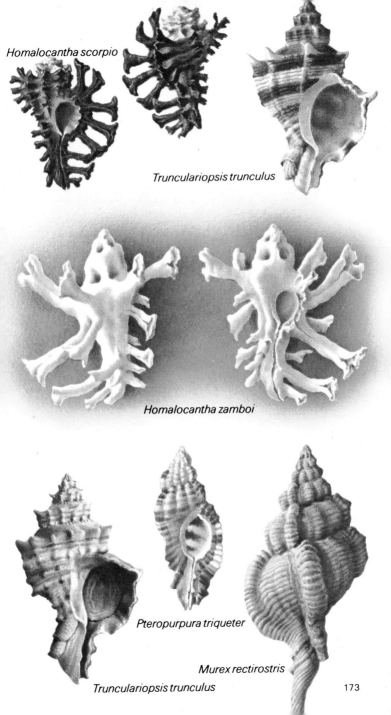

Homalocantha scorpio

Truncullariopsis trunculus

Homalocantha zamboi

Pteropurpura triqueter

Murex rectirostris

Truncullariopsis trunculus

173

MUREX UNCINARIUS *LAMARCK 1822.* D 20 mm. Est de l'Afrique du Sud. Environ 5 tours, 3 varices par tour. Grand tubercule à la périphérie entre les varices, celles-ci formant des petites épines plus grandes et crochues à la périphérie. Labre et columelle lisses, canal siphonal fermé. Brun clair, ouverture blanche.

MUREX NODULIFERA *SOWERBY 1841.* D 23 mm. Philippines. Spire moyenne, côtes longitudinales et transversales noduleuses aux intersections. Intérieur du labre denté, 2 dents à la base de la columelle. Crème tacheté de brun foncé, ouverture jaune pâle.

PTEROPURPURA FESTIVA *HINDS 1844.* D 50 mm. Golfe de Californie. Spire élevée, environ 6 tours, 3 varices par tour, stries d'accroissement transversales rugueuses. Gros tubercule à la périphérie entre les varices. Varices garnies d'une sorte de petit volant plié vers l'arrière et lamellé vers l'ouverture ; bord et intérieur du labre finement dentés, columelle lisse ; canal siphonal profond, assez court, fermé, coudé. Brun clair, fines lignes longitudinales brun foncé, ouverture bleu-blanc.

⬤ **OCENEBRA ERINACEUS** *L. 1758.* D 60 mm. Méditerranée, Europe occidentale. Environ 6 tours anguleux ; fortes côtes longitudinales arrondies et lamellées séparées par des plus petites. Varices irrégulières. Labre denté, columelle lisse, canal siphonal profond et fermé. Gris-brun, ouverture blanche.

VITULARIA MILIARIS *GMELIN 1791.* D 50 mm. De l'est de l'océan Indien au Pacifique. Spire moyenne, environ 6 tours, suture découpée ; côtes obliques irrégulières entre de très petites varices. Rainure peu profonde à la périphérie du dernier tour, presque en surplomb sur le côté supérieur. Surface granuleuse. Bord du labre rugueux, légèrement élargi surtout du côté antérieur ; 4 dents labiales, columelle lisse ; canal siphonal court, assez droit, fermé. Brun-jaune, rangée de taches brunes sur les varices, ouverture blanche.

MAXWELLIA GEMMA *SOWERBY 1879.* D 30 mm. Californie. Tronqué, courte spire. Environ 5 tours, suture profonde croisée par des varices obliques (6 par tour) ; côtes longitudinales basses, labre finement denté, columelle lisse, canal siphonal court et fermé. Blanc taché de brun foncé sur les côtes.

CHICOREUS TERRITUS *REEVE 1845.* D 70 mm. Océans Indien et Pacifique Ouest. Spire moyenne, environ 7 tours, 3 varices par tour, 1 grande et 1 petite côte entre les varices, stries longitudinales. Varices foliacées sur le dernier tour, environ 3 épines sur le canal siphonal long et légèrement coudé ; labre denté, columelle lisse. Brun-rouge à crème ou gris, ouverture blanche.

MUREX RECURVIROSTRIS RUBIDUS *F.C. BAKER 1897.* D 50 mm. Floride, Bahamas. Environ 6 tours, spire moyenne, 3 varices par tour pouvant présenter une épine à la périphérie ; 2 grandes côtes transversales et 1 petite entre les varices, côtes longitudinales séparées par 1 cordon ; labre finement denté, côtes à l'intérieur ; columelle plissée ; canal siphonal long, ouvert. Crème à rouge.

FAVARTIA TETRAGONA *BRODERIP 1833.* D 35 mm. De l'Australie aux Fidji. Massif, environ 4 tours, 4 fortes varices obliques par tour ; côtes longitudinales rugueuses ; labre finement denté, columelle lisse ; canal siphonal court, fermé, fortement incurvé. Blanc, ouverture lavande.

MUREX voir page 5

Murex uncinarius

Ocenebra erinaceus

Murex nodulifera

Pteropurpura festiva

Murex spec.

Ocenebra erinaceus

Vitularia miliaris

Maxwellia gemma

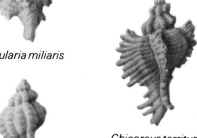

Chicoreus territus

Favartia tetragona

Murex recurvirostris rubidus

175

Famille des Thaïdidés

Coquillages assez solides de taille moyenne ; grandes ouvertures, épines, pas de varices. En eau peu profonde ; carnivores se nourrissant d'autres mollusques, spécialement de moules.

NEORAPANA MURICATA *BRODERIP 1832.* D 100 mm. Ouest de l'Amérique centrale. Périphérie anguleuse, zone plate de la périphérie à la suture ; lamellé transversalement. Cordons longitudinaux lisses ; 5 grandes côtes tuberculées plus 1 petite ondulée à la suture, la plus grande à la périphérie, 3 sur le dernier tour. Côtes longitudinales à l'intérieur du labre, 1 dent du côté postérieur. Columelle lisse, denticulation postérieure. Etroit bourrelet columellaire, forte fasciole, canal siphonal court et ouvert. Gris crème.

THAIS HAEMASTOMA *L. 1756.* D 80 mm. Méditerranée, nord-ouest de l'Afrique. Spire conique moyenne, fins cordons longitudinaux granuleux, périphérie plus ou moins anguleuse. 4 rangées longitudinales de tubercules rapetissant à partir de la périphérie, 10 tubercules parfois épineux sur la périphérie. Côtes à l'intérieur du labre ; columelle lisse, 1 dent postérieure ; étroit bourrelet columellaire, fasciole développée, canal siphonal court. Gris-beige clair à brun-rouge foncé.

HAUSTRUM HAUSTORIUM *GMELIN 1791.* D 65 mm. Nouvelle-Zélande. Spire basse, dernier tour très renflé, étranglement à la suture. Côtes longitudinales plates, lignes de croissance transversales irrégulières, ouverture longue et large. Labre atteignant le bas du canal siphonal allongé, quelques côtes à l'intérieur. Columelle lisse, grand bourrelet pariétal avec extrémité inférieure au niveau de la fasciole. Brun-gris, bord du labre jaune, tache brun-pourpre foncé, intérieur bleu-blanc ; columelle et expansion pariétale blanches, cette dernière avec quelques marques postérieures jaunes et brun-pourpre.

MANCINELLA BUFO *LAMARCK 1822.* D 60 mm. Pacifique. Massif, spire basse. Cordons longitudinaux plats de largeur variable ; 4 côtes longitudinales plus ou moins tuberculées, les 2 dernières érodées. Labre denté et biseauté, columelle lisse, canaux anal et siphonal développés mais courts, fasciole moyenne. Tubercule calleux au-dessus de la columelle formant un côté du canal anal. Brun, interstices crème entre les cordons.

PURPURA PERSICA *L. 1758.* D 100 mm. Océans Indien et Pacifique Ouest. Spire basse, cordons longitudinaux plats et rapprochés, 7 côtes longitudinales étroites plus grandes et plus ou moins tuberculées. Léger étranglement sous la suture. Large ouverture, labre prolongé jusqu'à l'extrémité du long canal siphonal. Labre denté ; columelle lisse, petite callosité bossue postérieure ; bord pariétal calleux, fasciole étroite. Gris-brun, côtes plus sombres, taches brun foncé et blanches sur certains cordons, bande brun-pourpre foncé à l'intérieur du labre, intérieur rayé de bleu pâle sur fond plus foncé.

PURPURA COLUMELLARIS *LAMARCK 1822.* D 60 mm. Ouest de l'Amérique centrale et du Sud. Lourd et massif, spire courte. Côtes longitudinales larges, élevées et tuberculées, 10 sur le dernier tour ; côtes plus petites, cordons intercalaires. Labre crénelé, 8 fortes dents se prolongeant en côtes dans l'ouverture. Dent centrale et bossue calleuse postérieure sur la columelle. Canaux anal et siphonal peu développés. 2 ou 3 légers plis pariétaux. Gris-brun, labre orange beige, intérieur crème, dents et columelle blanches, bord pariétal rouge près de la columelle et beige crème taché de pourpre ailleurs.

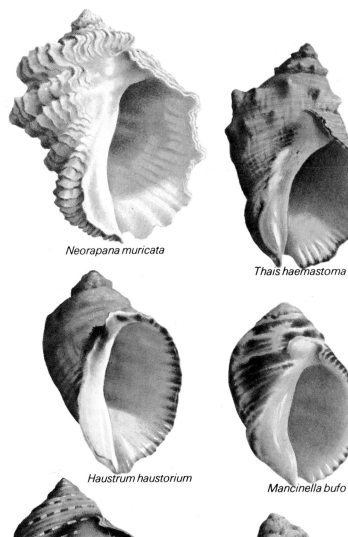

Neorapana muricata

Thais haemastoma

Haustrum haustorium

Mancinella bufo

Purpura persica

Purpura columellaris

PURPURA PATULA *L. 1758.* D 100 mm. Caraïbes, sud de la Floride. Côtes longitudinales plates et irrégulières, cordons transversaux, stries et lignes de croissance. 6 rangées longitudinales de tubercules érodés du côté antérieur. Labre large et denté, columelle lisse, canal siphonal peu profond et incurvé, faible fasciole. Brun-gris terne.

THAIS CARINIFERA *LAMARCK 1816.* D 50 mm. Afrique orientale. Renflé, suture très profonde, cordons longitudinaux finement granuleux et rapprochés. Sur la partie la plus large des tours expansions courtes, larges et plates se rejoignant parfois et formant une carène inégale sur le dernier tour ; suture plus profonde sur celui-ci et côte longitudinale à la périphérie avec 1 plus petite en dessous. Labre denté, expansion columellaire couvrant partiellement l'ombilic étroit et profond, forte fasciole. Gris-brun sale, ouverture crème à orange, taches pourpres à l'intérieur.

PURPURA CORONATA *LAMARCK 1816.* D 45 mm. Afrique occidentale. Massif et globuleux, spire basse, cordons longitudinaux granuleux et irréguliers. 4 rangées de tubercules arrondis, plus gros du côté postérieur. Sous la suture fortes lamelles devenant verruqueuses près de l'ouverture. Intérieur du labre denté, columelle lisse, canaux siphonal et anal courts et profonds, fasciole développée. Blanc pur généralement ligné longitudinalement de brun.

THAIS MELONES *DUCLOS 1832.* D 50 mm. Zones tropicales d'Amérique occidentale, Galapagos. Massif, lisse et globuleux ; spire courte, fines stries longitudinales. Labre finement denté, légèrement concave du côté postérieur, plissé à l'intérieur. Columelle lisse, épaisse callosité postérieure ; canal siphonal court, petite fasciole. Brun, petites taches blanches à la périphérie.

NEOTHAIS ORBITA *GMELIN 1791.* D 80 mm. Australie orientale, Nouvelle-Zélande. Massif, spire moyenne ; côtes longitudinales larges et élevées séparées par de larges et profondes rainures, fins cordons longitudinaux couvrant et longeant les côtes, fines lamelles transversales dans les rainures. Sculpture grossière, labre denté, intérieur et columelle lisses, canal siphonal court et peu profond, pas d'ombilic. Blanc sale ou crème, bord de l'ouverture jaune.

THAIS KIOSQUIFORMIS *DUCLOS 1832.* D 45 mm. Eaux tropicales d'Amérique occidentale. Très similaire à *T. carinifera.* Tours renflés, suture profonde, certains endroits aplatis aux périphéries, 10 sur le dernier tour. Cordons longitudinaux lamellés sous la suture, 3 plus grands avec zones érodées. Labre denté, columelle lisse et droite, canal siphonal court, fasciole bien développée, ombilic étroit. Brun-gris, ligne longitudinale blanche à la périphérie.

THAIS ARMIGERA *LINK 1807.* D 80 mm. Océans Indien et Pacifique Ouest. Spire élevée ; 3 rangées d'épines sur le dernier tour, plus fortes à la périphérie ; cordons longitudinaux. Labre finement denté, plissé à l'intérieur ; 3 plis antérieurs et 1 dent postérieure érodée sur la columelle ; canal siphonal moyen, fasciole. Blanc, bandes longitudinales brunes entre les rangs d'épines, bord interne du labre brun clair virant au jaune pâle vers l'intérieur et nuancé de rose à l'intérieur, columelle blanche, bord pariétal jaune clair, bord brun.

MANCINELLA MANCINELLA *L. 1758.* D 50 mm. Océans Indien et Pacifique. Massif, globuleux ; cordons longitudinaux, 6 rangées de tubercules petits et forts sur le dernier tour. Labre finement denté, cordons longitudinaux à l'intérieur ; columelle lisse, dent postérieure ; canal anal érodé, canal siphonal court, fasciole. Blanc ou gris clair, bandes brunes, ouverture orange-jaune.

Thais carinifera

Purpura patula

Purpura coronata

Thais melones

Neothais orbita

Thais kiosquiformis

Thais armigera

Mancinella mancinella

179

MORULINA FUSCA *KUSTER* D 25 mm. Du Japon à Singapour. 4 rangées de tubercules intercalées entre des cordons longitudinaux. Labre denté, 4 dents à l'intérieur. Columelle lisse, plis érodés sur le bord pariétal, canal siphonal court. Blanc, rangée postérieure de tubercules rouge, les autres rangés alternativement noires et rouges ; labre jaune taché de pourpre, dents blanches, columelle et intérieur bleu-blanc, bord pariétal pourpre au sommet et dans le bas.

MORULA SQUAMOSA *PEASE 1867.* D 30 mm. Océans Indien et Pacifique. Spire basse. 5 rangées de tubercules, plus grands à la périphérie ; 2 fines rainures entre les rangées. Labre finement denté, columelle lisse, canal siphonal ouvert. Gris-brun, grosses raies blanches obliques, large bande pourpre sur le labre, intérieur bleu-blanc, columelle rose-blanc, bord pariétal bleu-blanc avec taches brun-pourpre au bord et près du canal siphonal.

MORULA MARGARITICOLA *BRODERIP 1832.* D 40 mm. Pacifique, Inde. Tours anguleux, côtes longitudinales granuleuses dont 2 plus grandes. Larges côtes transversales, pointues à la périphérie. Labre denté, 6 dents intérieures ; 2 ou 3 plis columellaires, canal siphonal court. Brun foncé plus clair entre les côtes, ouverture bleu-blanc ou mauve-pourpre, parfois tache foncée sur le bord pariétal.

MORULA SPINOSA *H. et A. ADAMS 1853.* D 35 mm. Océans Indien et Pacifique. Spire élevée, fines côtes longitudinales, 3 rangées de tubercules souvent longs et tranchants. 5 dents à l'intérieur du labre, 4 dents columellaires érodées, ouverture étroite, canal siphonal long. Blanc ou gris, tubercules brun foncé.

THAIS TUBEROSA *RODING 1798.* D 50 mm. Océans Indien et Pacifique. Spire courte, côtes longitudinales ; 2 rangées de gros tubercules à la périphérie, 1 côte épaisse en dessous. Labre denté, ridé longitudinalement à l'intérieur ; 3 petits plis columellaires, 1 dent le long du canal anal érodé, canal siphonal court. Blanc, 2 larges bandes brun foncé irrégulières, 4 taches brunes sur le labre, ouverture crème, rides orange pâle, columelle crème, avec grande zone postérieure marron et une petite en dessous.

THAIS BITUBERCULARIS *LAMARCK 1822.* D 50 mm. Malaisie, Indonésie, Philippines. Côtes longitudinales, 2 rangées de tubercules forts et assez acérés à la périphérie, 2 épaisses côtes noduleuses et irrégulières en dessous. 4 dents à l'intérieur du labre. Léger pli columellaire, expansion étroite. Crème, stries transversales brun-gris foncé, labre crème avec taches brun foncé, intérieur de la columelle blanc, bord pariétal crème.

THAIS LAMELLOSA *GMELIN 1790.* D 125 mm. Côte ouest de l'Amérique du Nord. Très variable, spire basse ou élevée, tours arrondis ou anguleux. Labre en biseau, 3 à 6 dents intérieures ; columelle lisse ; dent sur le bord pariétal. Gris crème à brun foncé, parfois couvert de bandes, ouverture blanche ombrée sur le labre.

THAIS HIPPOCASTANUM *L. 1758.* D 60 mm. Océans Indien et Pacifique. Côtes longitudinales, 4 rangées de tubercules, côtes obliques. 4 dents labiales intérieures, petit pli et côte centrale sur la columelle. Crème et brun-pourpre, stries blanches entre les côtes, ouverture bleu-blanc, bande ou taches brun-pourpre foncé et stries longitudinales à l'intérieur du labre, columelle brune, côte bleu-blanc, bord pariétal ou côté antérieur du labre parfois rose pâle.

DRUPELLA OCHROSTOMA *BLAINVILLE 1832.* D 35 mm. Océans Indien et Pacifique. 4 rangées de nodules ronds sur 12 côtes transversales, 2 cordons entre les rangées. 5 ou 6 dents sur le labre, 2 à 4 sur la columelle. Crème, zones jaune pâle.

Morulina fusca

Morula squamosa

Thais tuberosa

Morula margariticola

Thais bitubercularis

Thais lamellosa

Thais hippocastanum

Drupella ochrostoma

Morula spinosa

181

CONCHOLEPAS PERUVIANUS *LAMARCK*   D 130 mm. Pérou, Chili. Fixé au rocher comme les Haliotides par un puissant muscle pédieux. Très large ouverture, semblable à une valve de Bivalve. Croissance concentrique de la coquille, plus d'ampleur d'un côté de sorte que l'apex surplombe le côté étroit. Stries d'accroissement croisant des petites côtes irrégulières rayonnant à partir de l'apex. Blanc-gris sale, intérieur crème, zones brun pâle, quelques taches et mouchetures bleues.

DRUPA RUBASIDAEA *RODING 1798.* D 55 mm. Océans Indien et Pacifique. Massif et assez globuleux, spire presque plate. Fines côtes longitudinales squameuses, 5 rangées de gros tubercules plus longs près de l'ouverture et du côté postérieur sauf immédiatement sous la suture où ils sont plus petits, tubercules disposés sur des côtes transversales basses (8 sur le dernier tour). Quelque 10 dents labiales, 2 plis antérieurs columellaires. Etroite callosité pariétale antérieure, fasciole tuberculée, pas d'ombilic. Blanc-gris, extrémités des tubercules noires chez les jeunes spécimens, péristome jaune pâle, région des dents et de la columelle rose, bande blanche au milieu de la columelle, intérieur blanc. Sur l'illustration un spécimen adulte et un jeune.

DRUPA RICINA *L. 1758.* D 30 mm. Océans Indien et Pacifique, d'Afrique orientale à l'île de Clipperton et aux Galapagos. Spire basse, côtes longitudinales légèrement rugueuses, 5 rangées d'épines plus longues à la périphérie et près de l'ouverture, et plus ou moins unies par une côte longitudinale basse. Labre finement denté entre les épines, 2 dents postérieures jumelées et 2 antérieures simples. 3 sculptures tressées du côté antérieur de la columelle (celle du milieu n'a parfois que 2 éléments entrelacés) et 1 du côté postérieur. Blanc sale, épines pourpre-noir, côtes longitudinales blanches, ouverture blanche, parfois anneau jaune pâle.

DRUPA LOBATA *BLAINVILLE 1832.* D 32 mm. Mer Rouge, de l'océan Indien à la mer de Chine méridionale, Australie occidentale. Assez aplati, spire basse, apex à un angle de 30° environ de la columelle. Petites et grandes côtes longitudinales lamellées, les grandes formant 4 expansions foliacées sur le labre. Autre expansion plus longue et spatulée sur le labre à la périphérie, longeant le canal anal long et profond. Environ 8 dents sur le labre. Pli au bas du bord pariétal. Canal siphonal court, profond, ouvert. Blanc-brun sale, intérieur jaune ; bord du labre, extérieur de la columelle et bord pariétal chocolat.

DRUPA MORUM *RODING 1798.* D 50 mm. Océans Indien et Pacifique jusqu'aux îles Clipperton et de l'Est. Massif, légèrement aplati, spire basse. 4 rangées de nodules séparés par des stries sur le dernier tour. Ouverture étroite, labre irrégulièrement épaissi à l'intérieur avec 8 denticulations groupées (environ 4 du côté antérieur, puis 2 ou 3, enfin 1 ou 2). 3 ou 4 sculptures tressées sur la columelle du bord pariétal à l'intérieur. Canaux anal et siphonal profonds. Blanc-gris sale, nodules brun foncé, ouverture pourpre, bord pariétal et bord du labre crème.

DRUPA GROSSULARIA *RODING 1798.* D 30 mm. Des îles Cocos au Pacifique. Forme et ornementation semblables à *D. lobata* ; ouverture jaune d'or.

Drupa rubusidaea

Drupa rubusidaea
juvenile

Drupa ricina

Concholepas peruvianus

Drupa lobata

Drupa morum

Drupa grossularia

183

NASSA FRANCOLINA *BRUGUIERE 1789.* D 70 mm. Océan Indien. Spire moyenne, stries longitudinales très fines et rapprochées, dernier tour renflé, lignes de croissance. Labre lisse, denticulation postérieure formant le canal anal avec une côte longitudinale de la columelle. Canal siphonal court, profond et ouvert, petite fasciole. Brun-rouge clair, rangée de taches claires irrégulières à la périphérie en partie visibles sur la suture, parfois quelques petites tacnes claires plus en avant sur le dernier tour ; labre bordé de brun, intérieur crème, columelle blanche avec 1 bande brune puis 1 jaune pâle.

NASSA SERTA *BRUGUIERE 1789.* D 70 mm. Australie orientale, Pacifique Ouest. Variété pacifique de l'espèce précédente.

ACANTHINA IMBRICATUM *LAMARCK* D 55 mm. Ouest de l'Amérique du Sud. Spire assez basse, côtes longitudinales, rainures intercalaires fortement imbriquées. Labre finement denticulé ; forte dent caractéristique et acérée du côté antérieur. Columelle lisse, canal siphonal court, fasciole courte. Rouge brique.

NUCELLA LAPILLUS *L. 1758.* D 65 mm. Océan Atlantique. Spire moyenne, cordons longitudinaux. Labre denté, côtes à l'intérieur ; columelle lisse, canaux anal et siphonal courts et profonds. Blanc, jaune ou brun, parfois des bandes.

RAPANA BEZOAR *L. 1758.* D 60 mm. Japon. Spire courte, côtes longitudinales noduleuses et arrondies, fortes lignes de croissance donnant un effet squameux. Tubercules ouverts à la périphérie, plis transversaux noduleux, 3 côtes entre la suture et la périphérie.

RAPANA RAPIFORMIS *BORN 1778.* D 100 mm. Pacifique ouest, de la Nouvelle-Calédonie au Japon. Spire très basse, dernier tour très renflé. Fines lignes longitudinales, stries transversales, 3 côtes longitudinales basses légèrement noduleuses. Environ 15 tubercules ouverts à la périphérie, visibles sur les premiers tours au-dessus de la profonde suture. Ouverture large ; labre denté, intérieur strié, large rainure peu profonde au niveau des tubercules périphériques. Columelle lisse, canal siphonal allongé et ouvert, ombilic large et profond, fasciole à l'aspect squameux. Brun pâle à blanc cassé.

Famille des Columbaridés

COLUMBARIUM PAGODA *LESSON 1831.* D 60 mm. Japon. Grand apex, suture profonde et étranglée. Tours très anguleux, environ 10 épines triangulaires plates et légèrement courbées vers le haut. Légères stries transversales. Canal siphonal très long, ouvert, délicat. Fauve brillant, canal siphonal plus foncé. ,

Famille des Magilidés

RAPA RAPA *L. 1758.* D 85 mm. Océans Indien et Pacifique. Fragile, spire plate ou enfoncée, dernier tour très renflé. Fines lamelles longitudinales chevauchant la suture. Côtes longitudinales arrondies plus grandes et plus espacées vers le côté antérieur, côtes séparées par de fins cordons du côté postérieur et par de fines lamelles transversales du côté antérieur. Labre fin, crénelé ; callosité columellaire couvrant en partie l'ombilic large, ouvert et profond ; forte fasciole. Blanc ou crème opaque. Vivant, parfois totalement encastré, parmi le corail.

CORALLIOPHILA VIOLACEA *KIENER 1836.* D 40 mm. Océans Indien et Pacifique. Massif, courte spire, fines lignes longitudinales irrégulières. Labre en biseau, finement denté et strié à l'intérieur. Bosse postérieure calleuse sur la columelle, forte callosité pariétale, fasciole, pas d'ombilic ; canal siphonal court, ouvert, coudé. Blanc cassé, ouverture violette.

Nassa francolina

Acanthina imbricatum

Nassa serta

Rapana bezoar

Nucella lapillus

Rapana rapiformis

Columbarium pagoda

Rapa rapa

Coralliophila violacea

LATIAXIS JAPONICUS *DUNKER 1882.* D 35 mm. Japon. Spire moyenne, périphéries très anguleuses. Environ 18 fortes côtes longitudinales avec petites épines très serrées, profonde rainure entre les côtes. Epines triangulaires creuses à la périphérie, pointant vers le haut et l'extérieur, ouvertes vers l'ouverture et couvertes de fines stries granuleuses (environ 12 sur le dernier tour). Labre denté, columelle lisse, canal siphonal assez long, ombilic, petite fasciole à bord lamellé. Blanc.

LATIAXIS DUNKERI *KURODA et HABE 1961.* D 40 mm. Japon, Taïwan. Massif, environ 6 tours, fins cordons longitudinaux rugueux. Périphéries anguleuses, épines triangulaires (une dizaine sur le dernier tour). Labre finement denté et fortement strié à l'intérieur, environ 12 côtes longitudinales. Columelle lisse ; canal siphonal long, ouvert et incurvé ; ombilic, fasciole fortement lamellée. Blanc.

LATIAXIS MAWAE *GRIFFITH et PIDGEON 1834.* D 55 mm. Japon. Spire enfoncée, apex pointu. Epines triangulaires à la périphérie ; partie légèrement concave entre la périphérie et la suture. A chaque tour un côté de la suture formé par la périphérie du tour précédent, dernier tour s'étendant vers l'extérieur et vers le bas de sorte que la suture n'existe plus. Labre lisse, pas de columelle chez les adultes ; canal siphonal profond, assez long et incurvé. Blanc.

LATIAXIS PAGODUS *A. ADAMS 1853.* D 30 mm. Japon. Spire élevée ; environ 6 tours, suture très profonde. Longues épines pointues et creuses à la périphérie, ouvertes vers l'ouverture ; seconde rangée de plus petites en dessous, environ 4 autres cordons un peu plus bas. Intérieur du labre finement plissé, columelle lisse, canal siphonal moyen et coudé, ombilic, longues épines sur la fasciole (extrémités d'anciens canaux). Blanc ou brun pâle.

LATIAXIS LISCHKEANUS *DUNKER 1882.* D 40 mm. Japon. Assez semblable à *L. japonicus ;* ornementation plus fine, cordons longitudinaux épineux ; épines triangulaires incurvées aux périphéries, environ 18 sur le dernier tour et 2 rangées de plus petites près de la base du canal siphonal ; ombilic, fasciole lamellée. Blanc.

LATIAXIS PILSBRYI *HIRASE 1908.* D 22 mm. Japon. Spire presque plate, apex acéré. Périphéries anguleuses, épines triangulaires plates légèrement pointées vers le haut. Chez les adultes 2 derniers tours détachés et suture disparue. Fins cordons longitudinaux, labre lisse, canal siphonal assez court et incurvé, ombilic large et profond, fasciole épineuse. Blanc.

LATIAXIS IDOLEUM *JONAS 1847.* D 40 mm. Japon, Taïwan. Massif, environ 7 tours assez renflés, étranglement sutural. Fines côtes longitudinales légèrement rugueuses, côtes transversales obliques basses et irrégulières. Labre finement denté, columelle lisse, canal siphonal ouvert et légèrement courbé, ombilic très large ou étroit et peu profond, fasciole assez rugueuse. Blanc.

LATIAXIS KIRANUS *KURODA 1959.* D 30 mm. Japon, Singapour. Spire assez élevée, environ 6 tours. Côtes longitudinales avec petites épines irrégulières, épines triangulaires plus grandes aux périphéries, 1 rangée de petites épines sur le canal siphonal. Côtes transversales, environ 9 sur le dernier tour. Labre denté et strié à l'intérieur, columelle lisse, canal siphonal presque droit, ombilic étroit et peu profond, fasciole lamellée. Crème.

LATIAXIS GYRATUS *HINDS 1844.* D 45 mm. Pacifique Ouest. Spire élevée, tours renflés, étranglement sutural. Cordons longitudinaux rapprochés et finement granuleux, sculptures transversales irrégulières ; forte carène granuleuse venant des périphéries. Intérieur du labre ridé, ombilic large et peu profond, forte fasciole. Blanc.

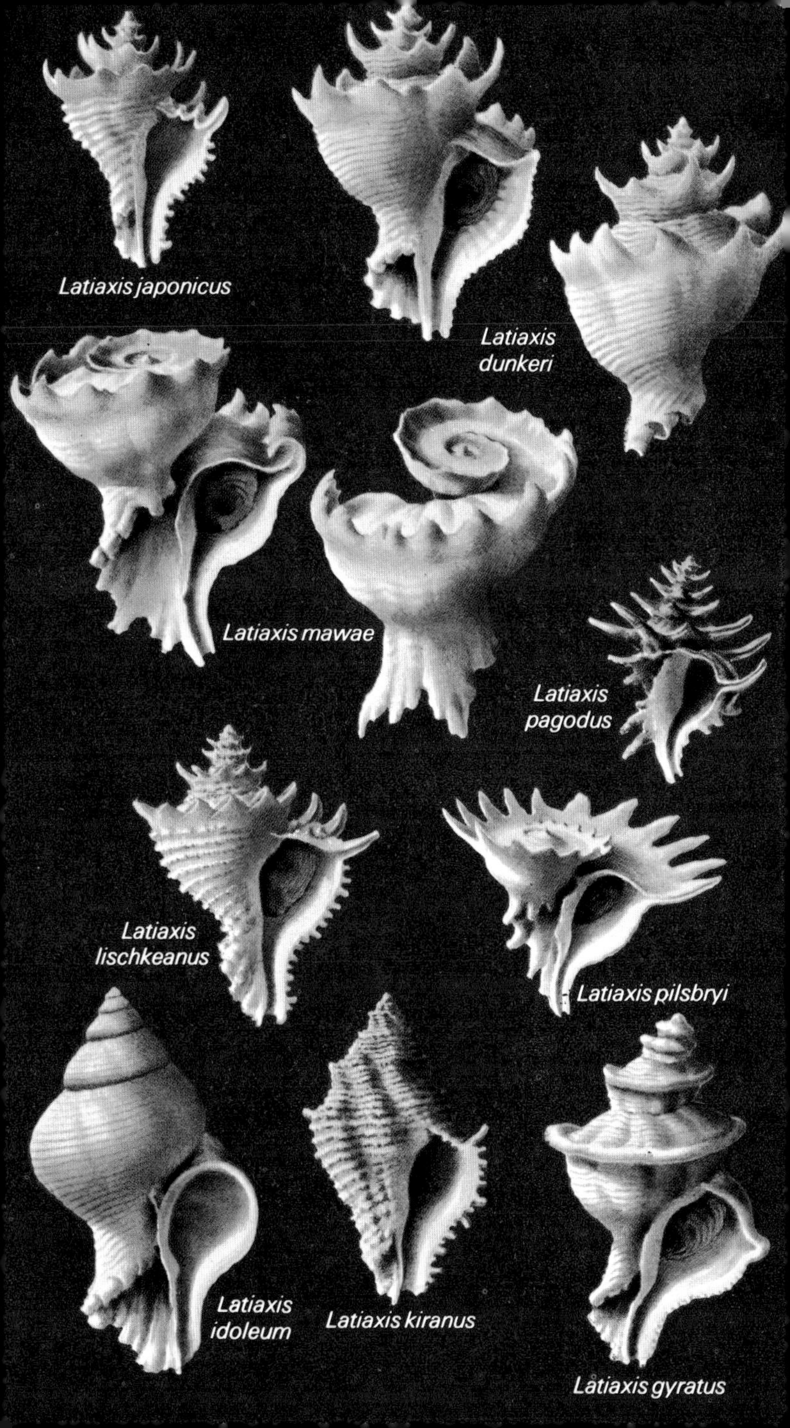

Latiaxis japonicus

Latiaxis dunkeri

Latiaxis mawae

Latiaxis pagodus

Latiaxis lischkeanus

Latiaxis pilsbryi

Latiaxis idoleum

Latiaxis kiranus

Latiaxis gyratus

Famille des Pyrénidés

Cors de mer généralement petits et très colorés, vivant parmi le corail ou sur fonds sableux dans les eaux tropicales ou semi-tropicales. Carnivores pour la plupart. Syn. : Colombellidés.

PYRENE TESTUDINARIA *LINK 1807.* D 25 mm. Pacifique jusqu'à Singapour. Massif, piriforme ; profonde suture. Lignes longitudinales sous la périphérie, plus fortes vers la base. 9 dents sur le labre, 4 dents columellaires antérieures. Blanc avec stries ou taches brun très foncé ou brun avec taches et stries blanches.

PYRENE VARIANS *SOWERBY 1832.* D 10 mm. Pacifique. Spire courte ; lisse ou couvert de fortes côtes transversales sur les premiers tours et le côté postérieur du dernier tour ; stries longitudinales. Labre denté, dent columellaire bifide plus 5 dents sur le bord. Blanc, crème ou brun ; parfois lignes transversales et taches brunes.

PYRENE RUSTICA *L. 1758* D 30 mm. Méditerranée, Atlantique Ouest. Variable, spire moyenne ; stries longitudinales, érodées au milieu du dernier tour. Labre épaissi, fortement denté, découpé au centre ; 5 dents columellaires antérieures. Blanc ou bleu-blanc, plus ou moins taché de pourpre, de brun-pourpre ou de rouge.

PYRENE FLAVA *BRUGUIERE 1789.* D 25 mm. Océans Indien et Pacifique. Massif, profonde suture ; 10 fortes côtes longitudinales antérieures sur le dernier tour et dans le canal siphonal court et légèrement incurvé. Labre en biseau, côte transversale, 3 fortes dents et 2 faibles. Columelle lisse, nodules sur le bord de l'étroite expansion columellaire. Variable, généralement brun clair ou foncé ; lignes transversales en zigzag ou bandes longitudinales brun foncé coupées par des taches blanches à la périphérie, ou taches irrégulières ; ouverture blanche.

PYRENE PHILIPPINARUM *RECLUZ* D 25 mm. Philippines, Malaisie. Spire concave, périphérie anguleuse se rétrécissant vers le canal siphonal légèrement courbé et retors, 12 faibles dents sur le labre en biseau, columelle lisse. Blanc ou crème.

PYRENE OCELLATA *LINK 1807.* D 20 mm. Océans Indien et Pacifique. Massif, spire courte, périphérie anguleuse, plus étroit du côté antérieur ; cordons longitudinaux antérieurs. Labre tourné vers l'intérieur, 9 dents sur une côte transversale intérieure ; range de petites dents près du bord du bourrelet columellaire. Brun foncé à noir, taches ou zigzags blancs ou jaunâtres, labre mauve.

PYRENE SPLENDIDULA *SOWERBY* D 30 mm. Océans Indien et Pacifique. Spire basse ; dernier tour renflé, rétréci du côté antérieur près du canal siphonal court ; côtes longitudinales croisant la columelle. Grandes taches brunes et blanches, ouverture blanche, épais périostracum visible sur l'illustration.

STROMBINA MACULOSA *SOWERBY 1832.* D 25 mm. Nord-ouest de l'Amérique tropicale. Spire élevée, périphérie noduleuse ; côtes longitudinales sur le dernier tour. Labre épaissi en biseau, 6 dents ; columelle lisse. Blanc taché de brun.

MICROCITHARA HARPIFORMIS *SOWERBY 1832.* D 18 mm. Amérique centrale. Massif, courte spire ; côtes transversales, 14 sur le dernier tour, formant des points érodés sur les périphéries anguleuses ; ouverture étroite. Labre finement denté, épaissi surtout à l'intérieur, allongé vers le haut, vers le canal postérieur profond et étroit ; 1 côte acérée sur le bord opposé à la columelle, pli columellaire érodé. Chocolat, taches blanches petites ou grandes.

Pyrene testudinaria

Pyrene varians

Microcithara harpiformis

Pyrene rustica

Pyrene flava

Pyrene philippinarum

Pyrene rustica

Pyrene spendidula

Strombina maculosa

Pyrene ocellata

Famille des Nassaridés

Les Nassaridés ou nasses vivent principalement dans les zones tropicales et semi-tropicales en eau peu profonde. Carnivores, nécrophages ; vie plutôt nocturne.

BULLIA GRAYI *REEVE 1846.* D 75 mm. Afrique du Sud. Lisse, profonde suture ; forte côte aplatie sous la suture suivie d'une ligne creuse et de la périphérie courte et tranchante. 9 légères rainures sur le dernier tour, stries transversales émoussées. Terne, opaque, bande gris-blanc à la périphérie, premiers tours bleu-gris.

NORTHIA GEMMULATA *LAMARCK* . D 30 mm. Philippines, Japon. Tronqué, dernier tour renflé, suture profonde, ornementation treillissée et noduleuse. Labre denté, strié à l'intérieur ; columelle et bourrelet columellaire granuleux, canal siphonal court et coudé, fasciole. Crème ou blanc, zones brun clair et bleu-gris.

NORTHIA NORTHIAE *GRIFFITH et PIDGEON 1834.* D 50 mm. Ouest de l'Amérique tropicale. Spire élevée, périphéries anguleuses. Cordons longitudinaux, petites côtes transversales sur les premiers tours. Dernier tour lisse sauf fines lignes de croissance et 6 côtes longitudinales antérieures. Labre légèrement épaissi, tubercule à la périphérie, finemnt denté et strié à l'intérieur. Côtes columellaire postérieure, canal siphonal court, large fasciole. Brun olive, premiers tours plus foncés, labre et canal siphonal bordés de brun.

ZEUXIS OLIVACEUS *BRUGUIERE 1789.* D 45 mm. Pacifique, mer de Chine. Spire élevée ; côtes obliques sur les premiers tours, stries d'accroissement sur les autres, 10 côtes antérieures sur le dernier tour. Labre en biseau, épaissi, denté à l'intérieur ; canal siphonal développé, canal anal court, 12 dents sur le bord extérieur de la columelle. Brun foncé, parfois bande jaune, ouverture pourpre-blanc, intérieur pourpre.

PLICARCULARIA PULLUS *L. 1758.* D 20 mm. Pacifique Ouest, mer de Chine. Massif, courte spire ; dos bossu, côtes transversales du côté columellaire. Côtes sur les premiers tours, fine rainure sous la suture. Petit coussinet plat formé par une forte callosité pariétale et le labre, labre épaissi et denté. Dent columellaire proéminente bordant le canal anal court et profond, 3 ou 4 autres dents columellaires du côté antérieur. Canal siphonal court et profond Brun ou vert, généralement bande jaune au-dessus de la suture.

NASSARIUS ARCULARIUS ARCULARIUS *L. 1758.* D 30 mm. Centre et ouest du Pacifique. Globuleux, courte spire, périphéries plates. Côtes transversales élevées disparaissant au bas du dernier tour sauf à la périphérie, où leurs extrémités forment de petits nodules. Labre strié à l'intérieur, dent postérieure, 2 plis antérieurs sur la columelle ; callosité pariétale. Blanc ou crème.

NASSARIUS ARCULARIUS PLICATUS *RODING 1798.* D 30 mm. Océan Indien. Semblable au précédent, lignes longitudinales sur toute la surface.

NASSARIUS CORONATUS *BRUGUIERE 1789.* D 30 mm. Océans Indien et Pacifique Ouest. Spire moyenn,e périphéries anguleuses avec gros nodules (12 sur le dernier tour). Labre finement denté et strié à l'intérieur, côte postérieure, 4 petites dents antérieures sur la columelle. Callosité pariétale, canaux siphonal et anal courts. Vert-brun ou blanc avec bande brune.

TARAZEUXIS REEVEANUS *DUNKER* . D 20 mm. Océans Indien et Pacifique. Lisse, légèrement renflé ; labre denté à l'intérieur ; columelle rugueuse du côté antérieur, côte postérieure ; canaux siphonal et anal profonds et courts. Bleu-blanc verdâtre opaque, taches blanches, bande centrale brune et blanche.

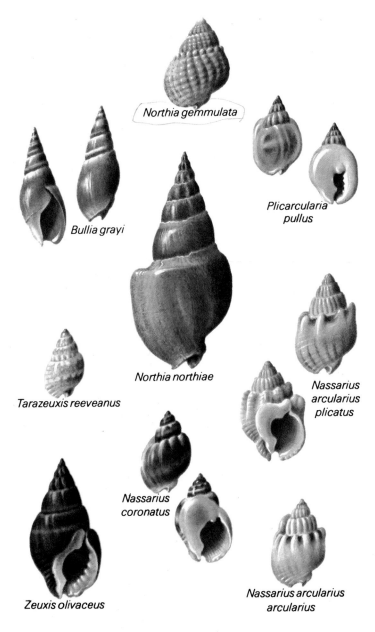

Northia gemmulata

Bullia grayi

Plicarcularia pullus

Tarazeuxis reeveanus

Northia northiae

Nassarius arcularius plicatus

Nassarius coronatus

Zeuxis olivaceus

Nassarius arcularius arcularius

191

Famille des Buccinidés

Eaux du monde entier. Carnivores se nourissant principalement de Bivalves.

HINDSIA MAGNIFICA *LISCHKE*   D 45 mm. Japon. Spire élevée, légèrement renflé, étranglement sutural, côtes longitudinales et transversales, parfois anciennes varices. Varice gonflée sur le labre, stries à l'intérieur. Columelle striée du côté postérieur, granuleuse du côté antérieur ; canal siphonal courbé, faible fasciole. Blanc, zones et bandes brunes.

CANTHARUS ERYTHROSTOMUS *REEVE 1846.* D 50 mm. Océan Indien. Spire moyenne, tours anguleux. Fortes côtes longitudinales, côtes transversales fortes à la périphérie et érodées du côté antérieur. Labre crénelé, strié à l'intérieur ; côtes du côté postérieur de la columelle. Orange pâle, côtes plus foncées sur les périphéries.

CANTHARUS UNDOSUS *L. 1758* D 40 mm. Pacifique, mer de Chine. Massif, côtes longitudinales et transversales, érodées sur l'avant-dernier tour, arrondies et épaisses sur le dernier tour. Labre avec varice et côtes en biseau à l'intérieur, columelle lisse d'un côté et plissée irrégulièrement de l'autre, faible fasciole. Blanc, bleu-blanc ou jaune pâle.

CANTHARUS FUMOSUS *DILLWYN 1817.* Semblable à *C. undosus,* côtes transversales sur toute la surface. Crème ou jaune-beige.

CANTHARUS ELEGANS *GRIFFITH et PIDGEON 1834.* D 45 mm. Ouest de l'Amérique tropicale. Spire élevée, tours anguleux. Fortes côtes longitudinales bien séparées, cordons longitudinaux et stries transversales intercalaires ; côtes transversales sur les premiers tours et la moitié supérieure du dernier tour, columelle légèrement plissée. Brun foncé tacheté de blanc, intérieur bleu-blanc.

CANTHARUS RINGENS *REEVE 1846.* D 30 mm. Ouest de l'Amérique tropicale. Massif, spire moyenne et acérée, concavité entre la suture et la périphérie. Côtes et cordons longitudinaux, côtes transversales. Forte varice et échancrure postérieure sur le labre, finement denté et strié à l'intérieur. Canaux anal et siphonal développés ; columelle striée du côté postérieur, granuleuse de l'autre. Brun foncé, ouverture bleu-blanc, intérieur plus foncé.

PISANIA PUSO *L. 1758.* D 45 mm. Antilles, sud de la Floride. Lisse, légèrement renflé, spire élevée. Petite dent et côtes longitudinales sur le labre. Columelle lisse, forte côte postérieure ; expansion pariétale étroite et rugueuse, canal siphonal moyen. Brun-pourpre ; bandes longitudinales brun foncé, interrompues et étroites.

PISANIA IGNEA *GMELIN 1791.* D 35 mm. Pacifique, mer de Chine. Spire élevée, petites côtes transversales sur les premiers tours, derniers tours lisses sauf légères lignes antérieures. Labre légèrement évasé, rides érodées au bord, dents antérieures ; columelle lisse. Crème ou orange pâle, flammules transversales brunes.

BUCCINULUM LITTORINOIDES *REEVE 1846.* D 35 mm. Nouvelle-Zélande. Spire élevée, côtes transversales érodées sur les premiers tours, fines lignes de croissance. Labre en biseau, strié à l'intérieur ; columelle lisse. Gris, lignes longitudinales plus foncées.

PHOS SENTICOSUS *L. 1758.* D 40 mm. Océans Indien et Pacifique. Spire élevée, anciennes varices, périphéries anguleuses, étranglement sutural. Côtes et cordons longitudinaux, côtes transversales ridées séparées par des stries. Labre strié à l'intérieur, plis columellaires irréguliers, forte fasciole. Crème ou rose-brun.

PHOS VERAGUENSIS *HINDS 1843.* D 25 mm. Zones tropicales

PISANIA STRIATA . П.

Pisania pusio

Cantharus erythrostomus

Hindsia magnifica

Cantharus undosus

Buccinulum littorinoides

Cantharus fumosus

Phos senticosus

Cantharus ringens

Cantharus elegans

Pisania ignea

Phos veraguensis

d'Amérique occidentale. Spire élevée, suture étranglée ; côtes et cordons longitudinaux ; côtes transversales, noduleuses aux intersections. Labre ridé à l'intérieur, côte antérieure columellaire, petite fasciole. Brun pâle, bandes brun foncé, intérieur crème.

BUCCINUM UNDATUM *L. 1758.* D 160 mm. Atlantique Nord, Méditerranée. Forme, ornementation et coloration variables. Plus ou moins solide, spire généralement moyenne, environ 7 tours légèrement renflés. Côtes longitudinales, côtes transversales érodées sur le dernier tour. Labre légèrement évasé en S, columelle lisse, canal siphonal court, faible fasciole. Blanc sale, gris ou crème ; parfois bande brune à la suture et sur le dernier tour ; intérieur crème ou blanc.

SIPHONALIS SIGNUM *REEVE 1846.* D 60 mm. Japon. Spire moyenne ou courte, environ 6 tours. Côtes longitudinales ; périphéries assez anguleuses, nodules aplatis (environ 12 sur le dernier tour, moins sur les autres). Côtés droits de la suture à la périphérie. Labre cannelé, strié à l'intérieur ; bord columellaire très fin, calleux du côté postérieur ; canal siphonal allongé, incurvé, ouvert ; forte fasciole. Très variable, de blanc ou jaune pâle à brun clair ou foncé, flammules transversales brun foncé, taches et lignes longitudinales ; ouverture bordée de blanc, intérieur gris-brun.

PENION ADUSTUS *PHILIPPI 1845.* D 125 mm. Nord de la Nouvelle-Zélande. Solide, spire moyenne ou élevée, environ 6 tours ; côtes et cordons longitudinaux. Légères côtes transversales, noduleuses aux périphéries. Labre légèrement cannelé, ridé à l'intérieur. Columelle lisse, forte callosité postérieure ; canal siphonal allongé, ouvert, incurvé, légèrement retors ; petite fasciole. Brun-rouge clair à gris, ouverture blanche.

PENION MANDARINUS *DUCLOS 1831.* D 125 mm. Sud de la Nouvelle-Zélande, détroit de Cook. Semblable à *P. adustus ;* tours non anguleux, sculptures longitudinales similaires. Gris-blanc sale à brun, ouverture blanche.

HEMIFUSUS TERNATANA *GMELIN 1798.* D 200 mm. Mer de Chine du nord. Long, effilé ; spire élevée, environ 7 tours plus ou moins anguleux et légèrement étranglés à la suture. Côtes et cordons longitudinaux, fines stries transversales. Côtes des premiers tours formant des petits nodules à la périphérie, érodées sur les derniers tours, puis resurgissant sur la moitié inférieure du dernier tour. Labre légèrement cannelé et strié, lisse à l'intérieur ; columelle lisse du côté antérieur, calleuse du côté postérieur ; canal siphonal long, ouvert, légèrement retors. Blanc à crème, ouverture chair ; épais périostracum brun foncé partiellement visible sur l'illustration. Comestible.

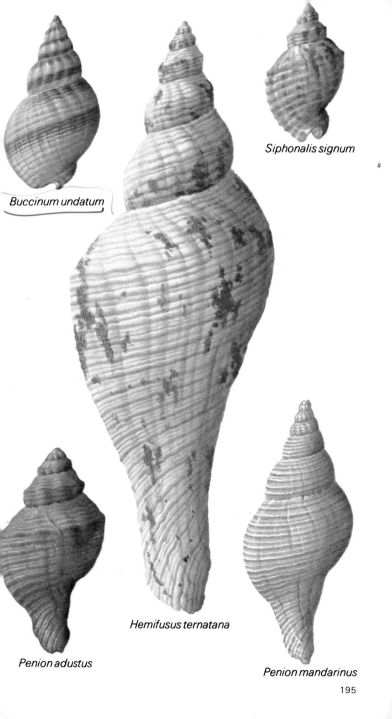

Buccinum undatum

Siphonalis signum

Hemifusus ternatana

Penion adustus

Penion mandarinus

195

BABYLONIA LUTOSA *LAMARCK 1822.* D 60 mm. Asie orientale. Spire assez élevée, environ 6 tours renflés. Lignes de croissance transversales, stries transversales et longitudinales microscopiques. Labre lisse, légèrement évasé. Columelle lisse, forte callosité surtout du côté postérieur. Canal anal peu développé, canal siphonal court et profond, forte fasciole, profond ombilic. Blanc, zones fauve pâle en larges bandes longitudinales, ouverture blanche.

BABYLONIA JAPONICA *REEVE 1842.* D 75 mm. Japon, Taïwan. Spire plus courte et coquille moins solide que chez *B. lutosa.* Sculptures moins prononcées, angles périphériques plus arrondis. Labre lisse, columelle moins calleuse, canal siphonal moins profond, ombilic plus petit, fasciole plus faible. Crème, rangée de taches brunes en V sous la suture et sur la partie la plus large du dernier tour, mouchetures brunes sur le reste de la coquille, mauve sur les tout premiers tours.

BABYLONIA FORMOSAE *SOWERBY 1866.* D 50 mm. Taïwan. Spire moyenne, suture légèrement étranglée ; tours très anguleux. Labre et columelle lisses, forte callosité columellaire du côté postérieur. Ombilic profond et ouvert, forte fasciole, canal anal peu développé, canal siphonal court et profond. Crème, marques brunes en V juste sous la suture, puis 2 rangées de carrés de même couleur ; ouverture blanche, le brun transparaissant sur le bord du labre ; premiers tours teintés de mauve.

BABYLONIA ZEYLANICA *BRUGUIERE 1789.* D 75 mm. Ceylan, Inde. Semblable à *B. japonica ;* spire plus élevée, columelle plus calleuse, ombilic plus ouvert, côte bordant le côté columellaire de la fasciole. Blanc, rangée de grandes taches brunes sous la suture et sur la partie la plus large du dernier tour, mouchetures brunes ailleurs, canal siphonal et bord de la callosité columellaire teintés de violet.

BABYLONIA AEREOLATA *LINK 1807.* D 50 mm. Asie du Sud-Est. Assez semblable à *B. formosae ;* spire un peu plus courte, périphéries plus arrondies, ombilic plus étroit, fasciole plus faible. Très lisse et brillant. Blanc ; sous la suture 3 rangées de taches brunes rectangulaires puis carrées et triangulaires, parfois entourées d'un liseré doré ; ouverture blanche, premiers tours mauves.

BABYLONIA CANALICULATA *SCHUMACHER 1817.* D 65 mm. Golfe Arabique. Lourd et massif, courte spire, suture profonde. Tours renflés, lisse sauf quelques lignes de croissance. Labre lisse, forte callosité columellaire, canal anal peu développé, canal siphonal court et profond. Fasciole large, forte, brillante ; ombilic très étroit, peu profond. Blanc-crème, taches et stries brunes, ouverture blanche.

BABYLONIA SPIRATA *L. 1758.* D 75 mm. Océan Indien. Lourd et massif, plus rugueux que *B. canaliculata,* spire élevée. Suture plus profondément canaliculée, bord plus tranchant. Labre lisse, forte callosité columellaire. Canal anal plus développé que chez les autres espèces du genre. Canal siphonal court et profond, large fasciole, ombilic peu profond. Blanc, taches et stries brun clair, ouverture blanche, fasciole brun orange, premiers tours pourpres.

Babylonia lutosa

Babylonia japonica

Babylonia formosae

Babylonia aereolata

Babylonia zeylanica

Babylonia spirata

Babylonia canaliculata

197

Famille des Fasciolariidés

Fasciolaires ou tulipes, eaux du monde entier, carnivores.

FASCIOLARIA HUNTERIA *PERRY 1811.* D 100 mm. Sud-ouest des Etats-Unis. Spire moyenne, renflé ; lisse sauf fines lignes de croissance et faibles côtes à la base du dernier tour et sur le canal siphonal. Labre et columelle lisses. Blanc, bandes longitudinales.

FASCIOLARIA TRAPEZIUM *L. 1758.* D 200 mm. Océans Indien et Pacifique. Lourd et massif, spire moyenne, étranglement sutural. Gros tubercules légèrement pointus aux périphéries, lignes longitudinales souvent jumelées, 7 denticulations jumelées sur le labre, fortes côtes intérieures. Columelle lisse du côté postérieur, 3 sculptures tressées du côté antérieur ; canal siphonal allongé, faible fasciole. Chair.

FASCIOLARIA FILAMENTOSA *RODING 1798.* D 150 mm. Océans Indien et Pacifique. Spire élevée, périphéries arrondies situées assez bas sur les tours, étranglement sutural. Lignes creuses jumelées, côtes longitudinales, côtes transversales érodées (10 sur le dernier tour). Lignes creuses terminées en petites denticulations sur le labre, labre strié à l'intérieur. Callosité antérieure et 3 sculptures tressées sur la columelle ; canal siphonal allongé, ouvert, légèrement retors ; faible fasciole. Bleu-blanc.

FASCIOLARIA SALMO *WOOD 1828.* D 125 mm. Ouest de l'Amérique tropicale. Lourd et massif, spire courte, fines côtes longitudinales. Tubercules sur les périphéries anguleuses (9 sur le dernier tour), profonde suture, labre finement denticulé et strié à l'intérieur ; 2 sculptures antérieures tressées sur la columelle, côte bordant le canal anal ; canal siphonal ouvert et légèrement courbe, fasciole. Jaune chair, columelle et péristome rose saumon, intérieur blanc, extrémité du canal siphonal pourpre, épais périostracum brun (illustré).

LATIRUS POLYGONUS *GMELIN 1791.* D 70 mm. Océans Indien et Pacifique. Fusiforme et anguleux, étranglement sutural ; côtes longitudinales, côtes transversales (7 sur le dernier tour) ; nodules à la périphérie et sur le dernier tour pourvu d'une côte longitudinale plus forte. Labre finement denté et strié à l'intérieur, environ 4 petits plis antérieurs sur la columelle, canal siphonal allongé et ouvert, faible fasciole. Crème à brun-jaune clair.

PERISTERNIA PHILBERTI *RECLUZ* D 30 mm. Mer de Chine du sud. Spire moyenne, test anguleux, suture étranglée. Cordons longitudinaux, rainures intercalaires. Côtes transversales noduleuses à la périphérie, 10 sur le dernier tour. Labre finement denté et strié à l'intérieur, dent antérieure ; columelle lisse, callosité postérieure ; ombilic étroit. Brun-rouge, cordons blancs, ouverture violette.

PERISTERNIA INCARNATA *KIENER 1840.* D 30 mm. Océans Indien et Pacifique. Solide, spire moyenne, suture canaliculée. Larges côtes obliques plates, 12 sur le dernier tour ; fins cordons longitudinaux ; labre finement denté et strié à l'intérieur, dent antérieure. Forte côte postérieure sur la columelle, grande dent rectangulaire plate du côté antérieur. Canal anal développé ; canal siphonal court, profond, ouvert. Côtes orange rougeâtre, interstices brun foncé, ouverture rose-mauve, fasciole chair.

OPEATOSTOMA PSEUDODON *BURROW 1815.* D 45 mm. Ouest de l'Amérique tropicale. Spire modérée, périphéries aplaties et très anguleuses. Fortes côtes plates longitudinales, cordons intercalaires. Côtes longitudinales érodées à l'intérieur du labre, forte épine antérieure longue et pointue. Côte postérieure, 6 plis antérieurs sur la columelle ; canal siphonal court, fasciole. Blanc.

198 FASCIOLARIA LIGNARIA . D .

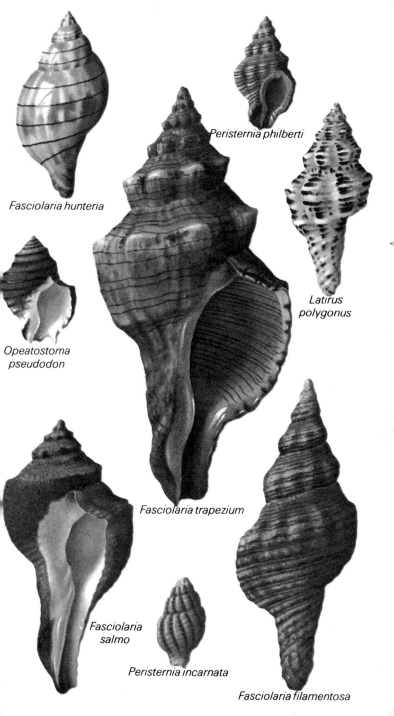

Fasciolaria hunteria

Peristernia philberti

Latirus polygonus

Opeatostoma pseudodon

Fasciolaria trapezium

Fasciolaria salmo

Peristernia incarnata

Fasciolaria filamentosa

FUSINUS COLUS *L. 1758.* D 200 mm. Océans Indien et Pacifique Ouest. Fusiforme et assez anguleux, spire élevée. Côtes et cordons longitudinaux, fines stries transversales ; côtes transversales sur les premiers tours, érodées sur les 2 ou 3 derniers tours, ne subsistant que sous forme de nodules à la périphérie. Labre finement denté, ridé à l'intérieur ; côtes transparaissant dans la columelle, mince callosité columellaire. Canal siphonal effilé, légèrement ondulé. Blanc ou crème, quelques stries transversales brunes ; interstices bruns entre les côtes transversales et les nodules, plus apparents sur les premiers tours ; quelques taches sur la suture ; canal siphonal brun, plus foncé à l'extrémité ; ouverture blanche.

FUSINUS DUPETITTHOUARSI *KIENER 1840.* D jusqu'à 250 mm. Ouest de l'Amérique tropicale. Assez semblable à *F. colus ;* moins effilé, périphéries plus arrondies ; canal siphonal plus court, plus large et plus ouvert ; ouverture plus grande. Blanc.

FUSINUS LONGICAUDUS *LAMARCK* D 100 mm. Japon. Spire étroite, canal siphonal long et étroit, côtes longitudinales et transversales sur les premiers tours. Labre cannelé, mince callosité columellaire postérieure là où les côtes longitudinales sont visibles. Blanc, zones plus foncées sur les premiers tours.

Famille des Mélongénidés

BUSYCON CONTRARIUM *CONRAD* D jusqu'à 400 mm. Sud-est de l'Amérique du Nord. Coquille senestre, spire basse. Périphérie anguleuse, tubercules triangulaires plus ou moins développées ; stries longitudinales sauf milieu du dernier tour presque lisse. Labre et columelle lisses, canal siphonal long et ouvert. Gris, lignes transversales irrégulières brun foncé, 2 bandes gris-brun sur le dernier tour, canal siphonal gris-brun, ouverture tachée de brun, mince columelle, callosité postérieure laissant transparaître les couleurs du test. Sur l'illustration une coquille juvénile. On trouve un autre Busycon senestre au large de la côte orientale d'Afrique (probablement aussi *B. contrarium*), dont un spécimen de 160 mm figure dans nos illustrations. Forme et ornementation semblables ; jaune-brun pâle, lignes transversales brun-pourpre.

BUSYCON CANALICULATUM *L. 1758.* D 180 mm. Est de l'Amérique du Nord. Spire assez courte, périphéries anguleuses, rainure large et profonde à la suture. Fins cordons longitudinaux ; forte côte à la périphérie, noduleuse sur les premiers tours. Labre lisse, légère callosité columellaire, canal siphonal long et ouvert. Gris-brun clair, nodules périphériques brun clair avec interstices bruns.

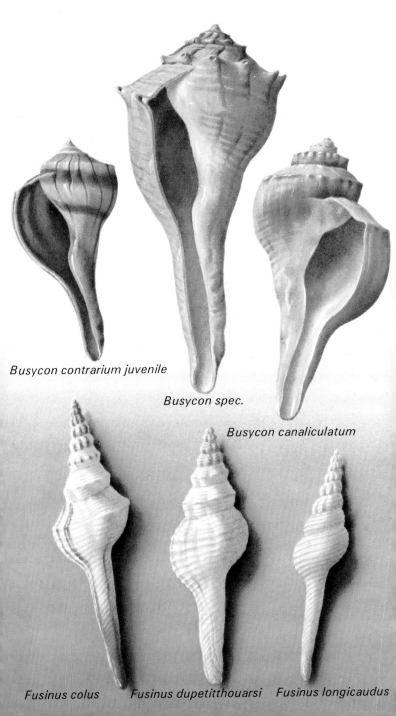

Busycon contrarium juvenile

Busycon spec.

Busycon canaliculatum

Fusinus colus   *Fusinus dupetitthouarsi*   *Fusinus longicaudus*

MELONGENA PATULA *BRODERIP et SOWERBY 1829.* D 250 mm. Ouest de l'Amérique tropicale. Spire courte, acérée et concave ; périphéries anguleuses et noduleuses, parfois épines sur le dernier tour. Cordons longitudinaux au-dessus de la périphérie et à la base du dernier tour. Labre lisse, columelle calleuse et lisse, canal siphonal allongé, faible fasciole. Marron, bandes jaunes, blanches ou beiges ; intérieur du labre brun, blanc et bleu-blanc.

MELONGENA MELONGENA *L. 1758.* D 100 mm. Caraïbes. Lourd et solide, spire courte, suture canaliculée. Stries d'accroissement transversales ; 2 rangées longitudinales de courtes épines acérées sur la partie la plus large du dernier tour, 1 près de la base. Labre irrégulier, forte callosité columellaire, forte fasciole, canaux siphonal et anal courts et ouverts. Chocolat, canaux et suture blancs.

MELONGENA CORONA *GMELIN 1791.* D 100 mm. Sud-est de l'Amérique, Mexique. Variable ; généralement spire moyenne et tours anguleux. Cordons longitudinaux, côtes transversales érodées sur le dernier tour. 1 ou 2 rangées d'épines creuses et plus ou moins nombreuses à la périphérie, base du dernier tour avec ou sans épines. Labre fin, columelle lisse, forte fasciole, canal siphonal court et ouvert. Blanc, bandes longitudinales brun-pourpre ou bleu-noir, épines blanches, zone brune à l'intérieur du labre.

MELONGENA MORIO *L. 1758.* Afrique occidentale, Brésil, Antilles. Assez allongé, périphéries anguleuses, côtes longitudinales. Cordons sur les premiers tours, érodés sur les derniers ; périphéries plus ou moins noduleuses. Intérieur du labre strié, columelle légèrement calleuse du côté antérieur et à peine du côté postérieur. Canal siphonal long et ouvert, faible fasciole. Brun chocolat, étroites bandes jaune-blanc et une un peu plus large.

MELONGENA GALEODES *LAMARCK* D 65 mm. Mer Rouge, de l'océan Indien à la Chine et aux Philippines. Courte spire acérée ; environ 6 tours, épines courtes. Cordons longitudinaux, environ 8 grosses épines tranchantes à la périphérie du dernier tour ; parfois 2 autres rangées épineuses sur le dernier tour, 1 centrale habituellement petite et 1 plus grande près de la base. Labre finement denté, columelle lisse et calleuse, ombilic étroit, forte fasciole, canal siphonal moyen, canal anal court mais assez profond. Gris ou brun pâle, cordons plus foncés ; intérieur du labre blanc.

VOLEMA COCHLIDIUM *L. 1758.* D 150 mm. Océan Indien, mer de Chine du Sud. Lourd et solide, tours anguleux, concave entre la suture et la périphérie. Cordons longitudinaux, côtes transversales sur les premiers tours ; environ 8 épines fortes, lourdes et aplaties sur le dernier tour, parfois les précédents. Labre finement strié à l'intérieur, columelle lisse, canal siphonal ouvert de longueur moyenne, ombilic très étroit et peu profond, fasciole forte et courte. Brun-rouge, ouverture pêche bordée de brun ; périostracum épais.

SYRINX ARUANUS *L. 1758.* D jusqusqu'à 600 mm. Nord de l'Australie. Probablement le plus grand Gastéropode du monde. Lourd, périphéries aux angles arrondis. Côtes longitudinales, cordons transversaux ; côtes transversales sur les premiers tours, périphéries noduleuses sur les derniers ; certaines côtes longitudinales plus grandes sur le dernier tour. Labre finement strié, columelle lisse ; canal siphonal allongé, droit, ouvert. Ombilic en fente étroite. Jaunâtre. Protoconque avec suture étranglée et côtes transversales disparaissant généralement chez les adultes. Sur l'illustration une coquille juvénile toujours munie de sa protoconque.

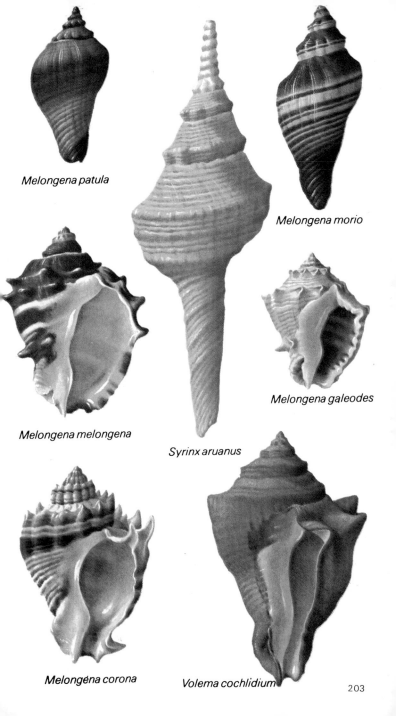

Melongena patula

Melongena morio

Melongena melongena

Syrinx aruanus

Melongena galeodes

Melongéna corona

Volema cochlidium

203

Famille des Olividés

Taille variable, forme généralement cylindrique, spire courte, encoche siphonale, plis columellaires antérieurs, fasciole. Fonds sableux de toutes les mers tropicales et chaudes. Carnivores chassant la nuit, capturant leur proie in l'enrobant dans leur pied. Pas de périostracum ni d'opercule. Coquille très dure, brillante ; couleurs souvent éclatantes.

OLIVA SAYANA *RAVENEL 1834.* D 80 mm. Atlantique Ouest. Spire assez allongée, suture canaliculée étroite et profonde, nombreux plis columellaires. Variable ; gris-fauve, 2 bandes généralement longitudinales de zigzags bruns, petites taches jaunes, mouchetures brunes et jaunes à la suture, bord interne du labre brun virant au blanc puis au violet, columelle blanche. *Oliva sayana citrina* JOHNSON 1911 est jaune d'or.

OLIVA RETICULARIS *LAMARCK 1811.* D 60 mm Antilles, Floride. Spire assez longue, plus étroite du côté antérieur ; suture canaliculée. Blanc, réticulations brun rosé clair ou foncé, taches brunes sur la suture, ouverture blanche. *Oliva reticularis bifasciata* KUSTER 1878 a 2 bandes brun-rouge, 1 étroite au milieu du dernier tour et 1 plus large du côté antérieur. Autres formes de coloration et d'aspect variables.

OLIVA CARIBAEENSIS *DALL et SIMPSON 1901.* D 40 mm. Caraïbes. Plus cylindrique que le précédent. Spire basse, suture canaliculée. Semblable à *O. sayana,* mouchetures foncées sous la suture, ouverture pourpre. *Oliva caribaeensis trujilloi* CLENCH 1938 est étroite ; brun-rouge, ouverture claire.

OLIVA FLAMMULATA *LAMARCK 1810.* D 35 mm. Afrique occidentale. Forme et couleur semblables à *O. reticularis.* Spire élevée, suture canaliculée. Habituellement gris-rose, zigzags brun-rouge, taches jaune clair ou blanches, taches plus foncées sous la suture, ouverture blanche ou teintée de pourpre. Variétés brunes et jaunes.

OLIVA SPICATA *RODING 1798.* D 60 mm. Ouest de l'Amérique tropicale. Spire assez haute ; légèrement concave, plus étroit du côté antérieur ; suture canaliculée étroite et profonde. Blanc à rouge brique très foncé, généralement gris-jaune pâle ; taches ou réticulations brunes ou brun-rouge, plus denses à la suture ; ouverture blanche. La forme commune *O.s. venulata* LAMARCK 1811 est gris-jaune avec réticulations brunes

OLIVA PORPHYRIA *L. 1758.* D 100 mm. Ouest de l'Amérique tropicale. La plus grande Olive ; spire basse, apex pointu. Belle courbe de la suture du dernier tour à la fasciole, suture canaliculée étroite et profonde ; labre légèrement concave au milieu, fortes rides longitudinales le long de la columelle sauf à un endroit de l'extrémité postérieure, forte fasciole. Violet-gris, nombreuses marques de taille différente bordées de brun-rouge foncé, 2 bandes peu distinctes de même couleur ; ouverture et columelle chair.

OLIVA INCRASSATA *LIGHTFOOT 1786.* D 90 mm. Amérique occidentale. Solide, lourd, anguleux ; spire calleuse très courte. Périphérie très anguleuse, test épaissi avant le labre. Columelle calleuse, faibles rides du côté antérieur ; forte fasciole. Gris pâle ou jaune-gris, taches gris foncé et brun foncé, bandes transversales de taches horizontales et quelques autres taches dispersées, ouverture blanche teintée de rose pâle surtout sur la columelle. Variétés or, blanches et noires.

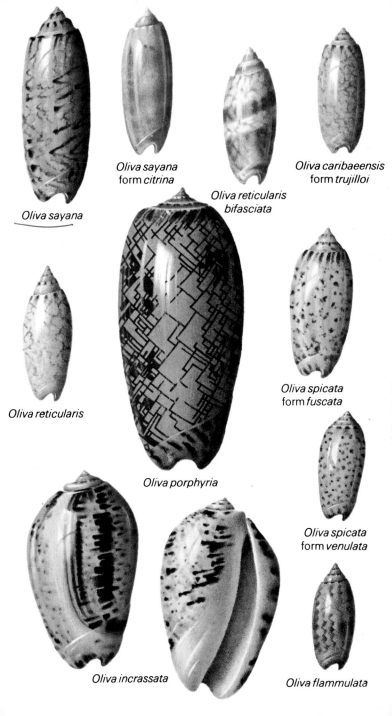

Oliva sayana

Oliva sayana
form *citrina*

Oliva reticularis
bifasciata

Oliva caribaeensis
form *trujilloi*

Oliva reticularis

Oliva porphyria

Oliva spicata
form *fuscata*

Oliva spicata
form *venulata*

Oliva incrassata

Oliva flammulata

OLIVA SPLENDIDULA *SOWERBY 1825.* D 50 mm. Côtes pacifique du Mexique et de Panama. Spire courte, apex pointu ; suture canaliculée ; cylindrique. Gris-rose, petites marques chair, taches brun-rouge foncé ; 2 larges bandes brun clair discontinues et irrégulières, taches brun-rouge foncé et fines lignes sous la suture, labre blanc, intérieur jaune, columelle et apex violet pâle.

OLIVA PERUVIANA *LAMARCK 1811.* D 50 mm. Pérou, Chili. Coloration et forme très variables. Spire généralement courte, étroite suture canaliculée, côté postérieur légèrement renflé ; callosité plissée sur le côté antérieur de la columelle. Bleu-gris à chair, nombreuses taches et marques brun-rouge, ouverture blanche légèrement teintée de bleu ; plis supérieurs de la columelle et de la fasciole crème, les autres blancs. Différentes lignes transversales ; *O.p. coniformis* PHILIPPI 1848 a une spire calleuse et aplatie, une périphérie anguleuse et une callosité épaisse à l'extrémité postérieure de la columelle.

OLIVA TIGRINA *LAMARCK 1811.* D 60 mm. Océans Indien et Pacifique Ouest. Spire courte, apex tranchant ; suture légèrement canaliculée, dernier tour quelque peu renflé ; plis columellaires antérieurs. Blanc, nombreuses taches bleu-gris, quelques taches brun foncé, ouverture bleu-blanc, base de la columelle rougeâtre. Parfois brun foncé presque noir comme chez *O.t. fallax* JOHNSON 1910 ou brun foncé avec une ou plusieurs bandes blanches.

OLIVA RUFULA *DUCLOS 1855.* D 35 mm. Philippines, Moluques. Spire très courte, suture canaliculée ; cylindrique. Labre épaissi, légèrement évasé ; callosité des 2 côtés de la suture se terminant au dernier tour ; columelle calleuse et plissée du côté antérieur. Chocolat au lait, réticulations chocolat foncé, rayures diagonales grises virant au brun foncé ou noir sur le bord du labre, intérieur blanc, base de la columelle rose pâle.

OLIVA BULBOSA *RODING 1798.* D 50 mm. Océan Indien. Spire courte, apex pointu ; dernier tour renflé. Labre plus ou moins épaissi avant le bord ; columelle calleuse, parfois très fine du côté postérieur et plissée du côté antérieur ; courte côte diagonale tranchante au sommet de la fasciole. Nombreuses variations de couleur, généralement brun avec lignes transversales ondulées brun foncé. La forme commune *O. b. inflata* LAMARCK 1811 (non illustrée) est gris-bleu pâle avec de nombreuses taches plus foncées ; *O. b. tuberosa* RODING 1798 ressemble à *O. b. inflata,* 3 bandes discontinues brun orange ; *O.b. fabagina* LAMARCK 1811 a des taches brunes irrégulières et *O.b. bicingulata* LAMARCK 1811, 2 bandes brun foncé. Autres formes avec ou sans nom.

OLIVA TRICOLOR *LAMARCK 1811.* D 60 mm. Océan Indien, mer de Chine du sud. Courte spire calleuse, suture profondément canaliculée ; cylindrique, légèrement renflé au milieu ; columelle fortement calleuse et plissée du côté antérieur. Crème, nombreuses taches bleu-vert et or, les premières formant en outre 2 bandes sous la suture et au milieu du dernier tour ; bord du labre et spire couverts d'un damier brun très foncé et or, intérieur du labre blanc, fasciole rose saumon avec tache rouge à la base. *O. t. philantha* DUCLOS 1835 est claire ; taches jaune clair, vertes et bleues, bandes foncées.

Oliva splendidula

Oliva tigrina form fallax

Oliva tricolor
form philantha

Oliva peruviana
form coniformis

Oliva peruviana

Oliva rufula

Oliva bulbosa
form tuberosa

Oliva bulbosa
form bicingulata

Oliva bulbosa
form fabagina

OLIVA ELEGANS *LAMARCK 1811.* D 40 mm. Océans Indien et Pacifique. Cylindrique, spire très courte, apex acéré, suture étroite profondément canaliculée. Labre et extrémité postérieure de la columelle prolongés jusqu'au niveau de l'apex, cette dernière plissée sur toute sa longueur. Jaune-vert, lignes obliques discontinues vert olive, 2 bandes de marques plus foncées à la périphérie et au milieu du dernier tour ; columelle blanche, rosée à la base ; intérieur et intérieur du labre bleu-blanc. Très variable, de très foncé à or comme chez *O. r. flava* MARRAT 1871 qui n'a pas de bleu dans l'ouverture.

OLIVA EPISCOPALIS *LAMARCK 1811.* D 60 mm. Océans Indien et Pacifique. Spire calleuse et élevée, suture profonde et étroite, léger renflement au milieu. Côtes postérieures et plis antérieurs sur la columelle. Blanc, nombreuses taches bleu-gris et jaune d'or sauf sous la suture, se fondant parfois en une teinte verte ; taches tendant à former des lignes et se regroupant notamment en 2 légères bandes ; bord intérieur du labre et columelle blancs, fasciole teintée de jaune, intérieur violet. Différentes variétés de forme et de coloration ayant reçu un nom.

OLIVA VIDUA *RODING 1798.* D 60 mm. Océans Indien et Pacifique. Spire très courte ou aplatie, côté postérieur légèrement renflé ; suture profonde et étroite, prolongement calleux comme chez *O. elegans.* Fine callosité columellaire ridée tout au long près de l'extrémité postérieure. Nombreuses variétés de couleur, généralement noir avec ouverture blanche. Syn. bien connu : *O. maura* LAMARCK 1810. *O. v. albofasciata* DAUTZENBERG 1927 est brun, 2 bandes interrompues plus foncées ; *O. v. aurata* RODING 1798 est orange, or ou brun doré sans dessin ; *O. v. cinnemonea* MENKE 1830 est cannelle, lignes transversales et ondulées plus foncées ; autres formes au fond gris avec lignes transversales foncées en zigzag et bandes longitudinales.

OLIVA RETICULATA *RODING 1798.* D 35 mm. Océans Indien et Pacifique. Spire assez basse, suture étroite et profonde se terminant par une callosité comme chez *O. vidua,* prolongement postérieur moins marqué ; léger renflement. Faible callosité postérieure sur la columelle, rides centrales érodées. Fond crème couvert de gris-brun foncé, 2 bandes brun foncé, ouverture blanche ; columelle et bord extrême du labre rouges, d'où le nom qu'on lui a longtemps donné, *Oliva sanguinolenta* LAMARCK 1811. *O. r. azona* DAUTZENBERG 1927 n'a pas de bande ; *O. r. evania* DUCLOS 1835 est plus pâle, marques plus denses. Autres formes.

OLIVA MUSTELLINA *LAMARCK 1811.* D 40 mm. De l'Inde au Japon. Test assez étroit, spire moyenne ou courte, suture canaliculée profonde et relativement large. Périphérie assez carrée et placée haut sur les tours donnant un aspect rectangulaire. Columelle légèrement calleuse et plissée sur toute sa longueur, callosité postérieure bordant l'extrémité de la suture. Jaune moutarde mêlé de brun-pourpre, columelle bleu-blanc, intérieur violet.

OLIVA MULTIPLICATA *REEVE 1850.* D 40 mm. Taïwan. Spire élevée, légèrement convexe, élargie sous la suture étroite et profondément canaliculée ; étroit vers l'extrémité antérieure, nombreux plis columellaires. Jaune crème, nombreuses marques brun-pourpre pâle, taches plus foncées du côté antérieur et quelques-unes sous la suture ; fond jaune crème se manifestant par des marques comme chez *O. porphyria* et de nombreux cônes ; columelle et intérieur blancs.

Oliva elegans

Oliva elegans
form *flava*

Oliva episcopalis

Oliva vidua
form *albofasciata*

Oliva vidua
form *cinnemonea*

Oliva vidua
form *aurata*

Oliva reticulata
form *evania*

*Oliva
mustellina*

*Oliva
multiplicata*

OLIVA OLIVA *L. 1758.* D 30 mm. Océans Indien et Pacifique. Syn. peut-être mieux connu : *Oliva ispidula* L. 1758. Spire courte, étroite rainure suturale ; plis irréguliers sur la columelle, callosité sur les 2/3 antérieurs. Ouverture assez étroite. Coloration et dessins extrêmement variables, du blanc au noir en passant par les bruns, les jaunes et les gris, sans dessin ou avec des taches, des points et des zigzags ; columelle blanche ; intérieur généralement brun, parfois blanc ou rose. 3 formes illustrées dont *O. o. oriola* LAMARCK 1811 entièrement noire.

OLIVA AUSTRALIS *DUCLOS 1835.* D 20 mm. Australie, Nouvelle-Guinée. Spire moyenne ou élevée, étroite suture canaliculée. Columelle légèrement concave du côté postérieur, plis columellaires irréguliers. Blanc, fines lignes transversales ondulées grises ou gris crème, rangée de taches brun-pourpre à la suture, columelle et ouverture blanches.

OLIVA CALDANIA *DUCLOS 1835.* D 22 mm. Ouest et nord de l'Australie, Indonésie. Semblable à *O. australis,* spire beaucoup plus courte. Peut-être une forme de *O. australis.*

OLIVA SIDELIA *DUCLOS 1835.* D 20 mm. Océans Indien et Pacifique. Test étroit ; spire courte, calleuse sauf sur la suture du dernier tour. Suture profonde et large ; plis columellaires. Blanc, dessins bruns ; columelle et ouverture blanches, parfois avec une touche violette. *O. s. volvaroides* DUCLOS 1835 est brun ou blanc uni.

OLIVA CARNEOLA *GMELIN 1791.* D 25 mm. Océans Indien et Pacifique. Spire courte, presque plate, couverte d'une callosité sauf sur la profonde rainure suturale du dernier tour. Généralement un peu renflé, périphérie légèrement anguleuse. Nombreuses variétés de coloration et de dessins parfois dotées d'un nom. Généralement blanc avec bandes orange, rouges ou pourpre-rouge.

OLIVA PAXILLUS *REEVE 1850.* D 27 mm. Guam, Fidji. Spire élevée, étroite suture profondément canaliculée ; dernier tour renflé à la périphérie, étroit du côté antérieur. Columelle couverte de plis rugueux. Blanc ivoire, légères réticulations brun-gris sous la périphérie, virgules brun-pourpre sous la suture, ouverture blanche, parfois 2 ou 3 lignes longitudinales pourpres à l'intérieur du labre. *O. p. sandwichiensis* PEASE 1860 des îles Hawaii a une spire plus courte ; moins anguleux, marques plus foncées, 2 bandes longitudinales érodées.

OLIVA TESSELLATA *LAMARCK 1811.* D 35 mm. Est de l'océan Indien, Pacifique Ouest. Spire courte, large suture canaliculée, callosité sur la spire ; dernier tour légèrement renflé au centre, columelle fortement plissée. Jaune crème taché de brun-pourpre, bord du labre et extrémité antérieure de la fasciole blancs, ouverture et columelle d'un beau violet profond.

OLIVA BULOUI *SOWERBY 1887.* D 30 mm. Nouvelle-Bretagne. Spire caleuse de hauteur moyenne ; dernier tour légèrement renflé à la périphérie ; plis columellaires rugueux. Spire, zone sous-suturale et bord antérieur roses ; reste abricot avec stries brun-rouge, plus nombreuses et plus foncées du côté antérieur.

Oliva oliva

Oliva caldania

Oliva paxillus
form *sandwichiensis*

Oliva carneola   *Oliva carneola*   *Oliva carneola*

Oliva sidelia
form *volvaroides*

*Oliva
australis*

Oliva paxillus   *Oliva tessellata*

Oliva oliva

Oliva oliva
form *oriola*

Oliva buloui

OLIVA MINIACEA *RODING 1798.* D 90 mm. Océans Indien et Pacifique. Beau, lourd, solide ; spire moyenne à courte ; suture profondément canaliculée, dernier tour légèrement renflé. Variable sauf ouverture orange ; généralement jaune crème, lignes transversales irrégulières et ondulées brun-gris, 2 larges bandes interrompues brun chocolat (1 sous la suture et 1 au milieu du dernier tour) ; bord interne du labre brun séparé de l'intérieur orange par une bande crème ; columelle blanche ; fasciole abricot ; lignes transversales brunes, pourpres, vertes ou bleues.

OLIVA TREMULINA *LAMARCK 1810.* D 90 mm. Océans Indien et Pacifique. Peut-être une forme de *O. miniacea* avec intérieur blanc ; sinon les diverses variétés de couleur sont celles d'O. miniacea. *O. t. oldi* ZEIGLER 1969 est gris pâle, lignes transversales rapprochées et ondulées plus foncées, bandes plus foncées à la périphérie et au milieu du dernier tour, columelle teintée d'orange.

OLIVA TEXTILINA *LAMARCK 1810.* D 85 mm. Océans Indien et Pacifique. Spire courte, étroite suture profondément canaliculée. Forte callosité au sommet de la columelle s'élevant au-dessus de la suture de l'avant-dernier tour et s'élargissant vers l'extrémité de la rainure suturale. Blanc plus ou moins taché de gris clair ou foncé, quelques lignes transversales irrégulières ondulées gris-brun, généralement bande brun foncé sous la suture et au milieu du dernier tour. *Olivia textilina albina* MELVILLE et STANDEN 1897 est une forme albinos. Le spécimen illustré se situe entre celle-ci et la forme typique.

OLIVA PONDEROSA *DUCLOS 1835.* D 85 mm. Océan Indien. Lourd et solide, spire courte et callosité au sommet de la columelle plissée comme chez *O. textilina.* Blanc, légères réticulations brun pâle sur l'essentiel du dernier tour ; stries et taches brun-pourpre sous la suture, au milieu du dernier tour et sur la fasciole ; ouverture et columelle blanches.

OLIVA LIGNARIA *MARRAT 1868.* D 65 mm. Est de l'Océan Indien jusqu'à Taïwan, nord de l'Australie. Longtemps connu par son syn. *Oliva ornata* MARRAT 1867. Spire courte fortement calleuse, partie étroite et profonde de la rainure suturale non couverte par la callosité. Gris crème pâle, ponctuations et taches brunes et bleugris clair, quelques taches brun foncé entre les 2 bandes interrompues ; ouverture violet pâle, partie antérieure de la columelle rouge. Même dessin sous-jacent sous coloration or ou orange chez *O. l. cryptospira* FORD 1891.

OLIVA ANNULATA *GMELIN 1791.* D 60 mm. Océans Indien et Pacifique. Spire élevée, étroite suture profondément canaliculée ; labre légèrement épaissi avant le bord ; périphéries assez anguleuses, parfois anneau saillant vers le centre du dernier tour. Forme type peu commune blanche ou crème ; forme la plus commune *O. a. amethystina* RODING 1798 claire, taches pourpre clair, taches sous-suturales plus foncées, apex jaune clair. *O. a. intricata* DAUTZENBERG 1927 couverte de fines lignes brun-rouge, quelques taches brun foncé, ouverture orange ; forme blanche *O. a. mantichora* DUCLOS 1835 semblable, bord postérieur du dernier tour plus tranchant.

OLIVA BULBIFORMIS *DUCLOS 1835.* D 35 mm. Océans Indien et Pacifique. Test court, assez bulbeux, spire courte habituellement couverte d'une callosité ; dernier tour renflé, surtout du côté postérieur. Gris-jaune ou moutarde plus ou moins réticulé de gris-brun, généralement 2 bandes plus foncées ; 1 variété vert-gris ; columelle parfois teintée de rouge, intérieur souvent brun-violet ou brun.

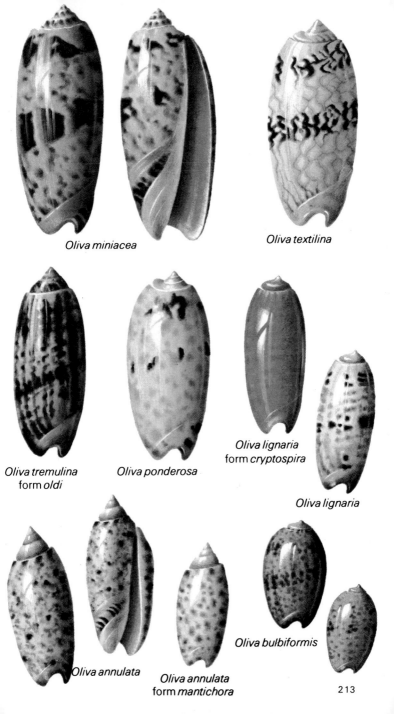

Oliva miniacea

Oliva textilina

Oliva tremulina
form *oldi*

Oliva ponderosa

Oliva lignaria
form *cryptospira*

Oliva lignaria

Oliva annulata

Oliva annulata
form *mantichora*

Oliva bulbiformis

213

ANCILLA LIENARDI *BERNARDI 1821.* D 30 mm. Brésil. Arrondi, spire moyenne, dernier tour renflé, columelle concave ; ombilic profond, ouvert, retors. Orange doré.

ANCILLA ALBOCALLOSA *LISCHKE* . D 45 mm. Japon. Spire élevée et calleuse, dernier tour renflé, large ouverture, pas d'ombilic. Fauve, bande brune bordée de blanc sous la suture et sur la fasciole ; ouverture, columelle et un côté de la callosité roses.

ANCILLA TANKERVILLEI *SWAINSON 1825.* D 60 mm. Des Antilles au Brésil. Spire élevée, renflée ; ombilic profond, étroit, retors. Jaune, bande rose sous la suture et au-dessus de la fasciole.

ANCILLA CINGULATA *SOWERBY 1830.* D 90 mm. Est de l'Australie. Brillant, spire élevée, apex arrondi ; suture légèrement étranglée, fines stries d'accroissement, plis sur la fasciole disparaissant dans l'ouverture. Fauve, bande blanche au-dessus et en dessous de la suture, étroite ligne brune sur le bord de la suture de la dernière moitié du dernier tour, avant-dernier tour brun-rouge, antépénultième plus pâle, premiers tours rose-blanc, intérieur fauve.

ANCILLA AUSTRALIS *SOWERBY 1830.* D 25 mm. Nouvelle-Zélande. Spire moyenne, dernier tour bi-anguleux, suture entièrement couverte d'une callosité transparente. Brun, large bande bleu-brun foncé bordée de blanc couvrant une grande partie du dernier tour, intérieur et fasciole brun foncé, columelle blanche.

ANCILLA MUCRONATA *SOWERBY 1830* D 45 mm. Nouvelle-Zélande. Solide, tronqué, brillant ; courte spire calleuse, large ouverture ; côte centrale columellaire retorse du côté antérieur. Rose à brun, apex plus clair, fasciole plus foncée.

OLIVANCILLARIA URCEUS *RODING 1798.* D 40 mm. Du Brésil à l'Uruguay. Solide, ramassé ; spire large, calleuse, presque plate ; apex pointu, suture large et profonde. Renflé juste sous la suture puis rétréci ; ouverture large, surtout du côté antérieur. Columelle fortement calleuse du côté postérieur, plissée du côté antérieur ; très large fasciole calleuse ; labre prolongé à l'extrémité du canal sutural. Blanc, nombreuses stries transversales et intérieur du labre fauve, columelle blanche, moitié postérieure de la callosité fauve.

OLIVANCILLARIA VESICA AURICULARIA *LAMARCK 1810.* D 50 mm Du Brésil à l'Argentine. Test solide de forme grossière, dernier tour renflé ; très courte spire entièrement couverte d'une épaisse callosité. Suture profondément canaliculée sur le côté dorsal du dernier tour, calleuse ailleurs. Fines lignes de croissance, labre prolongé au-delà de sa jonction avec le dernier tour, plis columellaires antérieurs, très large fasciole calleuse. Gris-blanc.

OLIVANCILLARIA GIBBOSA *BORN* . D 50 mm. Ceylan. Spire courte, dernier tour renflé ; callosité sur l'avant-dernier tour presque jusque sur la suture légèrement canaliculée ; columelle convexe plissée sur les 2/3 inférieurs. Fasciole forte et saillante en une espèce de dent. Brun foncé, taches claires, marques transversales, bande blanche dans le bas du dernier tour ; ouverture, columelle et callosité blanches ; touches crème à l'intérieur du labre et à la base de la columelle. Parfois jaune-vert pâle fortement taché de brun clair.

AGARONIA TESTACEA *LAMARCK 1811.* D 50 mm. Ouest de l'Amérique tropicale. Spire effilée et pointue, suture profondément canaliculée, ouverture large. Columelle légèrement calleuse du côté postérieur, fortement plissée et retorse antérieurement. Gris-vert pâle ; rangées transversales irrégulières de ponctuations gris-brun, plus foncées sous la suture ; labre bleu-gris bordé de brun, columelle blanche ; fasciole ombrée de brun foncé, de jaune et de vert.

Olivancillaria urceus

Ancilla lienardii

Ancilla albocallosa

Ancilla tankervillei

Ancilla cingulata

Olivancillaria vesica auricularia

Olivancillaria gibbosa

Ancilla australis

Ancilla mucronata

Agaronia testacea

215

Famille des Vasidés

Petite famille d'environ 25 espèces, assez grandes pour la plupart. Généralement solides et lourds, côtes longitudinales, columelle plissée. Eaux tropicales, le plus souvent près de la surface sur les récifs.

VASUM TURBINELLUS *L. 1758.* D 85 mm. Océans Indien et Pacifique. Spire moyenne à courte ; suture peu distincte, 2 rangées d'épines plus ou moins longues ; cordon discontinu sous les épines formant 1 rangée de petits nodules, puis 1 côte rugueuse, 2 autres rangées d'épines plus petites, enfin la côte fasciolaire. Aspect généralement martelé ; 3 côtes légèrement obliques sur la columelle séparées par de fins plis. Bord pariétal étroit ; denticulations labiales, parfois jumelées ; canal siphonal court, ouvert. Blanc tacheté de brun foncé, ouverture blanche, dents brun foncé, columelle crème tachée de brun autour du bord.

VASUM RHINOCEROS *GMELIN 1791.* D 85 mm. Kenya, Zanzibar. Spire assez courte ; côtes et cordons longitudinaux, 2 rangées de tubercules épineux (1 paire sous la suture, 1 paire au-dessus de la fasciole), stries transversales finement lamellées sur toute la surface. Labre épaissi, dents généralement jumelées, 1 dent postérieure plus grande. 3 plis columellaires, forte callosité pariétale, canal siphonal court, ombilic parfois fermé par la callosité pariétale. Blanc taché de brun, ouverture blanche parfois rayée de brun, columelle crème fortement ombrée de brun surtout sur le bord pariétal.

VASUM CAPITELLUM *L. 1758.* D 65 mm. Antilles. Fusiforme, anguleux ; spire élevée. Fines stries longitudinales, côtes longitudinales rugueuses (environ 9 sur le dernier tour), fines stries transversales lamellées. Labre fortement crénelé et denticulé à l'intérieur, certaines dents bifides. 3 plis forts et 2 côtes postérieures érodées sur la columelle, forte fasciole. Blanc ombré de brun, ouverture crème.

VASUM CERAMICUM *L. 1758.* D 140 mm. Océans Indien et Pacifique. Fusiforme, solide, lourd ; spire élevée. Même ornementation que chez *V. turbinellus,* test plus étroit par rapport à sa longueur, sans les 2 petits plis columellaires. Blanc fortement taché de brun très foncé et de noir, ouverture blanche, dents presque noires, marques brun foncé sur le bord pariétal.

VASUM TUBIFERUM *ANTON 1839.* D 115 mm. Philippines. Forme et ornementation très semblables à *V. turbinellus,* épines plus grosses. Etroit ombilic ouvert. Blanc taché de brun, pas de noir ; labre et dents blancs ; columelle blanche, touche rose, tache brun-pourpre foncé.

TUDICULA ARMIGERA *A. ADAMS 1855.* D 75 mm. Queensland. Test délicat, spire assez courte ; dernier tour grand ; canal siphonal long, étroit, assez semblable à celui des Muricidés. Fins cordons longitudinaux formant de longues épines acérées et creuses aux périphéries (environ 8 sur le dernier tour) visibles juste au-dessus de la suture sur les premiers tours. Sur le dernier tour 3 cordons plus grands avec quelques petites épines. Rangée d'environ 5 longues épines autour de l'extrémité postérieure du long canal siphonal, 1 autre de plus petites en dessous. Labre strié et finement denté, 4 plis columellaires, large bourrelet pariétal. Blanc, crème ou brun clair ombré de brun ; ouverture blanche.

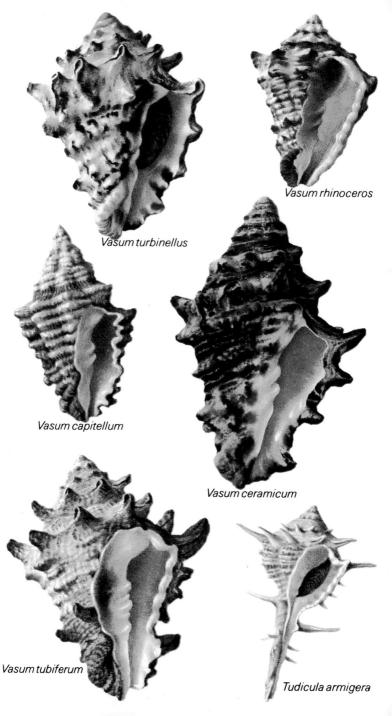

Vasum turbinellus

Vasum rhinoceros

Vasum capitellum

Vasum ceramicum

Vasum tubiferum

Tudicula armigera

Famille des Turbinellidés

Syn. mieux connu : Xancidés. Turbinellidés et Vasidés considérés par certains comme des subdivisions de la même famille. Générale-ment grands et lourds, columelle plissée. Aire d'expansion réduite.

TURBINELLA ANGULATUS *LIGHTFOOT 1786. Chank sacré des Antilles.* D 350 mm. Caraïbes. Solide, très lourd, fusiforme ; spire élevée, environ 7 tours anguleux, suture bien distincte. Cordons longitudinaux bien séparés, érodés au milieu du dernier tour. Sur chaque tour gros tubercules (environ 8 sur le dernier tour) légère-ment pointés vers l'arrière et prolongés vers l'avant par de larges et faibles côtes ; lignes de croissance saillantes de la suture à la périphérie et vers le labre. Ouverture large, labre continu, 3 grands plis sur la columelle concave. Bord pariétal calleux, canal siphonal long et droit ; ombilic ouvert, assez étroit. Blanc, labre et intérieur blancs, columelle et callosité pariétale brun orange clair. Pério-stracum brun, restes visibles sur l'illustration.

TURBINELLA PYRUM *L. 1758.* D 170 mm. Golfe du Bengale, Cey-land. Très lourd ; spire moyenne, environ 6 tours se chevauchant. Dernier tour renflé, aspect martelé, cordons à l'extrémité posté-rieure et sur le canal siphonal court. Labre continu, 4 plis colu-mellaires de taille croissante vers le côté postérieur, callosité parié-tale. Blanc, bord du labre, columelle et callosité pariétale pêche. Epais périostracum. Objet sacré associé au culte de Vishnu et déco-rant les temples hindous et bouddhistes. Souvent ciselé et coupé en bijoux, aussi façonné en trompe. Rares spécimens senestres très précieux et encore vénérés par les Hindous.

TURBINELLA LAEVIGATUS *ANTON 1839* (non illustré). D 120 mm. Brésil. Solide, dernier tour bulbeux ; spire effilée, courte protocon-que. Canal siphonal moyennement allongé, 3 plis columellaires forts. Blanc, épais périostracum brun. Rare même à l'intérieur de sa petite aire d'expansion.

Turbinella angulatus

Turbinella pyrum

Famille des Harpidés

Petite famille comprenant 2 genres et environ 12 espèces, dont à mon avis les plus beaux de tous les coquillages. Courts tubercules épineux, dernier tour renflé, plis ou cordons transversaux, large ouverture, pas d'ombilic ni d'opercule ; pas de plis columellaires ni de périostracum. Carnivores vivant parmi le corail, la plupart dans les océans Indien et Pacifique. Nombreux Harpidés connus par des synonymes.

HARPA MAJOR *RODING 1798.* D 100 mm. Océans Indien et Pacifique de l'Afrique orientale à Hawaii. Spire moyenne à courte, apex tranchant. Quelque 12 côtes de largeur différente sur le dernier tour, petits points à la périphérie ; fines stries entre les côtes, premiers tours calleux, labre continu, grand bord pariétal calleux, forte fasciole. Blanc, bandes brun-rose pâle sur les côtes, festons transversaux de même couleur dans les interstices, avant-dernier tour rose sur fond pourpre sousla périphérie et jaune au-dessus de l'apex rose ; à l'intérieur du labre marques brun-rouge terminant les bandes extérieures plus foncées ; intérieur de l'ouverture brun doré ; bord externe de la columelle et bord pariétal brun chocolat, tache jaune ; zone brun clair sur la moitié antérieure de la columelle. Syn. *Harpa conoidalis* LAMARCK 1843.

HARPA ARTICULARIS *LAMARCK 1822.* D 95 mm. Philippines, Indonésie, jusqu'au nord de l'Australie, Fidji. Spire moyenne, apex aigu. Quelque 14 côtes assez étroites sur le dernier tour aboutissant à de petits points acérés à la périphérie, fines stries transversales, avant-dernier tour calleux sous la périphérie ; labre continu, forte fasciole ; bord pariétal fortement verni. Rose chair à beige, dessins typiques des Harpes entre les côtes bandes brun foncé à noir sur les côtes ; columelle et bord pariétal brun foncé, les côtes transparaissant en brun plus clair ; intérieur du labre blanc, intérieur brun clair.

HARPA AMOURETTA *RODING 1798.* D 50 mm. Pacifique. Plus allongé que les autres Harpes, spire plus élevée. Environ 13 côtes transversales, plus larges vers l'ouverture et formant de petites pointes à la périphérie ; fines stries transversales entre les côtes. Labre continu, bord pariétal peu calleux, fasciole longue et assez étroite. Blanc, côtes brillantes croisées par des lignes jumelées brun foncé séparées par du jaune-brun ou du gris-brun, interstices ternes couverts de nombreux festons transversaux bruns, dessins extérieurs vaguement distincts à travers le labre ; columelle fauve du côté antérieur, tache brune au milieu, une plus petite près de l'extrémité antérieure. Variété plus globuleuses de couleur plus ou moins foncée. *H. a. crassa* KRAUSS 1848 est plus massive et plus anguleuse ; côtes plus fortes, parfois plus nombreuses ; souvent plus clair.

HARPA CRENATA *SWAINSON 1822* (non illustré). D 90 mm. Ouest de l'Amérique tropicale. Assez semblable à *H. doris,* plus renflé, spire plus basse ; épines de la périphérie plus petites, 2 ou parfois 3 rangées supplémentaires d'épines plus ou moins érodées sous la périphérie. Dessins similaires, généralement plus clair, bande centrale brun-pourpre et non orange rougeâtre.

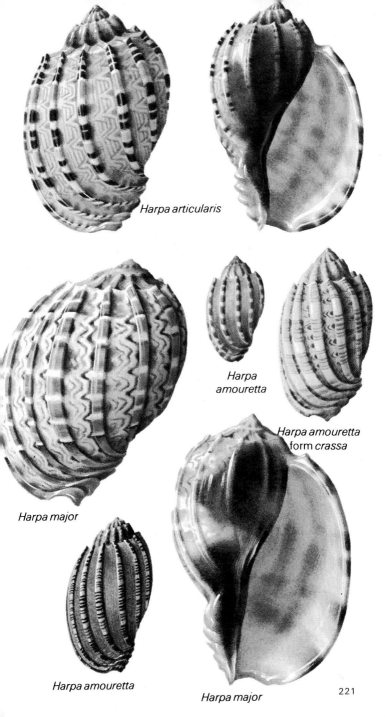

Harpa articularis

Harpa amouretta

Harpa amouretta
form *crassa*

Harpa major

Harpa amouretta

Harpa major

HARPA DAVIDIS *RODING 1798.* D 90 mm. Golfe du Bengale. Léger, spire moyenne ; dernier tour renflé, environ 11 côtes généralement plus grandes vers l'ouverture. Petites épines acérées à la périphérie ; labre lisse, fasciole retorse. Rose-fauve, bandes longitudinales rose plus clair formant des festons et des marques en V, lignes brun-rouge sur les côtes, extrémité postérieure de la columelle et bord pariétal brun foncé.

HARPA KAJIYAMAI *REHDFER 1973.* D 70 mm. Sud des Philippines. Spire moyenne, assez allongé ; 12 à 17 côtes formant des petites épines acérées à la périphérie. Léger renflement sous la périphérie, petites côtes transversales et cordons longitudinaux sur la protoconque, callosité sous-suturale sur l'avant-dernier tour. Concave avec stries transversales entre la suture et la périphérie. Labre denté, dents postérieures érodées ; columelle lisse et légèrement concave, forte fasciole vernie. Rose-fauve, bandes rose-mauve ; festons blancs, roses, mauves et marron ; couleurs plus éclatantes que chez les autres Harpidés ; taches rouges en lignes longitudinales ; lignes brun-rouge par 2 ou par 3 sur les côtes, formant des taches brun foncé à l'intérieur du labre et correspondant généralement avec les dents ; grande tache brun-mauve juste au-dessus de la fasciole. de plus petites aux extrémités.

HARPA DORIS *RODING 1798.* D 75 mm. Ouest de l'Afrique tropicale. Dernier tour assez allongé pour une Harpe ; environ 13 côtes basses, courtes épines à la périphérie, fines stries transversales ; dents labiales, érodées du côté postérieur. Brun-rose à beige assez terne, côtes finement liserées de brun foncé, étroites bandes brunes avec marques blanches aboutissant sur les dents du labre, bande orange rougeâtre plus ou moins distincte sur le dernier tour.

HARPA HARPA *L. 1758.* D 75 mm. D'Afrique orientale à Tonga. Ovale, spire moyenne, périphéries carrées ; 12 côtes transversales, plus grandes vers l'ouverture. Courtes épines acérées à la périphérie, fines stries transversales entre les côtes, courtes dents acérées sur les 2/3 postérieurs du labre, forte fasciole retorse. Fauve-rose, côtes croisées par lignes brun foncé groupées par 2, 3 ou 4 ; entre les côtes festons roses, blancs et brun-rouge, et rangées de marques en V, couleurs et dessins formant des bandes uniquement interrompues par les côtes ; bande de zones brun-rouge à la périphérie, taches brunes sur le labre ; columelle fauve, tache brune centrale, tache plus petite du côté postérieur du bord pariétal, une plus petite encore à la base de la columelle. Syn. *Harpa nobilis* RODING 1798.

HARPA COSTATA *L. 1758.* D 80 mm. Ile Maurice. Spire presque plate, apex pointu ; 30 à 40 côtes transversales rapprochées formant des petites pointes acérées à la périphérie ; large rainure peu profonde près de la suture ; côtes présentant du côté postérieur une courbe parallèle à celle du labre et traversant la fasciole en formant des lamelles. Labre continu, large ouverture ; légère ride columellaire prolongeant celle de la fasciole. Blanc, bandes longitudinales fauve et brun-rose, ouverture blanche ombrée de jaune surtout du côté antérieur ; columelle jaune, grande zone triangulaire centrale brun-rouge foncé ; ligne brune plus claire de la columelle vers l'apex, taches brunes sur le bord pariétal. Syn. *Harpa imperialis* LAMARCK 1822.

Harpa davidis

Harpa kajiyamai

Harpa doris

Harpa harpa

Harpa costata

223

Famille des Mitridés

Quelque 10 genres, nombreuses espèces de grandes et petites Mitres. Fusiformes et allongées, lisses ou couvertes de côtes longitudinales, parfois de côtes transversales ou de réticulations. Ouverture généralement étroite, columelle plissée, encoche siphonale. Sur fonds sableux ou parmi le corail et parmi les algues des zones intertidales peu profondes ; mers tropicales et tempérées du monde entier. Carnivores, nécrophages.

MITRA PAPALIS *L. 1758.* D 125 mm. Océans Indien et Pacifique. Spire élevée ; sillons longitudinaux sauf sur les 2 derniers tours, pourvus d'une suture noduleuse ; environ 5 plis columellaires. Blanc, taches rouge foncé assez carrées en rangées longitudinales, nodules blancs, ouverture crème.

MITRA IMPERIALIS *RODING 1798.* D 65 mm. Océans Indien et Pacifique. Sillons longitudinaux, suture noduleuse ; environ 6 plis columellaires, labre denté. Brun-jaune, zones brun foncé et blanches, ouverture brun orange.

MITRA STICTICA *LINK 1807.* D 75 mm. Océans Indien et Pacifique. Spire élevée, périphéries anguleuses fortement noduleuses ; 2 rangées de ponctuations profondes sur les premiers tours, disparaissant à l'avant-dernier. Dernier tour légèrement étranglé, 3 sillons longitudinaux antérieurs. Bord du labre parallèle à l'axe de la coquille sur l'essentiel de sa longueur, puis brusquement incurvé à 90° vers l'encoche siphonale finement dentée ; environ 4 plis columellaires. Blanc, rangées longitudinales de taches rouges généralement assez carrées, ouverture crème.

MITRA AMBIGUA *SWAINSON 1829.* D 75 mm. Océans Indien et Pacifique. Assez large, étroite suture canaliculée ; sillons longitudinaux, érodés au milieu du dernier tour. Denticulations rugueuses à l'intérieur du labre, environ 5 plis columellaires. Brun-rouge clair, bande sous-suturale crème, ouverture blanche.

MITRA CARDINALIS *GMELIN 1791.* D 75 mm. Océans Indien et Pacifique. Spire élevée, suture continue ; rangées longitudinales de petites ponctuations (25 sur le dernier tour) ; petites denticulations labiales, quelque 5 plis columellaires. Blanc, rangées longitudinales de taches brunes, ouverture blanc crème.

MITRA CORONATA *LAMARCK 1811.* D 30 mm. Pacifique. Spire élevée, suture noduleuse, ornementation réticulée ; labre finement denté, quelque 5 plis columellaires. Brun foncé, nodules et unique côte longitudinale sous-suturale crème, ouverture blanche.

NEOCANCILLA PAPILIO *LINK 1807.* D 60 mm. Océans Indien et Pacifique. Côtes longitudinales légèrement élevées du côté postérieur, séparées par 2 ou 3 plus petites ; sillons transversaux croisant les côtes, donnant un aspect squameux. Environ 5 plis columellaires, labre finement denté. Blanc crème, quelques taches brun-pourpre et brun-rouge se concentrant en 2 zones pour former des bandes longitudinales brun-rouge, ouverture fauve crème.

MITRA CORNICULA A.R.
— EBENUS A.R.

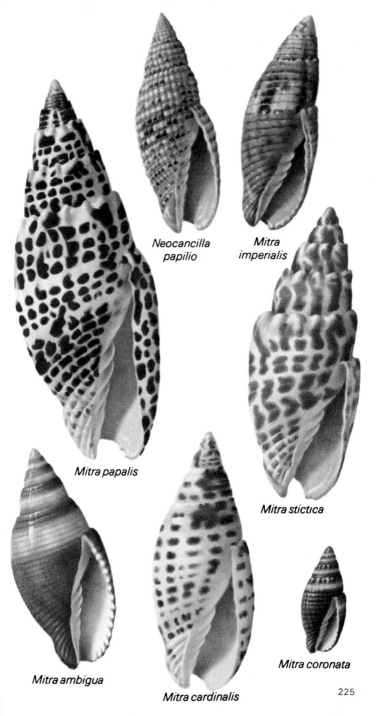

Neocancilla
papilio

Mitra
imperialis

Mitra papalis

Mitra stictica

Mitra ambigua

Mitra cardinalis

Mitra coronata

225

MITRA FRAGA *QUOY et GAIMARD 1833.* D 30 mm. Océans Indien et Pacifique. Fusiforme, côtes longitudinales séparées par des rainures peu profondes couvertes de rides transversales ; sillons longitudinaux près du labre découpant les côtes en nodules. Intérieur du labre denté, environ 5 plis columellaires, canal siphonal court et ouvert. Vineux, taches orangées sur les côtes et les nodules, ouverture brun clair.

MITRA LUGUBRIS *SWAISON 1821.* D 40 mm. Océans Indien et Pacifique. Fusiforme, spire élevée, côtes longitudinales, sillons transversaux ; nodules érodés à la suture et à la périphérie. Labre finement denté, légèrement évasé du côté antérieur ; environ 5 plis columellaires. Brun-rouge, bande blanche de la suture à la périphérie, spire blanche avec un peu de brun au-dessus de la suture, ouverture blanche, côté postérieur de la columelle brun, côté antérieur blanc y compris les plis.

MITRA MITRA *L. 1758.* D 140 mm. Océans Indien et Pacifique. La plus grande des Mitres. Spire élevée, tours imbriqués ; fines lignes longitudinales grenues, érodées sur les 2 derniers tours. Courtes épines acérées sur le côté antérieur du labre, environ 4 plis columellaires ; fin bourrelet columellaire au-dessus de la zone fasciolaire. Blanc, rangées longitudinales de taches rouges généralement rectangulaires de tailles différentes, plus grandes et déformées sous la suture ; ouverture jaune crème.

MITRA EREMITARUM *RODING 1798.* D 85 mm. Malaisie, Philippines, Pacifique. Spire élevée, tours imbriqués, bord sutural rugueux; sillons longitudinaux, grenus sur la protoconque ; stries transversales Labre denté, environ 5 plis ; canal siphonal court, légèrement retors. Jaune crème clair, stries transversales irrégulières brun clair et foncé.

VEXILLUM LUBENS *REEVE 1845.* D 110 mm. Océans Indien et Pacifique. Effilé, spire très élevée, suture finement noduleuse, tours imbriqués. Petites côtes transversales érodées, sillons longitudinaux grenus. Labre finement denté, parfois incurvé ; environ 5 plis columellaires ; canal siphonal court, assez droit, légèrement incurvé. Crème ou orange crème, stries transversales brun foncé, bande pâle sur le bas du dernier tour, ouverture beige crème.

MITRA PUNCTICULATA *LAMARCK 1811.* D 50 mm. Océans Indien et Pacifique. Tronqué, spire moyenne, petits nodules sur la suture, petites côtes transversales traversées par des sillons longitudinaux profondément grenus. Labre finement denté, environ 4 plis columellaires ; canal siphonal court, un peu retors. Blanc, large bande brun orange clair striée transversalement de brun foncé sous la suture et du côté antérieur, cordon brun-rouge au milieu de la bande blanche centrale, ouverture crème.

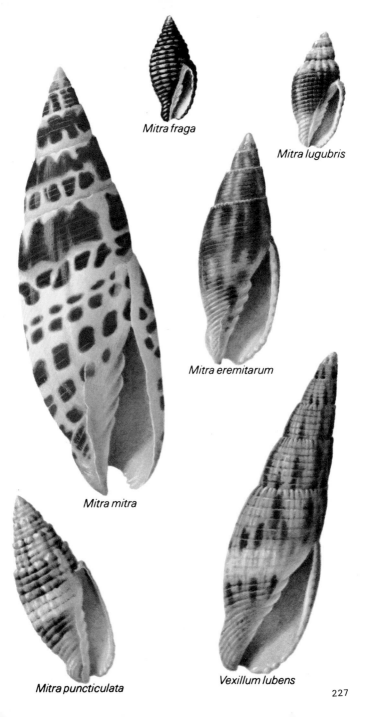

Mitra fraga

Mitra lugubris

Mitra eremitarum

Mitra mitra

Mitra puncticulata

Vexillum lubens

227

MITRA CHRYSOSTOMA *BRODERIP 1836.* D 50 mm. Océans Indien et Pacifique. Assez large, spire moyenne à haute. Suture rugueuse, petites côtes transversales et sillons longitudinaux sur les premiers tours, centre du dernier tour presque lisse, sillons plus forts du côté antérieur. Labre épaissi, environ 5 plis columellaires. Blanc, large bande brune interrompue sous la suture et du côté antérieur, quelques taches brunes sur la bande centrale blanche, stries transversales sur la spire, ouverture blanc sale.

MITRA ISABELLA *SWAISON 1831.* D 100 mm. Japon. Effilé, spire élevée, côtes longitudinales croisées par des cordons transversaux, ouverture étroite ; labre finement denté, environ 5 plis columellaires. Canal siphonal long et incurvé, fasciole assez forte. Blanc ombré et strié de jaune-brun pâle, ouverture rose crème.

MITRA FLORIDULA *SOWERBY 1874.* D 50 mm. Sud des océans Indien et Pacifique. Spire moyennement élevée, tours imbriqués, suture noduleuse ; fins sillons longitudinaux grenus, érodés au milieu du dernier tour. Labre finement denté, environ 6 plis columellaires. Rouge ou brun orange, bande sous-suturale de taches blanches, quelques ponctuations blanches au milieu du dernier tour, taches et ponctuations blanches du côté antérieur, ouverture blanche.

MITRA NUBILA *GMELIN 1791.* D 70 mm. Pacifique. Solide, spire moyennement haute et légèrement concave, tours quelque peu renflés, sillons longitudinaux grenus. Labre denté, environ 5 plis columellaires. Blanc, zones brun-rouge en 2 bandes peu distinctes, zones plus claires, petites taches blanches partiellement bordées de brun foncé, ouverture et apex blancs.

MITRA CUCUMERINA *LAMARCK 1811.* D 25 mm. Océans Indien et Pacifique. Tronqué, spire moyenne, côtes longitudinales séparées par des rainures, larges côtes transversales érodées. Labre denté, environ 4 plis columellaires. Rouge, large bande centrale blanche, mouchetures blanches ailleurs ; ouverture blanche.

STRIGATELLA PAUPERCULA *L. 1758.* D 30 mm. Océans Indien et Pacifique. Arrondi, spire courte, périphérie du dernier tour renflée ; semblable à un Colombellidé. Lisse sauf du côté antérieur couvert de fins cordons longitudinaux. Labre légèrement concave à l'extrémité postérieure, environ 5 plis columellaires. Brun chocolat à noir ; stries transversales ondulées, labre et plis blancs ; intérieur brun.

STRIGATELLA LITTERATA *LAMARCK 1811.* D 30 mm. Océans Indien et Pacifique. Test gros et court, spire basse, lignes longitudinales grenues ; labre épaissi, 1 grosse dent postérieure, environ 5 plis columellaires. Blanc crème, stries et taches transversales ondulées brunes généralement en 3 rangées longitudinales, ouverture bleu-blanc.

STRIGATELLA SCUTULATA *GMELIN 1791.* D 50 mm. Océans Indien et Pacifique. Spire moyennement haute ; cordons longitudinaux, érodés sur le dernier tour ; fines stries transversales. Labre sinueux, environ 4 plis columellaires. Brun-noir, étroite bande sous-suturale jaune, taches blanches, courtes stries transversales, ouverture bleu-blanc.

Mitra chrysostoma

Mitra isabella

Mitra floridula

Mitra nubila

Mitra cucumerina

Strigatella paupercula

Strigatella litterata

Strigatella scutulata

SWAINSONIA VARIEGATA *GMELIN 1791.* Pacifique. D 45 mm. Solide, spire élevée, côtes transversales entre la périphérie et la suture ; lignes longitudinales grenues (14 sur le dernier tour). Labre denté, environ 6 plis columellaires. Gris crème, taches blanches bordées du côté de l'ouverture par des stries ondulées brun foncé, 2 bandes brun clair et foncé peu distinctes, ouverture crème.

NEOCANCILLA GRANATINA *LAMARCK 1811.* D 65 mm. Océans Indien et Pacifique. Spire élevée, même ornementation que chez *N. papilio* (voir p.   ), 5 plis columellaires. Blanc brillant taché de rose et d'orange, surtout en 2 bandes dont 1 centrale et 1 à l'extrémité antérieure du dernier tour ; ouverture crème à beige clair.

NEOCANCILLA ANTONIAE *H. ADAMS 1870.* D 40 mm. Océans Indien et Pacifique. Légèrement renflé, côtes longitudinales noduleuses, cordons et lignes transversales. Labre denté à l'intérieur, environ 5 plis columellaires. Blanc taché de brun-rouge sur les nodules, ouverture blanc rosé.

CANCILLA FILARIS *L. 1771.* D 30 mm. Océans Indien et Pacifique. Fusiforme, spire élevée, labre finement denté, environ 4 plis columellaires. Surface légèrement réticulée ; cordons longitudinaux traversés par des stries verticales, intervalle plus grand entre la suture et le premier cordon qu'entre les autres cordons. Blanc, cordons longitudinaux rouges transparaissant légèrement au bord, ouverture blanche.

CANCILLA PRAESTANTISSIMA *RODING 1798.* D 40 mm. Océans Indien et Pacifique. Spire très haute, ornementation semblable à celle de *C. filaris,* plus fine ; même intervalle entre la suture et le premier cordon qu'entre les autres cordons Coloration semblable.

IMBRICARIA CONULARIS *LAMARCK 1811.* D 25 mm. Océans Indien et Pacifique. Semblable à un Conidé, quelque 5 plis columellaires. Spire moyenne, apex pointu, parfois lignes longitudinales finement grenues. Labre irrégulier plutôt que denté. Blanc opaque, taches blanches carrées, lignes longitudinales brun-rouge, bande centrale pourpre également couverte de taches blanches, labre blanc, intérieur brun-pourpre, columelle opaque et blanc crayeux, apex brun-pourpre.

IMBRICARIA OLIVAEFORMIS *SWAINSON 1821* D 20 mm. Pacifique Forme d'olive. Spire basse arrondie, apex pointu ; lisse ou couvert, lignes longitudinales grenues érodées. Labre lisse, environ 5 plis columellaires. Jaune-vert, apex et sommet de la columelle pourpres.

IMBRICARIA PUNCTATA *SWAINSON 1821* D 20 mm. Sud des océans Indien et Pacifique. Spire basse et presque plate, apex pointu. Périphérie arrondie, étroite près de la suture ; lignes longitudinales granuleuses. Petites dents fines sur le labre, environ 6 plis columellaires. Jaune orange pâle, plus pâle sur la spire et vers le labre, ouverture blanc crème pâle.

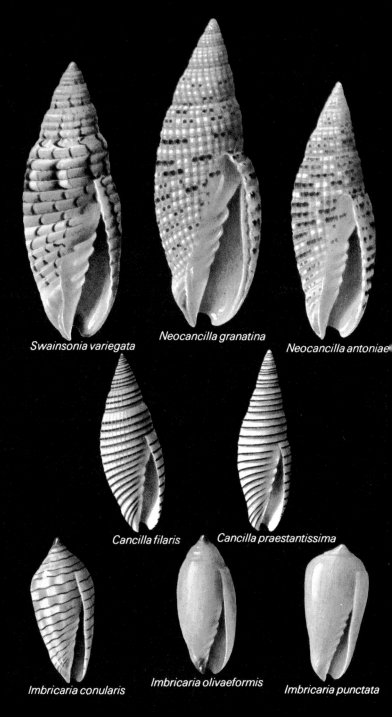

Swainsonia variegata

Neocancilla granatina

Neocancilla antoniae

Cancilla filaris

Cancilla praestantissima

Imbricaria conularis

Imbricaria olivaeformis

Imbricaria punctata

PTERYGIA DACTYLUS *L. 1767.* D 50 mm. Océans Indien et Pacifique. Lourd et solide, spire courte, tours imbriqués ; périphéries arrondies et renflées. Lignes longitudinales et labre en biseau ; environ 7 plis forts sur la columelle, petite fasciole. Blanc, zones brunes portant 3 ou 4 bandes, ouverture blanche, quelques marques brunes sur la columelle.

PTERYGIA CRENULATA *GMELIN 1791.* D 40 mm. Océans Indien et Pacifique. Solide, courte spire, test plus étroit que chez le précédent. Etroit bourrelet sutural, périphérie arrondie, fines réticulations. Labre légèrement denté à l'intérieur, environ 8 plis columellaires Blanc taché de brun clair, intérieur blanc

PTERYGIA NUCEA *GMELIN 1971.* D 60 mm. Océans Indien et Pacifique. Solide et lourd, spire moyenne, tours imbriqués. Fines stries transversales, légers sillons longitudinaux ; labre légèrement noduleux, environ 5 plis columellaires ; fasciole petite et forte. Blanc, 3 rangées longitudinales de taches irrégulières brun foncé, 6 à 8 rangées de petites ponctuations brun clair ; nodules labiaux brun clair, ouverture blanche.

VEXILLUM TAENIATUM *LAMARCK 1811.* D 75 mm. Océans Indien et Pacifique. Test étroit et fusiforme, spire haute, périphéries fortement arrondies sous la suture. Côtes transversales (environ 10 sur le dernier tour), cordons longitudinaux rugueux assez faibles au milieu du dernier tour. Intérieur du labre ridé, environ 5 plis columellaires ; canal siphonal allongé, ouvert, incurvé. Blanc, 3 bandes orange rougeâtre (sous la suture, au milieu du dernier tour et du côté antérieur) bordés de fortes lignes noires ; avec ou sans étroite ligne rouge sur la zone postérieure blanche, bandes visibles sur le labre, ouverture crème.

VEXILLUM FORMOSENSE *SOWERBY 1890.* D 55 mm. Pacifique Ouest. Test étroit et fusiforme, spire haute, suture légèrement étranglée. Petites côtes transversales (environ 20 sur le dernier tour) érodées sur la dernière moitié du dernier tour. Cordons longitudinaux sur toute la surface, assez faibles au milieu du dernier tour. Labre ridé à l'intérieur, environ 5 plis columellaires ; canal siphonal ouvert, allongé, incurvé ; petite fasciole. Brun très foncé, étroite bande longitudinale blanche parfois couverte d'un cordon rouge, intérieur du labre bordé de brun-pourpre foncé, columelle brune, plis columellaires crème, intérieur violet.

VEXILLUM CAFFRUM *L. 1758.* D 50 mm. Océans Indien et Pacifique Fusiforme, plus large et plus lourd que les 2 précédents. Spire haute, tours imbriqués ; petits cordons transversaux érodés au milieu du dernier tour. Labre ridé et légèrement concave, environ 4 plis columellaires, canal siphonal ouvert et légèrement incurvé. Brun chocolat, 2 étroites bandes longitudinales blanc-jaune, intérieur du labre bordé de brun foncé, columelle brune, plis columellaires crème, intérieur crème.

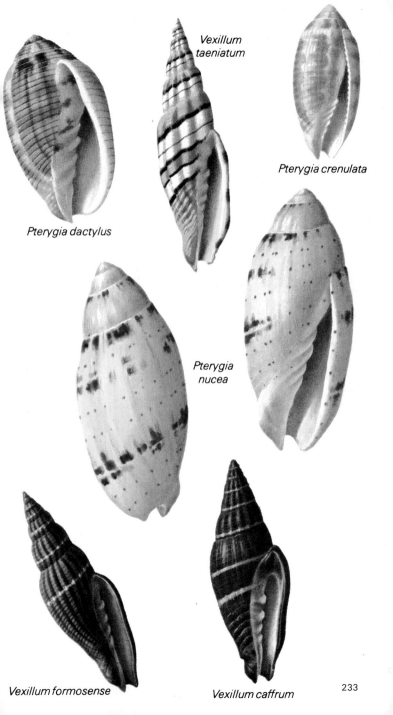

Vexillum taeniatum

Pterygia crenulata

Pterygia dactylus

Pterygia nucea

Vexillum formosense

Vexillum caffrum

233

VEXILLUM SANGUISUGUM *L. 1758.* D 42 mm. Océans Indien et Pacifique. Fusiforme, spire élevée, environ 6 tours. Petites côtes transversales découpées en nodules par de fins sillons longitudinaux. Labre légèrement concave, ouverture étroite, quelque 4 plis columellaires. Blanc, rangées longitudinales de nodules blanc brillant divisés en 3 groupes de 5 par 2 rangées de nodules rouges, sillons longitudinaux pourpres, ouverture bordée de brun-pourpre.

VEXILLUM MELONGENA *LAMARCK 1811.* D 50 mm. De Singapour aux Fidji. Test étroit et fusiforme, spire élevée, environ 8 tours. Fortes côtes transversales, faibles côtes longitudinales ne traversant pas les premières. Ouverture étroite, labre ridé, 4 plis columellaires, canal siphonal allongé. Gris, large bande blanche à la périphérie bordée de pourpre et avec un cordon rouge au milieu.

VEXILLUM STAINFORTHI *REEVE 1841.* D 50 mm. Pacifique Ouest, mer de Chine. Test étroit et fusiforme, spire haute, environ 8 tours. Tours imbriqués, côtes transversales très espacées (une dizaine sur le dernier tour), fines stries longitudinales traversant les côtes. Labre légèrement concave, environ 4 plis columellaires, petite fasciole, canal siphonal allongé et un peu incurvé. Crème, 5 bandes écarlates visibles uniquement sur les côtes transversales, intérieur et extérieur du labre marqués de brun-pourpre aux extrémités des bandes, columelle brune du côté antérieur, reste de l'ouverture blanc, apex et extrémité du canal siphonal brun-pourpre.

VEXILLUM EXASPERATUM *GMELIN 1791.* D 25 mm. Océans Indien et Pacifique. Haute spire, quelque 7 tours, dernier tour bianguleux ; aspect réticulé, côtes transversales finement noduleuses saillant à la périphérie. Stries noduleuses sur le labre, 4 plis columellaires, petite fasciole. Blanc, large bande brune entre les deux périphéries ainsi qu'entre la périphérie antérieure et la fasciole, les 2 visibles uniquement sur les côtes transversales, ouverture blanche.

VEXILLUM PLICARIUM *L. 1758.* D 50 mm. Est de l'océan Indien, sud-ouest du Pacifique. Fusiforme, spire élevée, environ 8 tours imbriqués. Concave entre la suture et la périphérie tranchante ; fines stries transversales, cordons longitudinaux antérieurs. Fortes côtes transversales (environ 10 sur le dernier tour) aboutissant à des tubercules à la périphérie ; environ 4 plis columellaires. Blanc, large bande centrale bleu-gris ou brune bordée entre les côtes par des lignes brun-rouge ou noires et par une ligne semblable sous la périphérie et du côté antérieur ; bandes visibles à l'intérieur du labre, columelle blanche, apex pourpre.

VEXILLUM VULPECULA *L. 1758.* D 55 mm. Pacifique. Solide et fusiforme, spire élevée, quelque 7 tours, étroite suture canaliculée. Côtes transversales rugueuses, érodées près de l'ouverture ; fins sillons longitudinaux, fins cordons longitudinaux antérieurs ; côtes particulièrement fortes à la périphérie. Labre légèrement concave et ridé à l'intérieur, environ 4 plis columellaires. Variable : crème, jaune ou orange ; 3 bandes noires ou brun-rouge (à la suture, au milieu et antérieurement), canal siphonal et fasciole de même couleur, bande colorée visible sur le labre, intérieur blanc.

PUSIA MICROZONIAS *LAMARCK 1811.* D 25 mm. De l'Indonésie à la Polynésie. Fusiforme, quelque 6 tours ; côtes transversales arrondies remplacées par de fins cordons longitudinaux noduleux du côté antérieur. Intérieur du labre ridé, environ 4 plis columellaires. Brun-rouge foncé, sur les côtes rangée de taches blanches unies par une ligne blanche au milieu du dernier tour, ligne longitudinale pâle sous les côtes, ouverture et columelle blanches avec du brun visible à travers le labre.

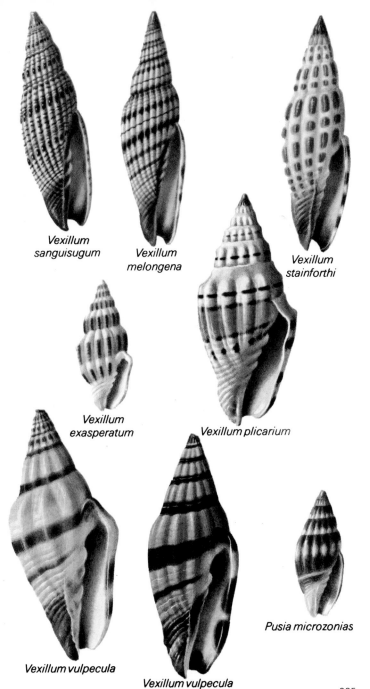

Vexillum sanguisugum

Vexillum melongena

Vexillum stainforthi

Vexillum exasperatum

Vexillum plicarium

Vexillum vulpecula

Vexillum vulpecula

Pusia microzonias

Famille des Volutidés

Quelque 200 espèces de toutes tailles. Ornementation assez simple, couleurs vives. Carnivores pour la plupart ; fonds sableux en eau profonde ou peu profonde. Eaux du monde entier, surtout en Australie.

ERICUSA SERICATA *THORNLEY 1951.* D 125 mm. Est de l'Australie. Test solide, assez étroit ; spire moyenne, grande protoconque arrondie formant l'apex. Nucleus excentré de 2 1/2 puis de 3 1/2. Labre légèrement épaissi, évasé du côté antérieur ; columelle quelque peu prolongée du côté postérieur et légèrement incurvée, 4 plis ; encoche siphonale large, peu profonde. Crème beige fortement maculé de dessins brun orange, courtes stries transversales brun orange sous la suture, ouverture gris crème.

LIVONIA MAMMILLA *SOWERBY 1844.* D 300 mm. Du Queensland au sud de l'Australie, nord de la Tasmanie. Grand et ovale, spire courte ; grande protoconque semi-globulaire de 1 tour, 3 autres tours convexes. Dernier tour très renflé, large ouverture ; labre continu prolongé postérieurement presque jusqu'à la suture de l'avant-dernier tour. Columelle incurvée, 3 plis ; large encoche siphonale peu profonde. Faible fasciole, bord pariétal étroit et calleux. Crème ou jaune crème pâle, 2 larges bandes à réticulations brun-rouge ; intérieur du labre, extrémité postérieure du labre et columelle abricot ; intérieur chair.

FULGORARIA MENTIENS *FULTON 1940.* D 152 mm. Sud du Japon. Fusiforme ; protoconque moyenne de 2 tours, nucléus excentré, 5 autres tours. Environ 16 côtes transversales sur l'avant-dernier tour, érodées sur le dernier ; stries longitudinales fortes sur les premiers tours, érodées sur le dernier. Labre continu légèrement incurvé ; columelle prolongée, 4 plis dont le plus fort, du côté antérieur, est séparé du second par un large renfoncement. Encoche siphonale très peu profonde. Chair pâle, 3 bandes longitudinales de lignes ondulées brun-rouge foncé généralement transversales, dont 2 visibles sur les premiers tours ; bord du labre blanc, intérieur rose chair.

FULGORARIA RUPESTRIS *GMELIN 1791.* D 130 mm. Taïwan. Fusiforme et solide, spire moyenne ; grande protoconque d'environ 2 tours, nucléus excentrés, puis 3 1/2 tours. Quelque 14 côtes transversales sur l'avant-dernier tour, érodées sur le dernier. Périphéries assez anguleuses, fortes lignes longitudinales creuses. Labre en biseau légèrement épaissi, crénelé antérieurement. Columelle prolongée convexe au centre, côte pourvue de 9 plis. Pas d'encoche siphonale. Blanc crème à beige crème très pâle, lignes transversales ondulées brunes, ouverture blanche, intérieur teinté de brun pâle.

FULGORARIA DELICATA *FULTON 1940.* D 55 mm. Sud-est du Japon. Test petit, étroit et fusiforme, spire relativement haute ; petite protoconque d'environ 2 tours, nucléus excentré, 4 autres tours. Une quinzaine de côtes transversales sur l'avant-dernier tour, érodées sur le dernier. Suture étranglée, stries longitudinales très fines, labre continu, quelque 2 plis columellaires, pas d'encoche siphonale. Blanc crème.

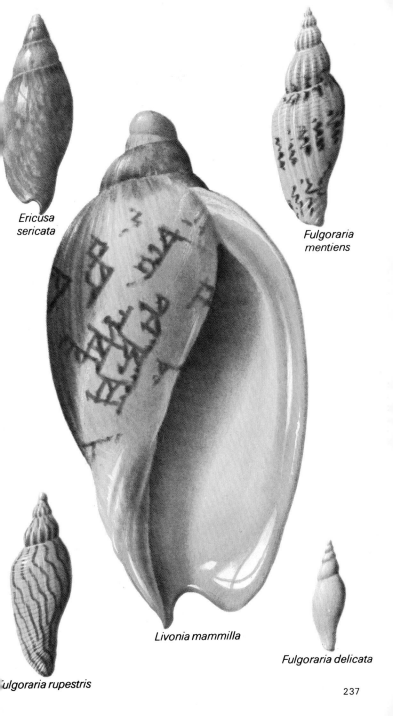

Ericusa
sericata

Fulgoraria
mentiens

Livonia mammilla

Fulgoraria delicata

Fulgoraria rupestris

237

VOLUTA EBRAEA *L. 1758.* D 150 mm. Nord du Brésil. Protoconque arrondie ; périphéries anguleuses, petits tubercules épineux; labre épaissi, fortement incurvé. Columelle incurvée, 5 gros plis, très petits plis postérieurs. Bord pariétal étroit et calleux, encoche siphonale étroite et profonde. Crème ou beige, fines lignes transversales et longitudinales brun-rouge concentrées en 2 bandes, légères marques pourpres sur les bandes et la forte fasciole, 12 taches brun-pourpre sur le labre, longue ouverture et columelle pêche pâle.

VOLUTA MUSICA *L. 1758.* D 90 mm. Nord-est de l'Amérique du Sud, est des Caraïbes. Grosse protoconque, côtes larges et basses érodées antérieurement et terminées par de forts tubercules aux périphéries. Suture inégale ; longue ouverture, plus large du côté antérieur ; labre épaissi, incurvé ; columelle droite incurvée antérieurement, 5 plis antérieurs forts, fortes rides postérieures. Bord pariétal plus large sur une partie de la forte fasciole, encoche siphonale profonde et étroite. Crème ou ivoire, marques longitudinales brun-rouge concentrées en 2 bandes, ouverture crème. Variable, tubercules plus ou moins forts, marques.

LYRIA MITRAEFORMIS *LAMARCK 1811.* D 55 mm. Sud de l'Australie. Petite protoconque renflée, suture dentelée ; côtes transversales (16 sur le dernier tour). Ouverture large du côté antérieur ; columelle concave, 3 plis, dent postérieure, rides. Encoche siphonale étroite et peu profonde, petite fasciole en partie calleuse. Crème fortement taché de gris-brun, lignes brun-rouge sur le labre.

LYRIA LYRAEFORMIS *SWAINSON 1821.* D 145 mm. Kenya. Protoconque bulbeuse ; sorte d'éperon à l'apex, convexe, suture étranglée, puis légèrement concave ; côtes transversales (18 sur le dernier tour). Courte ouverture plus large du côté antérieur, labre épaissi en biseau, 3 plis columellaires antérieurs, rides centrales, bord pariétal et une partie de la petite fasciole forte calleux, petite encoche siphonale. Beige crème, 3 bandes longitudinales de lignes brun-rouge bordées de brun foncé, fines lignes brun-rouge.

LYRIA DELESSERTIANA *PETIT DE LA SAUSSAYE 1842.* D 55 mm. Madagascar, Comores, Seychelles. Petite protoconque arrondie, côtes tranversales rapprochées (20 sur le dernier tour). Suture étranglée et dentelée, ouverture longue et étroite ; labre épaissi, 3 côtes. Columelle concave, petits plis couvrant presque le bord pariétal étroit ; encoche siphonale étroite et profonde, faible fasciole. Blanc rosé, zones rouge orange, 12 fines lignes longitudinales rouges interrompues, ouverture blanche.

LYRIA CUMINGII *BRODERIP 1832.* D 35 mm. Ouest de l'Amérique centrale. Petite protoconque arrondie, périphérie basse, 10 côtes érodées antérieurement et terminées par des tubercules sur le dernier tour. Suture inégale, ouverture étroite ; labre épaissi, côte transversale, bord en biseau, petite dent intérieure. Columelle concave, 3 plis antérieurs, 3 ou 4 postérieurs plus faibles ; bord pariétal étroit, encoche siphonale étroite et profonde. Crème, taches brunes surtout concentrées en 2 bandes longitudinales.

VOLUTOCORBIS ABYSSICOLA *H. ADAMS et REEVE 1848., Volute abyssale.* D 100 mm. Afrique du Sud. Suture canaliculée peu profonde, fins sillons. Labre épaissi, légèrement incurvé ; plis columellaires blancs, plus forts du côté antérieur ; bord pariétal large et calleux, encoche siphonale large et peu profonde, fasciole érodée. Brun pâle, longue ouverture étroite gris-brun.

VOLUTOCORBIS BOSWELLAE *REHDER 1969.* D 60 mm. Afrique

Lyria mitraeformis

Volutocorbis abyssicola

Volutocorbis boswellae

Voluta musica

Voluta ebraea

Lyria delessertiana

Lyria cumingii

Lyria lyraeformis

du Sud. Spire arrondie, fortes périphéries, suture canaliculée ; côtes transversales rapprochées. Dépression peu profonde sous la suture formant 2 rangées de nodules acérés. Ouverture étroite ; labre épaissi et légèrement denticulé, 10 plis columellaires plus forts du côté antérieur ; encoche siphonale large, peu profonde. Jaune-beige pâle, ouverture plus pâle.

CYMBIUM PEPO   *LIGHTFOOT 1786.*   D 270 mm. Nord-ouest de l'Afrique. Test généralement plus grand et globuleux que sur l'illustration ; spire concave, derniers tours au niveau de l'apex calleux, large cannelure entre l'apex et le bord de la périphérie, fines stries transversales. Large ouverture, labre continu et évasé. Columelle courbée, 3 ou 4 plis ; large bord pariétal calleux, large encoche siphonale profonde, large fasciole striée. Gris-brun, ouverture rose crème, bord du labre et columelle plus foncés, plis blancs.

CYMBIUM OLLA   *L. 1758.*   D 115 mm. Du Portugal au Maroc. La plus petite espèce du genre ; spire très basse, suture profondément canaliculée, périphérie arrondie. Large labre ; columelle courbée, 2 plis. Large encoche siphonale très peu profonde, large fasciole striée, fines lignes de croissance tranversales, bord pariétal verni et peu large. Rose chair, ouverture plus claire et brillante, fasciole rouge-beige clair.

CYMBIUM CYMBIUM   *L. 1758.*   D 155 mm. Des Canaries au Sénégal. Assez oblong ; spire plate ou légèrement concave ; épaisse callosité sur l'apex ; large plateforme entre la suture et la périphérie tranchante, petite côteirrégulière. Labre en biseau ; columelle incurvée, 3 plis ; large encoche siphonale profonde, large fasciole striée. Lisse, couverte d'un verni englobant des grains de sable ou d'autres particules, aspect pustuleux en certains endroits. Brun clair, ouverture et columelle brun crème.

CYMBIUM GLANS   *GMELIN 1791.*   D 325 mm. Du Sénégal au golfe de Guinée. Espèce la plus grande et la plus gracile du genre. Spire enfoncée et calleuse, protoconque semblable à un tubercule bas ; périphérie anguleuse incurvée vers le haut et l'extérieur. Labre continu et évasé ; columelle incurvée, 4 plis ; large fasciole, englobant souvent de nombreux grains de sable. Beige crème clair, bordé de brun à la périphérie, rayé sur la spire.

large encoche siphonale assez peu profonde. Couverte d'un verni

CYMBIUM CUCUMIS   *RODING 1798.*   D 160 mm. Sénégal. Très semblable à *C. cymbium,* espace plus étroit entre la périphérie et la protoconque beaucoup plus prononcée. Labre continu et évasé, 3 plis columellaires, profonde encoche siphonale. Beige crème clair, intérieur plus foncé. Placés avec l'ouverture dirigée vers soi et l'extrémité antérieure vers le bas, la plupart des Gastéropodes ont l'ouverture à droite et sont appelés coquillages dextres. Quelques genres sont senestres, c'est-à-dire qu'ilsont l'ouverture à gauche. Rares sont les spécimens senestres d'une espèce normalement dextre. Pour illustrer l'espèce et donner un exemple de cette anomalie, l'auteur présente sur l'illustration un *C. cucumis* de sa collection.

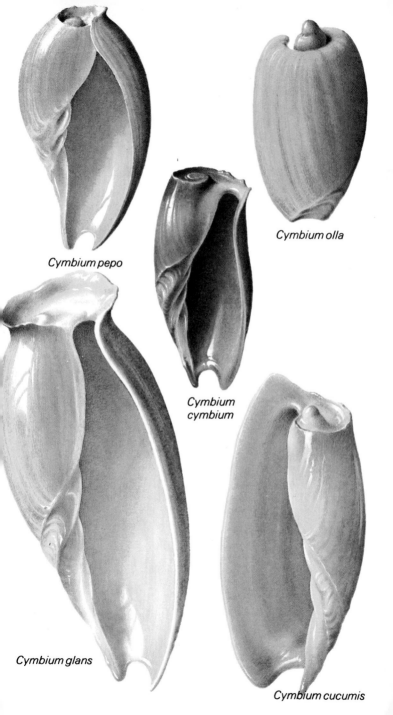

Cymbium pepo

Cymbium olla

*Cymbium
cymbium*

Cymbium glans

Cymbium cucumis

MELO MILTONIS *GRIFFITH et PIDGEON 1834.* D 450 mm. Sud-ouest et sud de l'Australie. Assez étroit pour le genre ; protocon-que arrondie d'environ 3 tours, 2 1/2 autres tours. A la périphérie tubercules épineux acérés et creux dirigés vers l'intérieur, pro-fonde cannelure entre la suture et la périphérie. Labre continu et évasé ; columelle courbe, 3 plis forts, parfois un quatrième plus faible, base incurvée vers l'avant ; forte fasciole, canal siphonal large et peu profond. Blanc crème, zigzags transversaux brun-pour-pre, 2 ou 3 bandes longitudinales, intérieur du labre taché de pour-pre, intérieur brun crème à crème, columelle abricot.

MELO UMBILICATUS *SOWERBY 1826.* D 400 mm. Nord-est et nord de l'Australie. Test très renflé, labre largement évasé ; spire enfoncée, grande protoconque arrondie d'environ 3 tours, 2 autres tours. A la périphérie longs tubercules épineux acérés et creux inclinés vers l'avant et cachant presque la spire à l'âge adulte. Labre continu ; columelle courbe, 3 plis forts ; forte fasciole, en-coche siphonale large et peu profonde. Crème ou brun-jaune, zig-zags transversaux brun foncé, stries concentrées principalement en 1 bande longitudinale étroite et foncée près de la columelle et 1 large et clairsemée près du labre, intérieur beige crème, colu-melle abricot clair. Spécimen illustré pas tout à fait adulte, apex partiellement caché.

MELO AETHIOPICA *L. 1758.* D 250 mm. Indonésie, Malaisie. Grand lourd ; spire presque plate, grande protoconque arrondie d'environ 4 tours, 2 1/2 autres tours. Dernier tour assez renflé ; étroite zone plate, lamellée sous la suture ; courtes épines rapprochées, ouver-tes et solides à la périphérie. Labre presque semi-circulaire, 3 plis forts et 1 plus faible sur la columelle plus droite que chez la plupart des autres espèces du genre et prolongée au-delà de l'ex-trémité antérieure du labre. Large encoche siphonale peu pro-fonde, forte fasciole striée. Crème, 2 légères bandes longitudinales beige clair, parfois 1 petite strie brun foncée, ouverture crème ou pêche, columelle un peu plus sombre.

MELO AMPHORA *LIGHTFOOT 1786.* D 450 mm. Moitié nord de l'Australie, sud de la Nouvelle-Guinée. Très grand et lourd, spire presque plate, protoconque basse et arrondie d'environ 4 tours, 3 autres tours. Epines de la périphérie plus étroites, plus longues et plus espacées que chez *M. aethiopica,* disparaissant sur le der-nier tour des adultes. Labre évasé ; columelle courbe, 3 plis ; en-coche siphonale large et peu profonde, forte fasciole. Brun crème taché de blanc ou couvert de zigzags transversaux plus foncés ; variable, souvent 2 bandes longitudinales beige foncé, ouverture pêche, columelle plus foncée. Mince périostracum brun cachant couleurs et dessins, comme illustré.

MELO MELO *LIGHTFOOT 1786.* D 275 mm. Du détroit de Ma-lacca à la mer de Chine du sud. Globuleux, spire et protoconque cachées derrière le dernier tour renflé, labre continu presque semi-circulaire ; columelle courbe, 4 plis. Jaune, parfois presque blanc, 2 bandes longitudinales de petites maculations brunes, ouverture crème, périostracum brun.

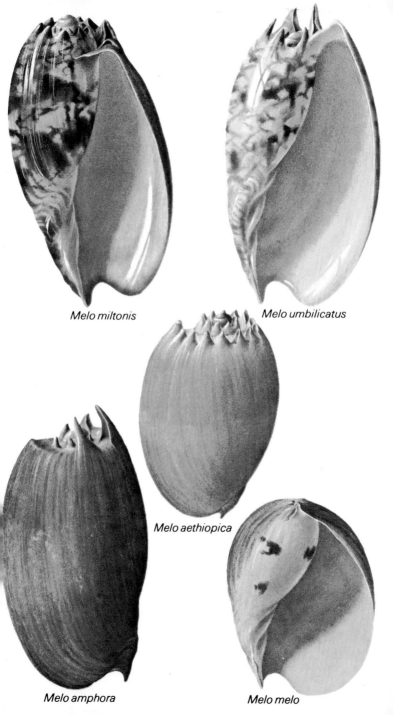

Melo miltonis

Melo umbilicatus

Melo aethiopica

Melo amphora

Melo melo

CYMBIOLA AULICA *GRAY 1847.* D 150 mm. Sud des Philippines. Solide, spire asez courte ; grande protoconque de quelque 2 1/2 tours lisses, environ 3 autres tours aux périphéries légèrement anguleuses ; côtes terminées par de courtes épines invisibles antérieurement. Lignes de croissance assez rugueuses, longue ouverture se terminant à la périphérie, labre continu en biseau et prolongé antérieurement ; columelle légèrement concave, 4 plis forts, callosité épaisse ; large indentation siphonale moyennement profonde, fasciole calleuse. Rose chair, taches rouges irrégulières généralement assez grandes et concentrées en 2 larges bandes. longitudinales, ouverture rose chair. Formes et couleurs variables ; côtes terminées par des épines, des tubercules ou rien ; rouge cachant parfois le fond. Pièce de collection assez rare. Variété marbrée de brun et de blanc connue auparavant sous le nom de *Cymbiola cathcartiae* REEVE 1856.

CYMBIOLA FLAVICANS *GMELIN 1791.* D 100 mm. Nord-est de l'Australie, sud de la Nouvelle-Guinée. Solide, lourd ; courte spire droite, petite protoconque arrondie de quelque 3 tours, environ 4 1/2 tours aux périphéries arrondies avec parfois quelques gros tubercules. Labre continu ; columelle presque droite, 4 plis forts ; indentation siphonale étroite et profonde, forte fasciole. Crème, marques bleues et brun-pourpre irrégulières sous la suture, taches transversales irrégulières et ondulées de même couleur en 2 larges bandes sur le dernier tour ; intérieur du labre crème, marques brun-pourpre ; columelle crème, intérieur bleu-gris pâle.

CYMBIOLA IMPERIALIS *LIGHTFOOT 1786.* D 250 mm. Philippines. Assez variable ; lourd, spire basse ; grande protoconque arrondie d'environ 4 1/2 tours lisses et brillants, 3 autres tours aux périphéries tranchantes avec longues épines acérées et creuses généralement incurvées vers l'intérieur. Ouverture longue, large antérieurement ; labre continu, légèrement épaissi ; columelle quelque peu concave, 4 plis forts ; indentation siphonale étroite et profonde, forte fasciole, callosité pariétale mince mais large, lisse sauf lignes de croissance. Protoconque brun-rouge ; fond rose chair, nombreuses lignes transversales ondulées brun-pourpre, 3 bandes longitudinales interrompues de même couleur, fond apparaissant sous forme de taches triangulaires ; ouverture et columelle abricot pâle. Bandes longitudinales absentes chez *C. i. robinsona* BURCH 1954.

CYMBIOLA NOBILIS *LIGHTFOOT 1786.* D 190 mm. Mer de Chine du sud. Variable. Solide, très lourd ; généralement spire courte large protoconque arrondie d'environ 3 1/2 tours, puis quelque 2 1/2 tours. Périphéries anguleuses, arrondies, légèrement tuberculées ; suture calleuse, large ouverture ; labre continu, épaissi, un peu prolongé du côté postérieur ; columelle légèrement concave, 4 plis ; bord pariétal calleux, très fort chez les vieux spécimens ; canal postérieur bien distinct, encoche siphonale étroite et profonde, forte fasciole en partie calleuse.Chair, lignes transversales en zigzags brun-pourpre, 3 larges bandes longitudinales interrompues de même couleur (1 au-dessus de la périphérie, 2 en dessous). Bandes longitudinales légèrement visibles sur le bord intérieur du labre, ouverture rose clair, callosité pariétale blanche. Coloration et dessins semblables à ceux de *C. imperialis ;* forme similaire à *C. imperialis robinsona* sans bandes longitudinales.

Cymbiola flavicans

Cymbiola aulica

Cymbiola imperialis

Cymbiola imperialis
form *robinsona*

Cymbiola nobilis

CYMBIOLENA MAGNIFICA *GEBAUER 1802.* D 300 mm. Australie orientale. Spire moyennement courte, grande protoconque d'environ 3 1/2 tours, suture creuse, puis environ 3 1/2 tours. Suture découpée, parfois tubercules sur la périphérie du dernier tour. Labre épaissi, 4 plis columellaires, large encoche siphonale profonde, callosité opaque sur le bord pariétal. Zigzags transversaux brun clair, fond blanc rosé apparaissant sous forme de marques triangulaires ; brun plus foncé sous la suture, 3 bandes longitudinales brunes sur le dernier tour et le long de la forte fasciole.

AULICINA DESHAYESI *REEVE 1855.* D 100 mm. Nouvelle-Calédonie. Solide, spire assez basse, grande protoconque de 3 1/2 tours, légèrement noduleuse, 2 1/2 autres tours. Périphéries noduleuses, partie concave entre la suture et la périphérie ; fines lignes de croissance transversales. Labre épaissi en biseau ; columelle droite, 4 plis forts fortement incurvés vers la partie antérieure ; indentation siphonale étroite et profonde, fasciole très forte, bord pariétal étroit et calleux. Blanc, rayures rouges en bandes longitudinales, ouverture abricot.

AULICINA SOPHIAE *GRAY 1846.* D 75 mm. Nord de l'Australie. Coquille délicate à spire basse. Protoconque d'environ 2 1/2 tours à côtes transversales, puis 2 1/2 tours. Périphéries très anguleuses, courtes épines acérées (10 sur le dernier tour). Longue ouverture, labre continu et évasé au centre, 4 plis columellaires ; forte fasciole, côte centrale tranchante ; encoche siphonale étroite, profonde. Gris-blanc fortement taché de gris-brun, spécialement sur 2 bandes du dernier tour comportant chacune 2 rangées de grosses marques noires transversales ; lignes noires rayonnant de la suture vers la périphérie, labre gris-beige, intérieur gris, columelle blanche.

AULICINA NIVOSA *LAMARCK 1804.* D 85 mm. Ouest de l'Australie. Variable, spire moyenne à courte ; protoconque arrondie de 3 tours légèrement noduleux, puis 2 1/2 tours ; partie concave entre la suture et la périphérie légèrement anguleuse. Ouverture lisse et longue, labre arrondi, 4 plis columellaires ; forte fasciole, côte près du bord postérieur ; indentation siphonale étroite et profonde. Brun-gris, fond blanc apparaissant par petites taches ; 2 bandes grises avec stries et taches transversales brun foncé, blanc crème avec taches brunes et nombreuses lignes brun foncé entre la suture et la périphérie ; intérieur du labre brun, intérieur brun-gris.

AULICINA VESPERTILIO *L. 1758.* D 115 mm. Nord de l'Australie, Nouvelle-Guinée, Philippines, Indonésie. Variable ; généralement solide, spire courte. Protoconque de 3 tours couverts de côtes, 3 autres tours avec de courtes épines prolongées antérieurement par de courtes côtes ; parfois périphériques arrondies sans épines. Lisse, longue ouverture étroite, labre continu et légèrement épaissi, 4 plis columellaires, forte fasciole calleuse, encoche siphonale étroite et assez profonde. Beige crème pâle.

AULICINA RUTILA NORRISSII *GRAY 1838.* D 85 mm. Est de la Nouvelle-Guinée jusqu'aux Salomon. Variable ; généralement solide, courte spire. Protoconque arrondie de 3 1/2 tours légèrement noduleux, 3 autres tours avec petits tubercules à la périphérie (10 sur le dernier tour) pouvant apparaître au-dessus de la suture sur les tours précédents. Labre continu, légèrement épaissi, incurvé ; 4 plis columellaires, forte fasciole, indentation siphonale étroite et profonde. Gris crème, stries transversales irrégulières et ondulées noires, taches noires en 3 bandes longitudinales. Parfois rose crème ombré de rouge.

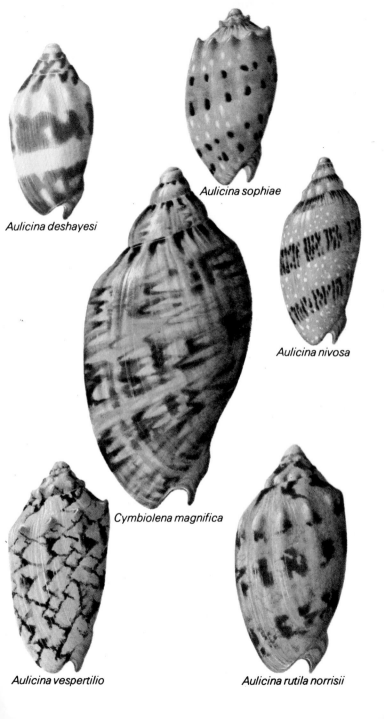

Aulicina deshayesi

Aulicina sophiae

Aulicina nivosa

Cymbiolena magnifica

Aulicina vespertilio

Aulicina rutila norrisii

CALLIPARA BULLATIANA *WEAVER et DU PONT 1967.* D 70 mm. Afrique du Sud. Spire basse, suture découpée, ouverture très longue et assez étroite. Labre continu, légèrement épaissi ; columelle dentelée au centre, 2 ou 3 plis antérieurs. Indentation siphonale très peu profonde, faible fasciole. Brun clair, denses mouchetures brun foncé sous la suture et du côté antérieur, en 5 bandes longitudinales peu distinctes sur le dernier tour ; intérieur du labre blanc, columelle et indentation siphonale beiges.

CYMBIOLACCA WISEMANI *BRAZIER 1870.* D 85 mm. Queensland. Spire moyenne, protoconque de 3 tours striés. Côtes transversales terminées par des pointes acérées sur les périphéries anguleuses. Lisse, ouverture longue et étroite ; labre épaissi, bord tranchant ; columelle droite, 4 ou 5 plis. Encoche siphonale étroite et profonde, large fasciole avec côte centrale. Blanc à rose, taches irrégulières brun-rouge, labre jaune-brun.

CYMBIOLACCA CRACENTA *McMICHAEL 1963.* D 80 mm. Queensland. Test étroit, spire moyenne à courte, protoconque de 3 1/2 tours striés. Périphéries légèrement anguleuses, courtes épines acérées et érodées près de la longue ouverture. Labre en biseau ; columelle légèrement concave, 4 plis ; indentation siphonale étroite, profonde ; forte fasciole, côte centrale. Rose, taches et stries plus pâles au-dessus des épines, marques triangulaires en dessous, 4 bandes de taches rose plus foncé et de maculations transversales brun foncé ; labre rose, intérieur gris-rose, columelle blanche.

CYMBIOLACCA PULCHRA *SOWERBY 1825.* D 90 mm. Qeensland. Très variable ; généralement spire courte, protoconque arrondie de 3 1/2 tours striés ; côtes terminées postérieurement par des épines courtes et acérées sur les périphéries anguleuses. Ouverture longue et large, labre en biseau ; columelle légèrement concave, 4 plis ; encoche siphonale étroite et profonde, côte basse sur la fasciole. Brun-rouge pâle, marques triangulaires blanches, 4 bandes foncées couvertes de taches et de ponctuations éparses brun chocolat. *C. p. woolacotae* est beaucoup plus pâle, parfois blanche avec bandes jaune très pâle, ponctuations brunes.

ZIDONA DUFRESNI *DONOVAN 1823.* D 200 mm. Est de l'Amérique du Sud. Variable ; généralement spire étroite et moyennement longue, callosité pointue en forme de griffe couvrant la protoconque. Premiers tours convexes, dernier et avant-dernier tours à très larges périphéries arrondies. Labre continu, légèrement épaissi ; columelle légèrement concave, 3 plis ; large fasciole, large encoche siphonale peu profonde. Crème, lignes transversales ondulées bruns ou bleu-gris ; labre, columelle et très large callosité pariétale abricot ; intérieur crème.

ADELOMELON ANCILLA *LIGHTFOOT 1786.* D 185 mm. Est de l'Amérique du Sud. Test long et étroit, spire élevée, protoconque pointue de 2 tours, premiers tours parfois striés. Longue ouverture, labre continu ; columelle légèrement concave, 3 plis ; encoche siphonale large et profonde, forte fasciole partiellement couverte d'une callosité. Crème, quelques zigzags transversaux bruns.

ADELOMELON BRASILIANA *LAMARCK 1811.* D 180 mm. Sud-est de l'Amérique du Sud. Globuleux, spire courte, protoconque arrondie de 2 tours ; généralement 10 tubercules à la périphérie du dernier tour. Large ouverture, labre légèrement épaissi en biseau ; columelle concave, 2 plis forts et 1 érodé ; large indentation siphonale assez peu profonde, large et forte fasciole, épaisse callosité pariétale. Gris-blanc à chair, quelques zones brunes sur les tubercules près du labre, intérieur du labre orange rosé.

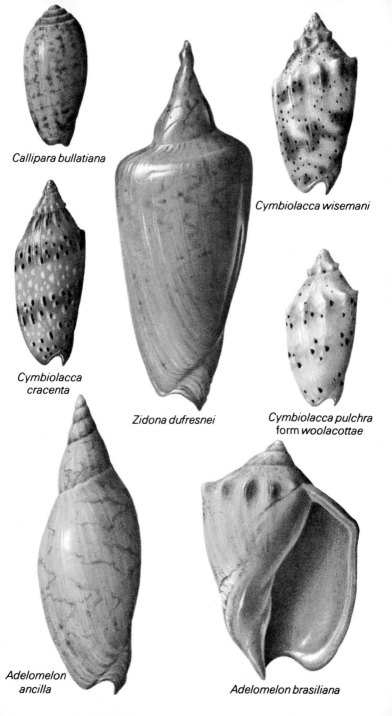

Callipara bullatiana

Cymbiolacca wisemani

Cymbiolacca cracenta

Zidona dufresnei

Cymbiolacca pulchra form *woolacottae*

Adelomelon ancilla

Adelomelon brasiliana

VOLUTOCONUS GROSSI *IREDALE 1927.* D 110 mm. Nord-est de l'Australie. Lourd, solide ; spire moyenne, pointue. Protoconque de 3 1/2 tours, fine pointe acérée à l'apex, 3 autres tours. Légère concavité sous-suturale, surface lisse. Ouverture longue et étroite, labre continu en biseau, 4 plis columellaires, épaisse callosité postérieure ; encoche siphonale étroite et profonde, fasciole moyennement forte. Rose-rouge, marques triangulaires bleu-blanc ; parfois 4 bandes longitudinales rouges plus ou moins distinctes.

VOLUTOCONUS BEDNALLI *BRAZIER 1878.* D 130 mm. Nord de l'Australie. Solide, spire moyenne et arrondie ; protoconque de 3 1/2 tours, fine pointe acérée à l'apex, 3 autres tours. Légère concavité sous-suturale, surface lisse. Ouverture longue, labre épaissi, 4 plis columellaires, encoche siphonale étroite et profonde, fasciole moyenne. Ivoire ou jaune paille, réticulations brun-pourpre foncé ou brun chocolat.

HARPULINA LAPPONICA *L. 1767.* D 100 mm. Sud de l'Inde, nord de Ceylan. Test solide et ovale, spire basse. Protoconque proéminente et globuleuse de 3 tours, 5 autres tours ; côtes transversales basses sur les premiers tours, érodées sur l'antépénultième ; petits nodules (une dizaine sur le dernier tour) érodés près du labre. Suture irrégulière, légèrement canaliculée ; labre épaissi en biseau ; columelle presque droite, 3 plis antérieurs forts devant 4 ou 5 plus faibles. Encoche siphonale étroite et profonde, canal antérieur étroit, fasciole partiellement calleuse. Crème, 3 bandes longitudinales de maculations brun clair parfois plus foncées ou absentes, rangées longitudinales de traits et ponctuations brun foncé partout sauf sous la suture, ouverture blanche bordée de jaune pâle, extrémité antérieure de la columelle et callosité brun-jaune pâle.

ALCITHOE ARABICA *GMELIN 1791.* D 195 mm. Nouvelle-Zélande. Très variable ; spire moyenne, concave ; protoconque arrondie de 2 1/2 tours, puis 5 tours. Généralement anguleux, côtes sur les premiers tours formant des nodules pointus sur le dernier. Labre épaissi, parfois incurvé ; 4 plis columellaires forts, parfois 1 postérieur faible ; encoche siphonale étroite et profonde, callosité sur le bord pariétal et une partie de la fasciole. Gris-jaune ou brun-rouge, fines lignes transversales ondulées brunes, quelque 4 bandes longitudinales discontinues de marques brun-pourpre généralement transversales, labre et columelle rose chair, intérieur gris-rose.

ALCITHOE SWAINSONI *MARWICK 1926.* D 225 mm. Nouvelle-Zélande. Variable, peut-être une forme de *A. arabica*. Généralement solide, spire moyenne ; protoconque arrondie de 2 1/2 tours, 5 1/2 autres tours. Lisse, parfois côtes transversales sur les premiers tours s'érodant et formant de petits nodules sur la périphérie légèrement anguleuse, lignes de croissance transversales. Labre épaissi, incurvé, légèrement prolongé du côté postérieur ; columelle presque droite, 4 gros plis ; indentation siphonale étroite et profonde, forte fasciole couverte partiellement par une callosité s'étendant jusque sur le bord pariétal. Brun-rouge clair ou foncé, lignes transversales ondulées plus marquées dans 3 ou 4 bandes longitudinales.

ODONTOCYMBIOLA MAGELLANICA *GMELIN 1791.* Sud de l'Amérique du Sud, îles Falkland. Solide, assez léger, spire moyennement courte ; petite protoconque arrondie de 1 1/2 tour, 3 1/2 autres tours ; légers tubercules sur la périphérie arrondie. Dernier tour quelque peu renflé, labre continu ; columelle légèrement concave, 3 plis forts ; encoche siphonale peu profonde et assez étroite, forte fasciole, bord pariétal légèrement calleux. Crème, lignes transversales ondulées brunes en 3 bandes longitudinales.

Volutoconus grossi

Alcithoe arabica

Alcithoe swainsoni

Volutoconus bednalli

Harpulina lapponica

Odontocymbiola magellanica

AMORIA GRAYI *LUDBROOK 1953.* D 100 mm. Australie occidentale. Grande protoconque pointue, 4 à 5 tours. Lisse, ouverture très
longue, labre en biseau évasé antérieurement, 4 plis columellaires,
indentation siphonale étroite et profonde. Apex blanc, protoconque
gris opaque, reste gris-blanc avec lignes transversales brunes à
la suture, labre gris-brun, intérieur brun profond.

AMORIA PRAETEXTA *REEVE 1849.* D 70 mm. Nord-ouest de
l'Australie. Protoconque à 3 tours ; lisse, labre en biseau, 3 plis
columellaires, indentation siphonale étroite et peu profonde. Protoconque gris-blanc ; reste des tours brun doré, fines marques triangulaires blanches ; taches brunes sous la suture, 2 rangées de zigzags sur le dernier tour, ouverture blanche, intérieur brun clair.

AMORIA MACULATA *SWAISON 1822.* D 75 mm. Australie orientale. Protoconque de 4 1/2 tours ; lisse, labre en biseau, 4 plis columellaires, large encoche siphonale peu profonde. Crème à brun
crème, 4 bandes de lignes transversales brun-rouge, ouverture
blanche, intérieur teinté de brun. L'auteur possède un spécimen
blanc avec lignes transversales bleu pâle bordées de brun-pourpre.

AMORIA DAMONII *GRAY 1864.* D 140 mm. Nord et ouest de
l'Australie. Variable, protoconque de 4 1/2 tours ; périphéries peu
marquées, lisse, labre épaissi et tranchant. 4 plis columellaires,
encoche siphonale large et profonde, fasciole forte et large pourvue
d'un côté faible. Apex blanc, protoconque blanche à la suture et
gris opaque en dessous, reste des tours à stries transversales bleues
rapprochées traversant la callosité suturale, large bande brun-
rouge sur l'avant-dernier tour ; dernier tour gris crème, stries brun-
rouge clair, 2 ou 3 bandes de marques brun pourpre ; labre brun,
intérieur brun plus profond, columelle blanche bordée de brun près
de la fasciole blanche à extrémité bleu foncé.

AMORIA ELLIOTI *SOWERBY 1864.* D 110 mm. Ouest de l'Australie.
Protoconque de 4 1/2 tours, périphéries peu marquées, labre en
biseau épaissi et évasé ; 4 plis columellaires, forte fasciole, encoche
siphonale étroite et moyennement profonde. Protoconque jaune
opaque très clair, autres tours crème, taches brun foncé à la suture,
fines lignes transversales brunes parfois en 2 bandes longitudinales ; labre blanc, intérieur brun pâle, columelle blanche.

AMORIA BENTHALIS *McMICHAEL 1964.* D 40 mm. Est de l'Australie. Protoconque de 2 tours légèrement calleux, suture finement
canaliculée ; dernier tour renflé à la périphérie se rétrécissant
rapidement du côté antérieur. Labre épaissi en biseau, 4 plis columellaires, profonde indentation siphonale, fasciole faible. Crème,
4 bandes jaune d'or discontinues avec lignes transversales rapprochées brun doré comportant chacune 2 ondulations en 2 bandes
longitudinales, ouverture blanche teintée de gris à l'intérieur.

AMORIA CANALICULATA *McCOY 1864.* D 70 mm. Queensland.
Protoconque de 3 1/2 tours, suture profondément canaliculée sur le
dernier tour renflé à la périphérie. Lisse, labre évasé en biseau,
4 plis columellaires, encoche siphonale étroite et profonde. Forme
des eaux superficielles blanche, 5 bandes longitudinales de traits
transversaux espacés brun-rouge pâle, protoconque et ouverture
blanches.

SCAPHELLA JUNONIA *LAMARCK 1804.* D 130 mm. Floride, golfe
du Mexique. Protoconque de 2 tours, 4 1/2 autres tours, dernier
tour bi-anguleux. Côtes transversales érodées sur les 2 premiers
tours, les 2 derniers lisses. Labre épaissi en biseau, 4 plis columellaires. Blanc à jaune pâle, 9 rangées longitudinales de taches rectangulaires brun foncé se dédoublant pour la plupart près du labre.

Amoria grayi

Amoria maculata

Amoria praetexta

Amoria damonii

Scaphella junonia

Amoria ellioti

Amoria benthalis

Amoria canaliculata

AMORIA ZEBRA *LEACH 1814.* D 55 mm. Nord-est de l'Australie. Ovale, spire courte ; protoconque arrondie de 2 1/2 tours, 3 autres tours. Suture dentelée, dernier tour renflé à la périphérie ; labre épaissi ; columelle prolongée et incurvée à la base, 4 plis ; canal antérieur ; canal siphonal étroit, profond, oblique ; fasciole avec côte basse. Protoconque rouge ; reste jaune crème, lignes transversales ondulées brun chocolat ou brun orange ; ouverture blanche, intérieur teinté de brun pâle.

AMORIA UNDULATA *LAMARCK 1804.* D 90 mm. Sud-est et sud de l'Australie, Tasmanie. Variable ; généralement ovale, courte spire légèrement concave. Petite protoconque assez pointue de 4 tours, 3 autres tours. Suture lisse, périphéries arrondies, concave entre la suture et la périphérie. Labre épaissi en biseau ; columelle droite, plis forts parfois séparés par des plus faibles ; légère indentation anale, canal siphonal profond et étroit, fasciole avec côte basse. Jaune crème à blanc, quelques taches brunes en 4 bandes interrompues, intérieur du labre blanc, intérieur et columelle jaune rosé.

AMORIA MOLLERI *IREDALE 1936.* D 100 mm. Nord et sud-ouest de l'Australie. Allongé, spire moyenne et légèrement concave ; protoconque pointue de 4 tours, 3 autres tours. Lisse sauf légères lignes de croissance, ouverture longue et étroite ; côte tranchante blanche sur la lèvre interne, érodée aux extrémités ; 4 plis columellaires forts parfois séparés par des plus petits, bosse calleuse derrière le dernier pli, encoche siphonale étroite et profonde. Brunrose brillant, plus pâle sous la suture et sur le labre ; lèvre interne et columelle roses, intérieur brun-rose, faible fasciole blanche.

CYMBIOLISTA HUNTERI *IREDALE 1931.* D 175 mm. Centre-est de l'Australie. Léger, spire basse ; protoconque proéminente et conique à 3 tours, 3 1/2 autres tours aux périphéries anguleuses avec courtes épines acérées (12 sur le dernier tour). Légère concavité entre la suture et la périphérie, petit renflement sous la périphérie. ouverture longue et étroite. Labre continu, 4 plis columellaires forts, encoche siphonale étroite et profonde. Généralement chair pâle, lignes brunes surtout sur la périphérie, 3 ou 4 bandes longitudinales de marques bleu-gris habituellement bordées de brun sur la gauche. Forme d'eau profonde, pêche, marques brun orange. Intérieur brun, plus foncé loin du labre ; columelle rose, forte fasciole blanche.

NEPTUNEOPSIS GILCHRISTI *SOWERBY 1898.* D 200 mm. Afrique du Sud. Spire très élevée, protoconque à 2 tours (le premier grand, conique, à la pointe déviée et le second plus étroit et plus court), 6 autres tours. Renflé, suture étranglée, fines stries longitudinales rapprochées. Large ouverture semi-circulaire, labre épaissi en biseau et légèrement incurvé, columelle lisse allongée en un canal siphonal ouvert, bord pariétal étroit, calleux et d'une courbe régulière. Blanc rosé, mince périostracum brun ; protoconque, ouverture et bord pariétal blanc rosé.

TERAMACHIA TIBIAEFORMIS *KURODA 1931.* D 80 mm. Sud du Japon. Léger et allongé, spire très haute ; petite protoconque à 2 tours, 10 autres tours avec côtes transversales rapprochées sauf sur la partie antérieure ; côtes érodées sur l'avant-dernier tour. Suture étranglée, ouverture étroite. Labre semi-circulaire évasé, bord en biseau et incurvé ; columelle lisse, allongée, légèrement concave. Gris-brun, bande sous-suturale plus foncée sur les derniers tours, ouverture gris-rose, labre plus clair.

AMPULLA PRIAMUS *GMELIN 1791.* D 80 mm. Portugal, côte atlantique de l'Espagne. Léger et globuleux, spire moyenne ; protoconque arrondie à 2 1/2 tours, 3 autres tours. Renflé, suture dente-

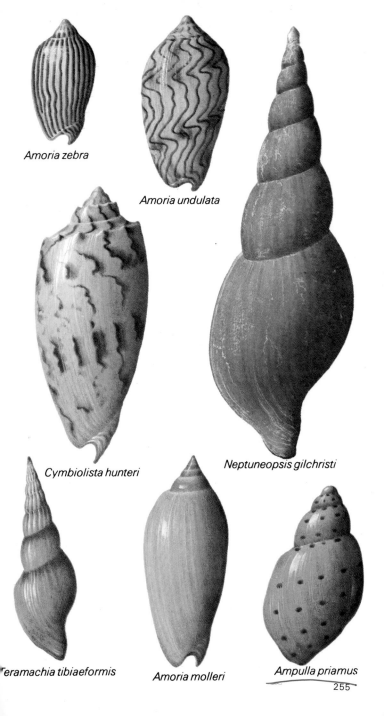

Amoria zebra

Amoria undulata

Cymbiolista hunteri

Neptuneopsis gilchristi

Teramachia tibiaeformis

Amoria molleri

Ampulla priamus

lée, grande ouverture ; labre continu, évasé, irrégulièrement incurvé ; columelle lisse, concave ; large bord pariétal légèrement calleux, fasciole peu distincte, large indentation siphonale quelque peu dentelée. Brun-rose, 7 rangées longitudinales de taches brunrouge ; intérieur du labre brun, plus foncé au centre ; columelle rose ; bord pariétal jaune-rose pâle, taches brun-rouge.

Famille des Marginellidés

Grande famille peuplant les mers chaudes du monde entier.

AFRIODATA PRINGLEI *TOMLIN 1947.* D 120 mm. Est de l'Afrique du Sud en eau profonde. Le plus grand de la famille. Léger, assez délicat, spire courte, grande protoconque arrondie ; dernier tour long et bi-anguleux, fines lignes de croissance. Forte callosité pariétale couvrant une partie de la spire, spécialement la zone suturale et l'extrémité antérieure du dernier tour. Etroite ouverture ; labre épaissi, bord incurvé, droit au milieu ; 4 plis antérieurs columellaires très forts dont 1 plus petit près de l'extrémité antérieure. Beige clair, vernissé, périostracum brun plus foncé.

MARGINELLA GLABELLA *L. 1758.* D 45 mm. Nord-ouest de l'Afrique. Solide, spire courte et droite, petite protoconque arrondie ; dernier tour légèrement renflé, périphéries arrondies. Ouverture moyennement large ; labre fortement épaissi, incurvé, légèrement denté ; 4 plis columellaires forts. Couche brun-rose plus apparente en 2 bandes longitudinales, fond crème visible sous forme de petites ponctuations ; taches irrégulières brun-rose sous la suture, mince couche vernissée, intérieur du labre et columelle blancs, intérieur brun-rose pâle.

MARGINELLA DESJARDINI *MARCHE-MARCHAUD 1957.* D 50 mm. Côte-d'Ivoire. Solide, allongé ; spire courte et légèrement convexe, petite protoconque arrondie, périphéries arrondies. Labre fortement épaissi, incurvé, finement denté ; 4 plis columellaires. Abricot pâle, 3 bandes plus foncées, petites taches blanches assez éparses, courtes stries blanches rayonnant de la suture, ouverture blanche, intérieur teinté de rose.

MARGINELLA PSEUDOFABA *SOWERBY 1846.* D 30 mm. Sénégal. Solide, spire moyennement haute ; périphéries très anguleuses, tubercules (14 sur le dernier tour) dont certains s'étendent presque jusqu'au canal siphonal, la plupart ne couvrant que 1/3 du dernier tour. Ouverture étroite ; labre épaissi, incurvé, denté à l'intérieur ; 4 plis columellaires forts ; canal anal peu profond ; canal siphonal légèrement prolongé et incurvé, acéré près du labre. Blanc ivoire, zones gris-vert généralement en 2 bandes longitudinales, nombreuses taches noires en rangées longitudinales (environ 10 sur le dernier tour), taches transversales ; intérieur du labre, intérieur et plis blancs ; extrémité du canal siphonal grise.

PERSICULA CINGULATA *DILLWYN 1817.* D 20 mm. Afrique occidentale. Spire plate et lisse, dernier tour renflé du côté postérieur. Ouverture étroite, labre épaissi s'étendant légèrement au-delà de l'apex. Columelle convexe, environ 7 petits plis, les plus grands sur la partie antérieure. Petit tubercule calleux sur le bord pariétal face à l'extrémité postérieure du labre. Blanc ou rose crème, quelque 12 lignes longitudinales rouges dont 2 ou 3 s'écartent du labre, ouverture blanche.

Marginella glabella

Afrivoluta pringlei

Persicula cingulata

Marginella desjardini

Marginella pseudofaba

257

MARGINELLA ROSEA *LAMARCK 1822.* D 50 mm. Est de l'Afrique du Sud. Lisse ; spire moyenne, environ 2 1/2 tours ; petite proto-conque arrondie, labre épaissi et incurvé ; 4 plis columellaires. Blanc, dessins rose pâle généralement réticulés, rangée de taches brun-rose foncé entre la périphérie et la suture, rangée plus claire du côté antérieur du dernier tour ; labre blanc, taches brun-rose foncé sur le bord extérieur ; intérieur et columelle blancs.

MARGINELLA MOSAICA *SOWERBY 1846.* D 30 mm. Est de l'Afri-que du Sud. Semblable au précédent ; spire légèrement plus basse, labre plus épaissi, légèrement allongé et anguleux à la périphérie. Blanc crème moucheté de gris-brun pâle, rangées longitudinales (environ 12 sur le dernier tour) de petits traits et de taches gris-brun foncé, ouverture blanche.

MARGINELLA PIPERATA *HINDS 1844.* D 25 mm. Est de l'Afrique du Sud. Semblable à *M. rosea* en plus petit. Blanc, zones brun pâle, longs traits brun-rouge entre la suture et la périphérie, bord exté-rieur du labre taché de brun foncé, ouverture blanche. Différentes variétés dotées d'un nom.

MARGINELLA VENTRICOSA *G. FISCHER 1807.* D 25 mm. Indo-nésie, Malaisie. Lisse, brillant, spire basse, ouverture moyennement large. Labre épaissi, incurvé, contournant le canal siphonal arrondi pour rejoindre la fasciole, terminé postérieurement par une callosité ; 5 plis columellaires. Vernissé ; gris crème, bord extérieur du labre plus foncé avec ligne brun-gris clair, intérieur du labre et plis blancs. Syn. bien connu *Marginella quinqueplicata* LAMARCK.

MARGINELLA ADANSONI *KIENER 1834* D 30 mm. Nord-ouest de l'Afrique. Assez effilé, périphéries avec tubercules (16 sur le dernier tour). Ouverture étroite ; labre épaissi, incurvé, anguleux à la périphérie, 13 dents intérieures ; columelle à extrémité anté-rieure incurvée, 4 plis. Beige, marques brunes irrégulières à la périphérie, lignes transversales ondulées brunes plus ou moins visibles ; labre blanc taché de brun foncé, intérieur et plis blancs.

PERSICULA PERSICULA *L. 1758.* D 20 mm. Afrique occidentale. Spire légèrement enfoncée, périphérie du dernier tour renflée; ouver-ture étroite ; labre épaissi, incurvé, prolongé postérieurement au-delà de l'apex. Columelle convexe, environ 9 plis de taille décroissante vers le côté postérieur ; gros tubercule calleux au sommet du bord pariétal. Crème pâle, nombreuses taches beige-rose concentrées en 3 bandes longitudinales ; spire rose ou rouge, vernis beige ; ouverture et tubercule blancs.

PERSICULA CORNEA *LAMARCK 1822.* D 30 mm. Nord-ouest de l'Afrique. Effilé, gracile, spire basse avec callosité. Ouverture étroite ; labre épaissi, légèrement concave au centre, s'étendant un peu au-dessus de l'apex ; environ 10 petits plis columellaires, plus petits du côté postérieur. Crème, 3 bandes longitudinales un peu plus foncées et teintées de rose, ouverture blanche, bandes transparais-sant faiblement à l'intérieur du labre.

PERSICULA ELEGANS *GMELIN 1791.* D 25 mm. Malaisie. Sembla-ble à *M. ventricosa ;* plus renflé, 6 plis forts. Gris clair, nombreuses bandes spiralées plus foncées de largeurs différentes et irrégu-lièrement espacées, toutes interrompues par de nombreuses et fines lignes axiales gris clair ; callosité à la jonction du labre et de la spire, labre brun orange, intérieur et plis blancs.

Marginella mosaica

Marginella piperata

Marginella rosea

Persicula persicula

Marginella ventricosa

Persicula cornea

Persicula elegans

Marginella adansoni

MARGINELLA BULLATA *BORN 1778.* D 70 mm. Brésil. Spire brillante, enfoncée, lisse sauf lignes de croissance sous le vernis. Ouverture antérieurement large ; labre épaissi, incurvé, légèrement concave au centre, dents érodées à l'intérieur ; 4 plis columellaires, forte fasciole brillante. Abricot pâle, légères bandes longitudinales plus foncées, grains de sable pris dans le vernis, bord extérieur du labre plus foncé ; bord intérieur, plis et fasciole blanc brillant.

MARGINELLA ORNATA *REDFIELD 1870.* D 25 mm. Afrique du Sud. Renflé, spire moyenne ; ouverture large ; labre épaissi, incurvé, légèrement anguleux à la périphérie ; 4 plis columellaires. Brun-rose, large bande centrale claire, 1 étroite de chaque côté ; parfois pointillé sur la partie centrale ; labre blanc, taches et traits brun-rose foncé, intérieur mauve, columelle blanche.

MARGINELLA MARGINELLOIDES *REEVE* D 12 mm. Philippines. Périphéries anguleuses, fortes côtes transversales sur tous les tours ; fines rides longitudinales. Ouverture étroite ; labre épaissi, forte côte intérieure finement dentée ; columelle et bord pariétal traversés par de petites côtes. Blanc cassé à gris pâle, tache brun foncé à l'arrière de l'ouverture transparaissant sur la périphérie du côté dorsal surtout entre les côtes près du labre.

MARGINELLA PHILIPPINARUM *REDFERN 1848.* D 15 mm. Philippines. Effilé, petit, solide, courte spire ; lisse, brillant. Etroite ouverture plus large du côté antérieur ; labre épaissi, enroulé vers l'intérieur, en biseau ; columelle presque droite, 4 plis. Labre légèrement concave donnant un aspect quelque peu penché. Beige clair ou beige-rouge, 3 bandes longitudinales interrompues brun foncé tachetées de gris, suture blanche ; labre crème à l'extérieur, blanc sur le bord et à l'intérieur ; intérieur beige-rouge.

MARGINELLA AVENA *KIENER 1834.* D 12 mm. Caraïbes. Similaire à *M. philippinarum*. Crème, 3 bandes beige clair peu distinctes.

MARGINELLA CLERYI *PETIT DE LA SAUSSAYE 1836.* D 20 mm. Nord-ouest de l'Afrique. Fusiforme, spire élevée ; légèrement renflé périphéries arrondies. Ouverture étroite ; labre épaissi, incurvé, denté ; 4 plis columellaires. Vert crème, extrémité antérieure du dernier tour teintée de gris ; 2 bandes grises sur le dernier tour, bande supérieure visible au-dessus de la suture sur les premiers tours ; lignes transversales brun chocolat légèrement ondulées, parfois bifides, 17 à la suture du dernier tour.

MARGINELLA MARGARITA *KIENER 1834.* D 5 mm. Mozambique. Lisse, très brillant, spire basse. Labre épaissi, légèrement concave, 8 petites denticulations sur le bord intérieur ; 4 dents columellaires, les 2 plus grandes au milieu. Rose crème très pâle et brillant.

MARGINELLA APICINA *MENKE 1828.* D 10 mm. Caraïbes, Floride. Semblable au précédent, plus allongé. Variable : blanc crème à rose ou rayé de rose, apex beige.

PRUNUM LABIATA *KIENER 1841.* D 40 mm. Golfe du Mexique. Lisse, brillant, courte spire, périphéries arrondies. Labre épaissi, denté, calleux à sa jonction avec la spire, s'étendant presque jusqu'à la protoconque ; 4 plis columellaires. Rose crème pâle, 3 bandes foncées peu distinctes, partie supérieure du labre et callosité teintées de jaune ; intérieur du labre, intérieur et plis blancs.

PERSICULA LILACINA *SOWERBY 1846.* D 20-25 mm. Brésil. Spire enfoncée, dernier tour renflé, ouverture étroite. Labre très épaissi s'étendant jusqu'à l'apex, 4 plis columellaires, bord pariétal calleux. Gris-rose pâle, 3 larges bandes foncées, bord supérieur du labre orange ; bord intérieur du labre, intérieur, columelle et bord pariétal lilas ; intérieur blanc.

Marginella ornata

Marginella marginelloides

rginella avena

Marginella philippinarum

Marginella apicina

Marginella cleryi

Marginella margarita

Marginella bullata

Prunum labiata

Persicula lilacina

Famille des Cancellariidés

Régions tropicales, principalement en Amérique occidentale ; fonds sableux.

TRIGONOSTOMA SCALATA *SOWERBY 1832.* D 30 mm. Océan Indien, Pacifique Ouest. Léger étranglement sutural, large sillon peu profond de la périphérie anguleuse à la suture. Faibles cordons longitudinaux, fortes côtes transversales en travers de la périphérie. Large ouverture ; labre continu, strié à l'intérieur, dent postérieure ; 3 plis columellaires forts, 1 faible ; étroit bord pariétal strié. Brun crème parfois rayé de brun, labre et columelle blancs.

TRIGONOSTOMA SCALARIFORMIS *LAMARCK 1822.* D 25 mm. Océan Indien, Pacifique Ouest. Semblable au précédent; côtes transversales moins nombreuses, plus fortes, une dizaine sur le dernier tour formant des crénelures à la périphérie. Faibles stries longitudinales, labre strié à l'intérieur, 3 plis columellaires, bourrelet fermant presque l'ombilic, ouverture étroite. Brun, gris ou crème.

TRIGONOSTOMA CRENIFERA *SOWERBY 1832.* D 30 mm. Japon. Semblable au précédent, environ 14 côtes sur le dernier tour. 3 plis columellaires, dent postérieure érodée sur l'ouverture, ombilic étroit et ouvert partiellement couvert par un bourrelet columellaire étroit. Blanc ivoire, parties brunes, bande longitudinale centrale pâle.

TRIGONOSTOMA BREVE *SOWERBY 1832.* D 20 mm. Ouest de l'Amérique tropicale. Plat ou légèrement concave entre la suture et la périphérie très anguleuse. Côtes transversales formant des nodules de la périphérie à la suture, traversées par 3 côtes longitudinales ; fines stries longitudinales, cordons transversaux érodés. Labre denté, 3 plis columellaires, ombilic large et profond. Gris-blanc légèrement moucheté de brun.

CANCELLARIA CASSIDIFORMIS *SOWERBY 1832.* D 40 mm. Ouest de l'Amérique tropicale. Globuleux, courte spire, périphéries fortement anguleuses. Côtes obliques terminées par des épines courtes ; suture profondément dentelée ; légères côtes longitudinales croisant les fortes lignes de croissance ; labre épaissi, strié à l'intérieur ; 3 plis columellaires blancs, bord pariétal fortement verni. Blanc cassé à brun pâle.

CANCELLARIA SPENGLERIANA *DESHAYES 1830.* D 55 mm. Pacifique Ouest. Spire élevée, côtes longitudinales et transversales, courtes épines. Labre fortement strié à l'intérieur, 2 ou 3 plis columellaires, fasciole allongée, pas d'ombilic. Beige chair moucheté de brun-rose à la périphérie, ouverture blanc crème.

CANCELLARIA RETICULATA *L. 1767.* D 35 mm. Sud-est des Etats-Unis. Globuleux, renflé, étroites périphéries anguleuses. Côtes transversales et longitudinales ; labre finement denté, strié à l'intérieur ; 1 pli columellaire fort et 1 plus faible, côtes longitudinales sur la partie postérieure ; forte fasciole, ombilic fermé. Blanc, quelques lignes transversales brunes.

CANCELLARIA ASPERELLA *LAMARCK 1822.* D 40 mm. Océan Indien, Pacifique Ouest. Semblable au précédent ; moins solide, périphéries plus étroites. Cordons longitudinaux et transversaux, lignes de croissance rugueuses. Labre strié, 3 plis columellaires, bourrelet columellaire fermant presque l'ombilic. Crème.

CANCELLARIA SIMILIS *SOWERBY* . D 35 mm. Nord-ouest de l'Afrique. Solide, globuleux, suture légèrement étranglée. Réticulé, fines côtes longitudinales, étroites côtes transversales. Labre découpé, strié à l'intérieur ; 3 plis columellaires courbes, plus grands du côté postérieur ; étroite fente ombilicale généralement ouverte, étroit bourrelet columellaire, forte fasciole. Blanc ou gris pâle.

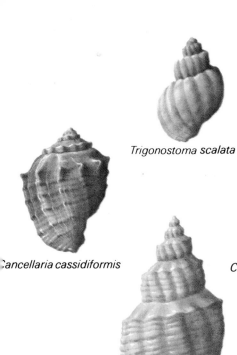

Trigonostoma scalata

Cancellaria cassidiformis

Cancellaria reticulata

Cancellaria spengleriana

Cancellaria similis

Cancellaria asperella

Trigonostoma scalariformis

Trigonostoma crenifera

Trigonostoma breve

Famille des Conidés

Cônes considérés par de nombreux collectionneurs comme les plus beaux coquillages du monde, fascination justifiée par l'immense variété des coloris, des dessins et des formes appliquée à la structure typique des cônes. Carnivores ; eaux tropicales, quelques-uns plus petits et moins colorés dans des régions subtropicales. Principalement dans les zones intertidales entre les récifs et le rivage, dans des crevasses de rocher ou de corail et sur les fonds sableux entourant les récifs. Mince pellicule couvrant le périostracum s'éliminant par un trempage de quelques heures dans de l'eau de Javel. Petit opercule chez certains. Dard servant à tuer les proies, parfois mortel pour l'homme. *Conus geographus, Conus marmoreus* et *Conus textile* comptent parmi les plus dangereux. Quelque 1500 espèces répertoriées.

CONUS MARMOREUS *L. 1758.* D 100 mm. Océans Indien et Pacifique. Spire plate et noduleuse. Brun foncé ou noir, taches blanches.
Coquillages étroitement apparentés : *Conus pseudomarmoreus* CROSS 1875 sans nodule sur la spire, Nouvelle-Calédonie ; *Conus bandanus* HWASS 1792, 2 bandes peu distinctes avec taches blanches moins nombreuses, Maldives, Inde, Philippines et Mélanésie jusqu'à Hawaii ; *Conus nicobaricus* HWASS 1792, bandes plus marquées que chez le précédent, Inde et Philippines ; *Conus nocturnus* SOLANDER 1786, bandes noires plus larges et plus visibles, Philippines ; *Conus vidua* REEVE 1843, taches blanches en 1 bande à la périphérie et sur le dernier tour, Philippines. D'autres membres moins communs à coloration de base foncée et taches blanches, mêmes régions.
CONUS IMPERIALIS *L. 1788.* D 100 mm. Océans Indien et Pacifique. Spire presque plate et noduleuse. Blanc, 2 bandes brunes, taches brunes et noires sur le dernier tour.
Autres membres du sous-genre : *Conus zonatus* HWASS 1782, Maldives *Conus fuscatus* BORN 1778, île Maurice, et *Conus viridulus* LAMARCK 1810, Afrique orientale, 2 formes de *C. imperialis.*
CONUS LEOPARDUS *RODING 1798.* D 220 mm. Océans Indien et Pacifique. Un des plus grands et des plus lourds. Spire plate, plus élevée que chez *Conus litteratus ;* périphéries arrondies, bord des périphéries des premiers tours semblable à des côtes sur la spire. Blanc, lignes longitudinales formées de ponctuations, de petits traits transversaux ou de ponctuations jumelées, de couleur bleu-pourpre ; apex blanc, surface terne, vieux spécimens souvent piqués et égratignés.
CONUS LITTERATUS *L. 1758.* D 120 mm. Océans Indien et Pacifique. Spire plate, périphérie arrondie, très légèrement étranglé. Blanc, bandes jaunes plus ou moins apparentes, bandes serrées de taches rectangulaires noires ou brun foncé de plus en plus grandes se rejoignant parfois dans le sens de l'axe près de la périphérie.

Conus leopardus

Conus marmoreus

Conus imperialis

Conus litteratus

CONUS EBURNEUS *HWASS 1792.* D 70 mm. Océans Indien et Pacifique. Variable ; périphéries arrondies, sommet aplati avec petite spire pointue ; 2 stries sous-suturales parfois complètement érodées au sommet. Blanc, parfois légères bandes jaunes et taches noires ou brun foncé ; spécimens sans tache noire. *Conus crassus* SOWERBY 1857, petite forme de *C. eburneus,* Fidji ; *Conus polyglotta* A. ADAMS 1874, taches noires plus grandes, Philippines.

CONUS TESSULATUS *BORN 1778.* D 70 mm. Océans Indien et Pacifique. Forme et couleurs variables, parfois légèrement étranglé. Sommet assez plat, courte spire pointue aux côtés concaves. Blanc, bandes de taches rouges ou orange beaucoup plus denses que chez *C. eburneus,* extrémité basale violette.

CONUS CARACTERISTICUS *G. FISCHER 1807.* D 50 mm. Océan Indien, Philippines. Renflé. Blanc, 2 bandes de lignes ondulées brun-rouge (1 sur la partie supérieure du dernier tour, 1 près de la base), mêmes dessins sur l'apex et à la base.

2 autres membres d'Afrique occidentale : *Conus prometheus* HWASS 1792, un des plus grands Cônes, crème à marques brunes et rouges, dessin semblable à celui des précédents ; *Conus papilionaceus* HWASS 1792, fort semblable, plus petit.

CONUS EBRAEUS *L. 1758.* D 50 mm. Petit, trapu, spire moyenne et noduleuse. Blanc, 3 larges bandes de chevrons noirs, taches noires au sommet et à la spire.

CONUS CHALDAEUS *RODING 1798.* D 25 mm. Océans Indien et Pacifique. Moins commun que le précédent ; plus petit, plus anguleux. Epaisses lignes noires ondulées en 2 bandes larges, se rejoignant parfois en Y, Y inversé ou W.

CONUS CORONATUS *GMELIN 1791.* D 35 mm. Océans Indien et Pacifique. Spire variable : allongée, élevée ou ventrée. Nodules à la périphérie et sur la spire. Bleu, gris, vert ou beige tacheté de brun-rouge ou de vert olive. Espèces apparentées : *Conus abbreviatus* REEVE 1843, Hawaii ; *Conus miliaris* HWASS 1792, océans Indien et Pacifique ; *Conus taeniatus* HWASS 1792, mer Rouge.

CONUS MUSICUS *HWASS 1792.* D 20 mm. Océans Indien et Pacifique. Spire assez plate. Blanc, bande bleu-gris pâle au milieu du dernier tour et à la base, extrémité basale bleu foncé ; lignes de marques brun foncé dont 2 bordant la bande centrale ; grandes taches foncées à la périphérie, visibles sur la spire.

CONUS LIVIDUS *HWASS 1792.* D 50 mm. Inde, océan Pacifique. Jaune-vert, bande blanche, spire blanche noduleuse, extrémité basale pourpre.

Conus lividus

Conus ebraeus

Conus tessulatus

Conus caracteristicus

Conus eburneus

Conus coronatus

Conus coronatus

Conus chaldaeus

Conus musicus

CONUS PIPERATUS *DILLWYN 1817.* D 30 mm. Océan Indien. Bleu-gris pâle, bandes brun pâle peu distinctes, extrémité basale violette, taches brun foncé entre certains nodules de la périphérie et de la spire.

CONUS DISTANS *HWASS 1792.* D 100 mm. Océans Indien et Pacifique. Légèrement étranglé. Brun clair, bande plus pâle à l'étranglement, extrémité basale foncée, lignes de croissance assez apparentes, spire noduleuse plus claire.

Autres membres du sous-genre : *Conus mus* HWASS 1810, Cône souris, Antilles ; *Conus scitulus* REEVE 1849, Afrique du Sud ; *Conus sponsalis* HWASS 1792, Pacifique et Philippines ; *Conus nux* BRODERIP 1833, Pacifique est ; *Conus ceylanensis* HWASS 1792, océans Indien et Pacifique.

CONUS ARENATUS *HWASS 1792.* D 75 mm. Océans Indien et Pacifique. Test lourd, solide, légèrement renflé aux périphéries ; base de la columelle tordue, spire légèrement élevée et noduleuse. Blanc moucheté de petites taches brunes tendant à former 2 ou 3 bandes.

CONUS PULICARIUS *HWASS 1792.* D 65 mm. Pacifique, Inde. Semblable à *C. arenatus*. Blanc, légères zones jaunes, taches carrées noires ou brun foncé.

CONUS STERCUSMUSCARUM *L. 1758.* D 50 mm. Océans Indien et Pacifique. Plus effilé que les précédents ; nodules très légers ou absents aux périphéries. Blanc, zones grises, nombreuses petites taches noires et quelques brunes, parfois tellement rapprochées qu'elles forment des plaques.

CONUS ZEYLANICUS *GMELIN 1791.* D 50 mm. Afrique orientale, île Maurice. Assez semblable à *C. arenatus ;* périphéries arrondies, pas de nodule, petite spire pointue. Rose, ponctuations brun-rouge, petites taches foncées en 2 bandes vagues, petites zones blanches surtout entre les bandes et au sommet.

CONUS REGIUS *GMELIN 1791.* D 50 mm. De la Floride aux Antilles. Commun. Généralement marron, marques bleu-blanc sur toute la surface (non illustré) ; variantes dans les blancs et les bruns ; surface parfois granuleuse. *Conus citrinus* GMELIN 1791 uniquement coloré de brun-jaune.

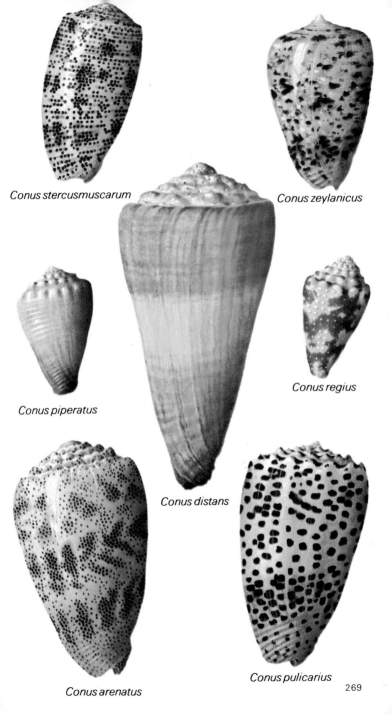

Conus stercusmuscarum

Conus zeylanicus

Conus piperatus

Conus regius

Conus distans

Conus arenatus

Conus pulicarius

269

CONUS BRUNNEUS *WOOD 1828.* D 50 mm. Côte Pacifique de l'Amérique centrale. Galapagos. Beau brun acajou, quelques taches blanches concentrées en 1 bande sur le dernier tour ; fortes crénelures blanches à la périphérie et sur la spire.

CONUS PRINCEPS *L. 1758.* D 60 mm. Côte Pacifique du Mexique et de Panama. Rouge-rose, stries transversales brun foncé traversant la périphérie entre les légers nodules. Chez *Conus princeps lineolatus* VALENCIENNES 1832, taches formant de fines lignes ; pas de marques chez *Conus apogrammatus* DALL 1910.

CONUS VARIUS *L. 1758.* D 40 mm. Océans Indien et Pacifique. Petites granulations donnant un aspect rugueux ; spire crénelée aux côtés droits formant un angle un peu inférieur à 90º à l'apex. Blanc, zones et petites ponctuations brun foncé. *Conus hwassi* WEINKAUFF 1874, Queensland, illustré.

CONUS PURPURASCENS *SOWERBY 1833.* D 50 mm. Côte Pacifique du Mexique et de Panama. Très variable, généralement lourd et trapu. Bleu-noir, zones bleu-blanc, quelques taches brunes.

CONUS ACHATINUS *GMELIN 1791.* D 55 mm. Océans Indien et Pacifique Est. Variable ; côtés convexes, légères stries, périphéries arrondies, spire moyennement élevée. Bleu clair, zones brun foncé, stries brun plus foncé formées de points dans le bleu et de lignes dans le brun.

CONUS CATUS *HWASS 1792.* D 40 mm. Océans Indien et Pacifique, de la mer Rouge à Hawaii. Commun, très variable, trapu. Marques brunes ou jaune olive sur fond pâle ou blanc. 2 spécimens illustrés; 1 à surface granuleuse de Tuamotu (Pacifique Sud), 1 presque lisse d'Afrique orientale.

Citons encore : *Conus ranunculus* HWASS 1792, Antilles ; *Conus fulmen* REEVE 1843, Japon ; *Conus monachus* L. 1758, Pacifique et *Conus nigropunctatus* SOWERBY 1857, Pacifique, les 4 ressemblent à *C. achatinus* ; *Conus orion* BRODERIP 1833 et *Conus vittatus* HWASS 1792 de la côte ouest de l'Amérique centrale, blanc, orange, lilas à brun, marques brunes sur la spire, bande centrale blanche tachée de foncé.

CONUS SCULLETTI *MARSH 1962.* D 40 mm. Au large du cap Moreton (Queensland). Rare, joli et inhabituel ; étroit, périphéries anguleuses, légèrement étranglé près de la base. Blanc crème ; bandes, points et flammules beiges.

Conus brunneus

Conus princeps

Conus varius
form *hwassi*

Conus catus

Conus catus

Conus achatinus

Conus sculletti

Conus purpurascens

CONUS THALASSIARCHUS *SOWERBY 1834.* D 90 mm. Philippines, Bornéo. Beau, sommet aplati, petite spire. Blanc crème, nombreuses petites lignes transversales brun clair ou parfois foncé, généralement bandes crème à la périphérie et à l'étranglement, extrémité basale bleu-noir, marques foncées sur le sommet.

CONUS AMMIRALIS *L. 1758.* D 60 mm. Est de l'océan Indien, Pacifique ouest. Très beau, assez variable ; côtés droits, spire élevée et concave. Beau rouge, plusieurs nuances sur le dernier tour, 3 bandes jaune clair (à la périphérie, au milieu et à la base), petites taches blanches triangulaires, périphérie blanche tachée de brun-rouge, zones brun-rouge pâle avec lignes transversales foncées au sommet.

CONUS GENERALIS *L. 1767.* D 90 mm. Océans Indien et Pacifique. Commun, très variable ; sommet assez plat, spire concave et acérée. Brun foncé ou clair ; taches blanches plus ou moins en 1 bande à l'étranglement, à la périphérie et à la base ; parfois lignes transversales brun foncé, sommet blanc strié de brun foncé. Proches parents : *Conus spirogloxus* DESHAYES 1863 et *Conus maldivus* HWASS 1792, ouest de l'océan Indien, taches blanches généralement plus nombreuses, spire plus plate chez le second.

CONUS REGULARIS *SOWERBY 1833.* D 50 mm. Côte Pacifique de l'Amérique centrale. Commun. Bleu-blanc, taches gris-pourpre faisant penser à l'écriture arabe, bandes de petits points rouges.

CONUS SOZONI *BARTSCH 1939.* D 75 mm. Floride. Spire élevée et pointue, côtés droits, extrémité basale très étroite donnant un aspect inhabituel, labre convexe. Blanc, bandes brun-jaune clair, nombreuses rangées de points brun foncé formant des flammules sur la spire.

CONUS RECURVUS *BRODERIP 1833.* D 60 mm. Côte Pacifique de l'Amérique centrale en eau profonde. Semblable à *C. sozoni,* sommet plus plat. Blanc, grandes flammules brun foncé.

CONUS FLORIDANUS *GABB 1868.* D 40 mm. Floride. Semblable aux 2 précédents, plus petit. Blanc, taches jaunes à brun clair, bande blanche peu distincte avec rangée de points au milieu.

CONUS JASPIDEUS *GMELIN 1791.* D 25 mm. Sud-est de l'Amérique, Antilles. Spire élevée ; généralement semblable à *C. sozoni,* forts sillons longitudinaux. Crème taché de brun foncé ou clair. Sur l'illustration *Conus jaspideus pigmaeus* REEVE 1844, environ 12 mm, même région.

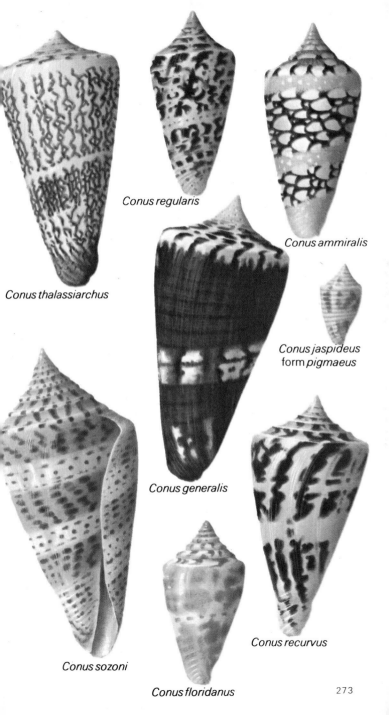

Conus regularis

Conus ammiralis

Conus thalassiarchus

Conus jaspideus
form pigmaeus

Conus generalis

Conus recurvus

Conus sozoni

Conus floridanus

273

CONUS FLORIDENSIS *SOWERBY 1870.* D 40 mm. Floride. Variété de *C. floridaus,* rangées longitudinales de points et de tirets généralement plus foncés que sur l'illustration, fond généralement plus foncé aussi.

CONUS SPURIUS *GMELIN 1791.* D 70 mm. Floride, Caraïbes. Sommet assez plat, spire acérée. Blanc, rangées de traits rouges se rejoignant parfois verticalement et horizontalement. Chez *Conus spurius atlanticus* CLENCH 1942, traits non joints, parfois quelques taches bleu-pourpre.

Citons également : *Conus amadis* GMELIN 1791, océan Indien ; *Conus clarus* SMITH 1881, Australie occidentale ; *Conus monile* HWASS 1792, océan Indien ; *Conus acuminatus* HWASS 1792, Afrique orientale ; *Conus nobilis* L. 1758, Philippines ; *Conus virgatus* REEVE 1849, Amérique centrale ; *Conus clerii* REEVE 1844, Brésil.

CONUS AUGUR *SOLANDER 1786.* D 70 mm. Afrique orientale. Solide, lourd, peu semblable aux autres membres du genre ; spire plate. Ivoire, nombreuses rangées de petits points brun-pourpre foncé, 2 bandes de taches irrégulières de même couleur.

CONUS DAUCUS *HWASS 1792.* D 50 mm. Caraïbes. Normalement jaune-rouge ; *Conus luteus* KREBS 1864 beaucoup plus jaune, légère bande pâle. Sur l'illustration forme rouge rare.

CONUS PLANORBIS *BORN 1780.* D 75 mm. Pacifique. Très variable comme les autres membres du genre. Brun-jaune uni ou bandes plus claires ou plus foncées (comme illustré) ou encore bandes beaucoup plus visibles et marques sombres un peu comme chez *Conus striatellus ;* extrémité basale pourpre.

CONUS STRIATELLUS *LINK 1807.* D 75 mm. Océan Indien. Syn. *Conus pulchrelineatus* HOPWOOD 1921. *Conus lineatus* HWASS 1792, déjà attribué à un autre coquillage, est souvent employé à tort. Beau, très variable. Généralement blanc, bandes brunes et flammules foncées sur la périphérie et la spire.

CONUS CIRCUMACTUS *IREDALE 1929.* D 40 mm. Pacifique. Variable. Brun clair, périphéries et bandes blanches ou teintées de mauve pâle, flammules brunes sur la spire assez plate.

Conus augur

Conus floridensis

Conus planorbis

Conus daucus

Conus striatellus

Conus striatellus

Conus circumactus

Conus spurius

CONUS LITOGLYPHUS *HWASS 1792.* D 65 mm. Océans Indien et Pacifique. Moins variable que la plupart des autres membres du genre. Fond rouge or, bande centrale blanche, bande blanche rayée de rouge or sur la périphérie, mouchetures sur la spire, 5 rangées granuleuses à la partie antérieure du dernier tour, base pourpre. Citons encore : *Conus fulmineus* GMELIN 1791, nord-est de l'Australie ; *Conus furvus* REEVE 1843, Philippines ; *Conus vitulinus* HWASS 1792, océans Indien et Pacifique.

CONUS MAGUS *L. 1758.* D 80 mm. Océans Indien et Pacifique, surtout Philippines. Large éventail de formes, certaines classées comme espèces et d'autres comme variétés. Citons *Conus ustulatus* REEVE 1844, *Conus raphanus* HWASS 1792 et *Conus circae* SOWERBY 1858.

CONUS SUTURATUS *REEVE 1844.* D 30 mm. De l'Inde à Hawaii. Petit, ventru, sommet assez plat, spire acérée. Rose pâle, 3 légères bandes brun-jaune, base violette.

Autres espèces : *Conus mercator* L. 1758, Afrique occidentale ; *Conus ximenes* GRAY 1839, côte ouest de l'Amérique centrale ; *Conus perplexus* SOWERBY 1857, même région ; *Conus erythraensis* REEVE 1843, mer Rouge ; *Conus pertusus* HWASS 1792, Pacifique ; *Conus consors* SOWERBY 1833, Singapour ; *Conus mozambicus* HWASS 1792 et *Conus simplex* SOWERBY 1857/8, Afrique du Sud.

CONUS CARINATUS *SWAINSON 1822.* D 80 mm. Philippines. Espèce du groupe de *C. magus* malgré son appartenance à un autre sous-genre. Brun-jaune, bande blanche peu apparente, taches blanches sous la périphérie.

Citons également : *Conus radiatus* GMELIN 1791, Philippines, Nouvelle-Guinée ; *Conus infrenatus* REEVE 1848, Afrique du Sud ; *Conus keatii* SOWERBY 1858, mer Rouge, Seychelles.

CONUS VEXILLUM *GMELIN 1791.* D 180 mm. Océan Indien, centre et sud du Pacifique. Assez variable ; périphéries tranchantes ou arrondies. Brun ; bandes blanches sur le dernier tour et la périphérie, généralement interrompues ou striées de noir.

CONUS CAPITANEUS *L. 1758.* D 65 mm. Océans Indien et Pacifique. Brun souvent teinté de jaune ou de vert, bande blanche sur le dernier tour et la périphérie, taches blanches et noires sur la spire, lignes de taches noires sur le dernier tour, base pourpre.

CONUS RATTUS *HWASS 1792.* D 40 mm. Océans Indien et Pacifique. Variable ; périphéries tranchantes ou arrondies. Dernier tour brun ou brun-vert, bande plus ou moins apparente de petites taches bleu-blanc, bande bleu-blanc interrompue à la périphérie, spire tachetée des 2 couleurs.

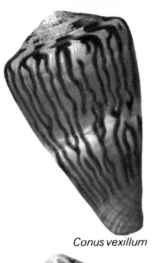

Conus vexillum

Conus rattus

Conus capitaneus

Conus magus

Conus suturatus

Conus carinatus

Conus litoglyphus

277

CONUS MILES *L. 1758.* D 90 mm. Océans Indien et Pacifique. Beaucoup moins variable que les autres. Blanc, fines lignes transversales ondulées brun clair ; large bande centrale brune, étroite bande plus foncée au centre ; partie antérieure du dernier tour presque noire et bordée par des bandes de plus en plus claires. Citons encore : *Conus mustelinus* HWASS 1792, océans Indien et Pacifique ; *Conus capitanellus* FULTON 1938, Japon ; *Conus namocanus* HWASS 1792 et *Conus laevigatus* SOWERBY 1857, océan Indien ; *Conus trigonus* REEVE 1848, nord-ouest de l'Australie.

CONUS VIRGO *L. 1758.* D 150 mm. Océans Indien et Pacifique. Test lourd, côtés droits, surface terne presque mate. Jaune pâle, base pourpre. Fonds sableux.

CONUS EMACIATUS *REEVE 1849.* D 50 mm. Océans Indien et Pacifique. Côtés concaves, dernier tour finement strié. Jaune pâle, base pourpre. Dans les récifs.

CONUS FLAVIDUS *LAMARCK 1810.* D 65 mm. Océans Indien et Pacifique. Généralement brun-jaune, étroite bande blanche, sommet et périphéries clairs, base et intérieur colorés de pourpre.

CONUS GEOGRAPHUS *L. 1758.* D 150 mm. Océans Indien et Pacifique. Brun taché de blanc, quelques taches brunes plus foncées dont certaines en 2 bandes interrompues sur le dernier tour. Sa piqûre peut être fatale à l'homme.

CONUS OBSCURUS *SOWERBY 1833.* D 65 mm. Océans Indien et Pacifique. Semblable à *C. geographus ;* plus petit, périphérie souvent noduleuse. Brun-rouge, taches pourpre très pâle en 2 bandes. *Conus halitropus* BARTSCH, REHDER et GREENE 1953 est une variété hawaiienne.

CONUS AULICUS *L. 1758.* D 125 mm. Océans Indien et Pacifique. Très beau, solide, un peu renflé. Brun clair ou foncé taché irrégulièrement de blanc.

Autres membres : *Conus auratus* HWASS 1792, Polynésie ; *Conus aureus* HWASS 1792, océans Indien et Pacifique Est.

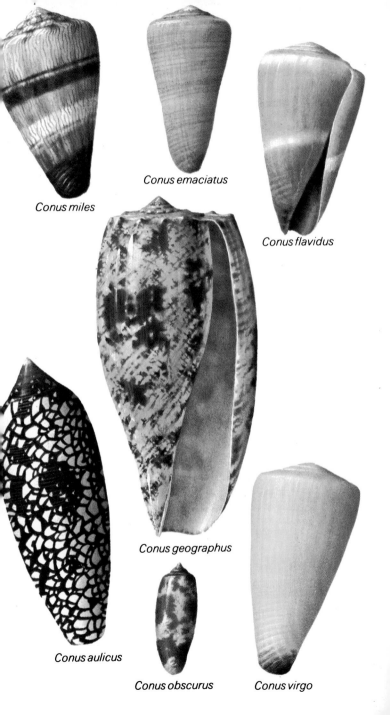

Conus miles

Conus emaciatus

Conus flavidus

Conus geographus

Conus aulicus

Conus obscurus

Conus virgo

CONUS OMARIA *HWASS 1792.* D 80 mm. Océan Pacifique, Inde. Forme de la spire, couleurs, taille et nombre de taches variables.
CONUS EPISCOPUS *HWASS 1792.* D 90 mm. Forme longue et étroite de *C. omaria.* Autre syn. de *C. omaria* pour ceux pourvus d'une spire élevée et de taches teintées de rouge : *Conus magnificus* REEVE 1843.
CONUS PENNACEUS *BORN 1758.* D 50 mm. De la mer Rouge à Hawaii. Forme, couleurs et taches variables. Spécimen illustré beaucoup plus clair que d'ordinaire.
Citons encore : *Conus stellatus* KIENER 1849 ; *Conus elisae* KIENER 1849 et *Conus praelatus* BORN 1792, Afrique orientale.
CONUS TEXTILE *L. 1758.* D 80 mm. Océans Indien et Pacifique. Assez renflé au-dessus de la périphérie, s'amincissant en une base étroite. On notera sur les 2 spécimens ci-contre les grandes différences de teinte et de dimension des marques, formant des dessins irréguliers ou des lignes axiales. Citons encore : *C. cholmondelyi* MELVILLE 1800, Afrique orientale ; *C. archiepiscopus* HWASS 1972, est de l'Australie, océan Indien jusqu'en Afrique orientale ; *C. verriculum* REEVE 1843, océan Indien ; *C. scriptus* SOWERBY 1858, Afrique orientale ; *C. natalis* SOWERBY, Afrique du Sud.
CONUS VICTORIAE *REEVE 1843.* D 40 mm. D'Australie occidentale à l'Inde. Petit, léger ; fines taches blanches, 2 bandes brun-rouge, lignes transversales. Proches parents : *Conus abbas* HWASS 1792, océan Indien ; *Conus complanatus* SOWERBY 1866, ouest de l'Australie ; *Conus panniculus* LAMARCK 1810, Inde ; *Conus dalli* STEARNS 1873, ouest de l'Amérique centrale.

CONUS TIGRINUS *SOWERBY 1858.* D 50 mm. Australie, Mélanésie. Lourd, brillant, petites taches triangulaires, pas de ligne transversale. Citons également deux autres proches parents : *Conus pyramidalis* LAMARCK 1810, Afrique orientale et *Conus legatus* LAMARCK 1810, îles de l'Amirauté, solides et fortement vernissés.

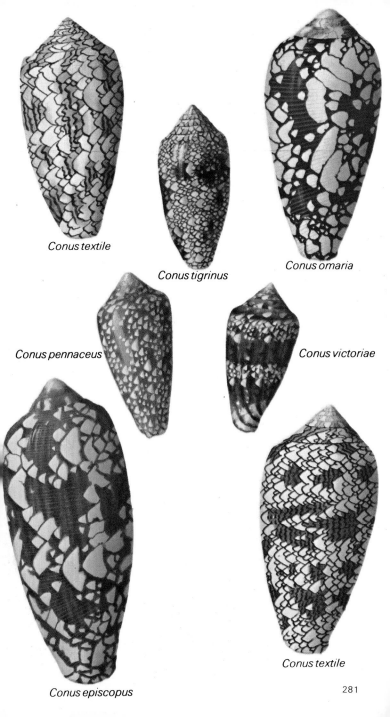

Conus textile

Conus tigrinus

Conus omaria

Conus pennaceus

Conus victoriae

Conus episcopus

Conus textile

CONUS RETIFER *MENKE 1829.* D 45 mm. Japon, du nord du Pacifique à l'Afrique orientale. Solide, assez piriforme. Beige, bande foncée peu distincte, lignes transversales foncées, quelques petites taches.

Citons aussi *Conus lucidus* WOOD 1828, côte ouest de l'Amérique centrale.

CONUS SURATENSIS *HWASS 1792.* D 85 mm. Philippines. Chair, nombreuses lignes de petits points et tirets pourpre foncé.

CONUS GENUANUS *L. 1758.* D 70 mm. Afrique occidentale. Très beau, mauve-rose, 2 bandes brun clair. Lignes alternées de petits points et tirets, de plus grands points et de tirets et taches noirs séparés par du blanc ; lignes uniquement formées de petits dessins sous la bande inférieure brune.

CONUS GLAUCUS *L. 1758.* D 45 mm. Philippines, Nouvelle-Guinée. Gris pâle, nombreuses lignes de tirets brun foncé.

CONUS FIGULINUS *L. 1758.* D 80 mm. Océans Indien et Pacifique. Caractéristique. Brun, plus foncé sur la spire ; nombreuses lignes brun foncé.

CONUS BETULINUS *L. 1758.* D 150 mm. Mer Rouge, océans Indien et Pacifique. Brun-jaune, lignes de points brun-pourpre.

Conus suratensis

Conus genuanus

Conus glaucus

Conus retifer

Conus figulinus

Conus betulinus

CONUS QUERCINUS *SOLANDER 1786.* D 75 mm. Océans Indien et Pacifique. Commun, lourd, solide. Jaune pâle à beige pâle, coloration variant souvent sur le même coquillage.
Autres membres : *Conus patricius* HINDS 1843 et *Conus fergusoni* SOWERBY 1873, ouest de l'Amérique centrale ; *Conus loroisii* KIENER 1847, Inde, Ceylan.
CONUS STRIATUS *L. 1758.* D 120 mm. Océans Indien et Pacifique. Commun, variable. Blanc rosé, taches brunes ou gris-pourpre.
Autres membres : *Conus gubernator* HWASS 1792, Afrique orientale ; *Conus terminus* LAMARCK 1810, mer Rouge ; *Conus floccatus* SOWERBY 1839, Pacifique central ; *Conus epistomium* REEVE 1844, île Maurice.
CONUS SPECTRUM *L. 1758.* D 65 mm. Inde, est, nord et ouest de l'Australie. Syn. de *Conus pica* A. ADAMS et REEVE 1848. Blanc, taches brunes ou pourpre-brun comme la forme *pica* illustrée ou parfois lignes transversales ondulées des mêmes couleurs.
Autres membres : *Conus adamsonii* BRODERIP 1836, Cône rhododendron, îles Phœnix, un des plus convoités par les collectionneurs; *Conus bullatus* L. 1758, du Pacifique central à l'océan Indien ; *Conus nimbosus* HWASS 1792, nord de l'océan Indien ; *Conus conspersus,* REEVE 1844, Philippines, Australie ; *Conus peronianus* IREDALE 1931, Nouvelle-Galles du Sud.
CONUS ANEMONE *LAMARCK 1810.* D 50 mm. Victoria, sud et ouest de l'Australie. Forme avec bandes, souvent connue comme *Conus novaeholandiae* ADAMS 1854, ouest de l'Australie. Forme et coloration variables, généralement coloré de brun foncé et de bleu pâle mêlés.
CONUS ROSACEUS *DILLWYN 1817. Cône rosé.* D 40 mm. Sud-est de l'Afrique. Beau rouge chez *Conus titianus* HWASS 1792, bande blanche, taches rouge plus foncé.
Autres membres : *Conus singletoni* COTTON 1945 et *Conus segravei* GATLIFF 1891, de Victoria à l'ouest de l'Australie ; *Conus aplustre* REEVE 1843, *Conus wallangra* GARRARD 1961 et *Conus papilliferus* SOWERBY 1834 de la Nouvelle-Galles du Sud ; *Conus compressus* SOWERBY 1866, sud de l'Australie ; *Conus cyanostoma* A. ADAMS 1954 et *Conus coxeni* BRAZIER 1875, Queensland ; *Conus tinianus* HWASS 1792, Afrique du Sud, dont *C. rosaceus* DILLWYN 1817, *C. inflatus* SOWERBY 1833, *C. aurora* LAMARCK 1810 et *C. caffer* KRAUSS 1848 sont des variétés de couleur.
CONUS NUSSATELLA *L. 1758.* D 70 mm. Océans Indien et Pacifique. Lourd pour sa taille, courte spire acuminée. Taches blanc-brun, nombreuses rangées de points et tirets fins brun-rouge alignés horizontalement et verticalement.

Conus spectrum
form *pica*

Conus nussatella

Conus striatus

Conus rosaceus

Conus anemone

Conus quercinus

CONUS TEREBRA *BORN 1780.* D 100 mm. Océan Indien, ouest et centre du Pacifique. Syn. de *Conus clavus* L. 1758. Grand, lourd, base étroite, côtes horizontales. Blanc, 2 bandes pourpres ou jaune pâle, base pourpre, lignes sous-suturales pourpres.
Citons encore : *Conus tendineus* HWASS 1792, Afrique du Sud et ses îles ; *Conus lautus* REEVE 1844, Afrique du Sud ; *Conus luteus* SOWERBY 1833, moitié nord de l'Australie ; *Conus auricomus* HWASS 1792, océan Indien, seul membre à taches triangulaires ; *Conus granulatus* L. 1758, Caraïbes ; *Conus circumcisus* BORN 1778, Inde ; *Conus aurisiacus* L. 1758, Inde.
CONUS TULIPA *L. 1758.* D 60 mm. Du centre du Pacifique à l'Australie. Bleu clair, zones brunes, lignes de petits points bruns. Le seul autre conidé semblable est le *Conus borbonicus* H. ADAMS 1808, de l'île Maurice à la Polynésie française.
CONUS MEDITERRANEUS *HWASS 1792. Cône de Méditerranée.* D 40 mm. Méditerranée, Atlantique est, mer Rouge. Très variable, nombreux synonymes, unique représentant des Cônes en Méditerranée. Renflé ; généralement terne, taches brunes.
CONUS CALIFORNICUS *REEVE 1844.* Côte de Californie. Les 2 espèces en eau relativement froide pour le genre.
CONUS MITRATUS *HWASS 1792.* D 30 mm. De l'océan Indien au Queensland. Effilé, rappelant la forme des Mitridés ; spire très élevée. Brun-jaune, 3 bandes de taches carrées brun foncé.
CONUS GLANS *HWASS 1792.* D 50 mm. Indonésie, Pacifique ouest. Assez variable, généralement solide et tronqué. Blanc strié de pourpre, parfois bandes brun crème, extrémité basale pourpre. Autres membres : *Conus tenuistriatus* SOWERBY 1858, Inde ; *Conus coccineus* GMELIN 1791, magnifique coquillage rouge orange du sud-ouest du Pacifique ; *Conus cylindraceus* BRODERIP et SOWERBY 1830, océans Indien et Pacifique, rare ; *Conus scrabriusculus* DILLWYN 1817, sud-ouest du Pacifique.

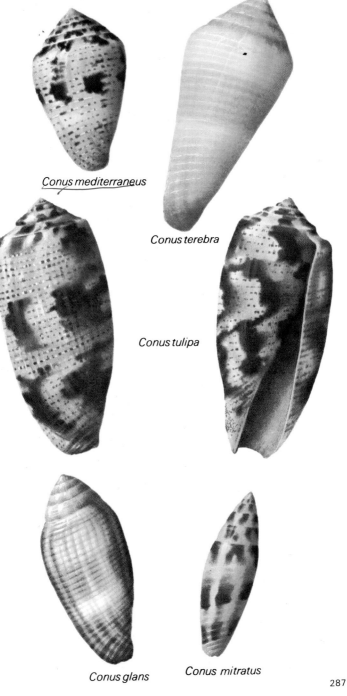

Conus mediterraneus

Conus terebra

Conus tulipa

Conus glans

Conus mitratus

287

CONUS IONE *FULTON 1938.* D 65 mm. Japon. Blanc, rangées de points brun orange, 2 bandes de taches brun orange ; points devenant des lignes à la périphérie et sur la spire.

CONUS SIEBOLDI *REEVE 1848.* D 80 mm. Japon. Plus grand que *C. ione,* plus allongé ; spire caractéristique. Blanc, taches brunes en 1 bande au centre du dernier tour et 1 moins apparente sous la périphérie.

Citons encore : *Conus howelli* IREDALE 1929, Nouvelle-Galles du Sud et *Conus villepinii* FISCHER et BERNARDI 1857, golfe du Mexique.

CONUS CANCELLATUS *HWASS 1792.* D 45 mm. Japon. Légèrement renflé sous la périphérie. Dernier tour blanc, sillon longitudinal sur la spire couvert de taches brunes.

CONUS ACUTANGULUS *LAMARCK 1810.* D 25 mm. Des Philippines à Hawaii. Petit, solide, pointu aux 2 extrémités. Spire égale à environ 1/3 de la longueur de la coquille. Blanc moucheté de brun en bandes longitudinales interrompues.

CONUS SOWERBII *REEVE 1849.* D 30 mm. Philippines. Spire presque aussi longue que le dernier tour. Brun, rangées de points et tirets blancs.

Citons encore : *Conus austini* REHDER et ABBOTT 1951, Amérique centrale ; *Conus kieneri* REEVE 1849, Japon ; *Conus verrucosus* HWASS 1792, Caraïbes.

CONUS ORBIGNYI *AUDOUIN 1831.* D 70 mm. Japon. Petits tubercules à la périphérie, profondément strié. Brun moyen rayé de brun foncé.

Citons encore : *Conus sulatus* HWASS 1792, Asie du Sud-Est ; *Conus australis* HOLTEN 1820, mer de Chine du nord ; *Conus laterculatus* SOWERBY 1870, Australie, Inde.

CONUS DORREENSIS *PERON 1807.* D 25 mm. Ouest de l'Australie. Syn. mieux connu : *Conus pontificalis* LAMARCK 1810. Différent des autres Cônes ; court, tronqué, lourd pour sa taille ; périphérie et spire fortement noduleuses. Extrémité basale et nodules blanc terne, reste vert.

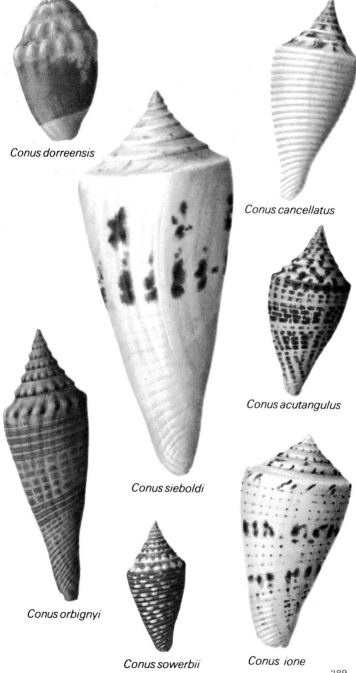

Conus dorreensis

Conus cancellatus

Conus acutangulus

Conus sieboldi

Conus orbignyi

Conus sowerbii

Conus ione

Famille des Térébridés

Les Térèbres comptent environ 150 espèces. Coquille longue et étroite, spire haute et pointue, nombreux tours. Ouverture assez petite, labre continu, habituellement un pli columellaire ; lisse ou couvert de côtes, de sillons ou de nodules ; mince opercule corné ; pas de périostracum. Sur fonds sableux dans les mers tropicales et semi-tropicales. Carnivores. Se déplacent souvent juste sous la surface du sable en laissant une trace bien visible ; le collectionneur devrait normalement trouver l'animal au bout de cette trace. Propre et brillant grâce au sable.

TEREBRA CRENULATA *L. 1758.* D 120 mm. Océans Indien et Pacifique. Petits nodules à la périphérie (environ 15 sur le dernier tour), léger étranglement sous les nodules s'érodant sur les derniers tours, plis transversaux sur les premiers tours faisant place à de fines lignes de croissance sur la partie antérieure. Columelle presque lisse, fasciole courte mais forte. Ivoire, nodules blancs ; 3 ou 4 rangées longitudinales de points brun-rouge sur le dernier tour, 2 sur les autres ; petites stries fines brun-rouge entre les nodules.

TEREBRA SUBULATA *L. 1767.* D 150 mm. Océans Indien et Pacifique. Effilé, quelque 25 tours ; lisse et brillant sauf 2 rangées de petits nodules séparées par un fin sillon immédiatement sous la suture des premiers tours et érodés sur les derniers ainsi que quelques fines lignes de croissance. Columelle retorse, petite fasciole. Crème, 3 rangées longitudinales de taches carrées brun foncé sur le dernier tour, 2 sur les autres.

TEREBRA AREOLATA *LINK 1807.* D 120 mm. Océans Indien et Pacifique. Moins effilé que le précédent ; une vingtaine de tours, les premiers plissés transversalement, les derniers parcourus de légères lignes de croissance. Léger étranglement sous la suture formant une périphérie sur chaque tour et le divisant à plus ou moins 1/3 du haut. Ouverture moins carrée que chez *T. subulata,* fasciole petite mais forte. Crème, 4 rangées longitudinales de taches carrées brunes sur le dernier tour, 3 sur les autres ; taches de la partie antérieure environ 4 fois plus grandes.

TEREBRA DIMIDIATA *L. 1758.* D 120 mm. Océans Indien et Pacifique. Assez solide, lisse, brillant ; une vingtaine de tours, les premiers plissés transversalement, les derniers couverts de fines lignes de croissance. Sillon sous-sutural, ouverture assez allongée, labre légèrement évasé antérieurement ; columelle assez droite, léger pli ; forte fasciole. Rouge orange, nombreuses stries souvent bifides à la partie postérieure.

TEREBRA GUTTATA *RODING 1798.* D 140 mm. Océans Indien et Pacifique. Solide, environ 21 tours ; côte et fin sillon sous la suture des premiers tours faisant place à des tubercules très bas sur les derniers ; une rangée de tubercules à l'extrémité antérieure du dernier tour. Ouverture rectangulaire, faible fasciole. Brun crème, côte des premiers tours et tubercules blancs.

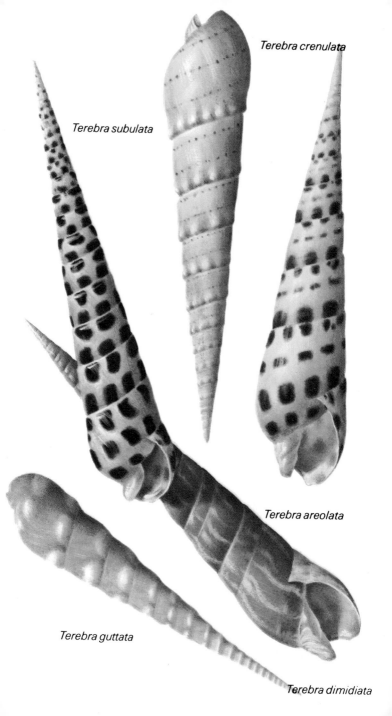

Terebra crenulata

Terebra subulata

Terebra areolata

Terebra guttata

Terebra dimidiata

TEREBRA COMMACULATA *GMELIN 1791.* D 80 mm. Nord et est de l'océan Indien, Pacifique ouest. Long et étroit, 25 tours ou plus ; 2 bandes de nodules sous-suturaux séparées par un étroit sillon, petites côtes longitudinales (environ 18 sur l'avant-dernier tour) ; côtes transversales assez courbes, plus petites, offrant un aspect réticulé. Ouverture rectangulaire, bord pariétal à environ 90º de la columelle. Blanc ; environ 6 flammules transversales rectangulaires brunes par tour sur la partie antérieure, 3 sur une douzaine de tours, absentes au-delà.

TEREBRA VARIEGATA *GRAY 1834.* D 85 mm. Ouest de l'Amérique tropicale. Coquille vigoureuse, martelé ; bande sous-suturale de nodules irréguliers au-dessus de petites côtes transversales légères avec ou sans sillons longitudinaux. Ouverture courbe ; columelle incurvée, 2 plis. Bleu-gris, traits transversaux bruns séparés par une bande blanche parfois visible immédiatement au-dessus de la suture sur les premiers tours ; bande sous-suturale blanche, taches brunes carrées.

TEREBRA MACULATA *L. 1758.* D 250 mm. Océans Indien et Pacifique. Le plus grand des Térèbres, fort, lourd ; environ 18 tours, les premiers plissés transversalement et les derniers lisses sauf lignes de croissance. Ouverture assez large, bord pariétal à environ 120º de la columelle, léger pli columellaire, petite fasciole forte avec rainure centrale. Blanc, bandes longitudinales (environ 5 sur le dernier tour) de taches rectangulaires beige pâle alignées transversalement, 2 bandes longitudinales de taches brun-pourpre irrégulières sur la moitié postérieure de chaque tour visible au-dessus de la suture.

TEREBRA ROBUSTA *HINDS 1844.* D 140 mm. Basse-Californie, Panama, Galapagos. Plus ou moins étroit ; premiers tours avec bande sous-suturale noduleuse, plis transversaux érodés sur les derniers tours et remplacés par de légères stries longitudinales et des lignes de croissance transversales. Ouverture quelque peu rectangulaire, columelle retorse et incurvée. Blanc coloré de crème, quelque 4 rangées longitudinales de taches rectangulaires brun foncé alignées transversalement et pouvant fusionner.

TEREBRA STRIGATA *SOWERBY 1825.* D 120 mm. Golfe de Californie, Galapagos. Solide, lourd ; angle apical large, moins que chez *T. maculata*. Légers plis transversaux onduleux et sillon sous-sutural sur les premiers tours, sillon érodé et plis absents sur les derniers. Fortes lignes de croissance, dernier tour et ouverture allongés, columelle lisse formant un petit angle avec le bord pariétal, fasciole assez rugueuse. Blanc crème, flammules transversales brun foncé.

DUPLICARIA DUPLICATA *L. 1758.* D 90 mm. Océans Indien et Pacifique. Nombreux tours, plis transversaux sur les premiers tours devenant des côtes assez plates sur les derniers parfois légèrement renflés ; sillon sous-sutural bien marqué. Large ouverture, fente étroite et profonde ; columelle légèrement incurvée, fasciole avec forte côte. Variable ; bleu-gris avec zones brunes et courtes stries transversales gris plus foncé comme illustré, brun foncé, orange rosé, crème ou blanc uni, ou des variantes avec d'autres dessins ; généralement assez opaque.

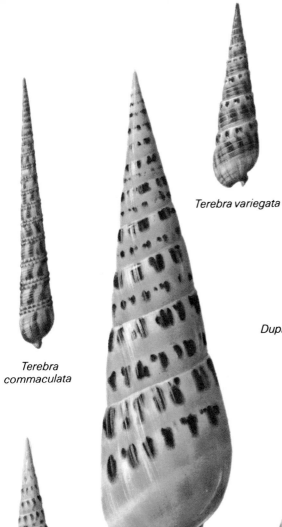

Terebra
commaculata

Terebra variegata

Duplicaria duplicata

Terebra maculata

Terebra robusta

Terebra strigata

TEREBRA MONILIS *QUOY et GAIMARD 1832.* D 50 mm. Pacifique Ouest. Rangée sous-suturale de nodules bordée d'un sillon, reste lisse ; ouverture rectangulaire irrégulière. Beige orange pâle, nodules blancs.

TEREBRA NEBULOSA *SOWERBY 1825.* D 75 mm. Océans Indien et Pacifique. Sillon sous-sutural, sillons axiaux légèrement onduleux et rapprochés, sillons longitudinaux beaucoup plus petits ; ouverture rectangulaire. Blanc, carrés rouge orange irréguliers, bande rouge orange à la partie antérieure du dernier tour.

TEREBRA ORNATA *GRAY 1834.* D 80 mm. Golfe de Californie, Galapagos. Sillon sous-sutural, premiers tours noduleux au-dessus de la suture ; columelle retorse, 2 plis. Brun crème ; rangées longitudinales de carrés brun foncé sur le dernier tour, 2 ou parfois 3 sur les premiers, rangée supérieure entre le sillon et la suture.

TEREBRA FELINA *DILLWYN 1817.* D 90 mm. Océans Indien et Pacifique. Sillon sous-sutural érodé sur les derniers tours comme les fines côtes transversales. Blanc ou crème, rangée de petites taches brunes bien espacées au-dessus de la suture, rangée de petites taches sur la partie antérieure du dernier tour.

TEREBRA SUCCINCTA *GMELIN 1791.* D 30 mm. Pacifique, Indonésie. Sillon sous-sutural, espace intermédiaire noduleux ; côtes transversales, côte basse sur la fasciole. Brun foncé, nodules un peu plus clairs et brillants.

TEREBRA PERTUSA *BORN 1780.* D 75 mm. Océans Indien et Pacifique. Bande sous-suturale noduleuse ; côtes transversales sur les premiers tours, puis érodées ; lignes longitudinales dans les interstices sur les premiers tours, formant des réticulations sur les derniers tours. Jaune pâle à orange, bande suturale blanche, petites stries pourpres entre de nombreux nodules, bande claire à la partie antérieure du dernier tour.

TEREBRA ANILIS *RODING 1798.* D 75 mm. Des Philippines à Samoa. Rangée de gros nodules obliques, rangée sous-suturale de petits nodules, faibles côtes transversales croisées par des sillons longitudinaux (environ 7 sur l'avant-dernier tour). Beige.

DUPLICARIA BERNARDI *DESHAYES 1857.* D 40 mm. Est de l'Australie. Suture fortement dentelée, sillon sous-sutural, côtes transversales. Brun-pourpre à orange, bande blanche sous la suture tour visible juste au-dessus de la suture sur les premiers tours, côtes bleu-blanc spécialement près de la suture.

HASTULA LANCEATA *L. 1767.* D 60 mm. Océans Indien et Pacifique. Effilé et gracieux, côtes transversales érodées antérieurement sur les premiers tours. Ouverture étroite ; columelle concave du côté postérieur, incurvée antérieurement ; faible fasciole. Blanc brillant, fines lignes transversales ondulées brun-rouge interrompues par une bande blanche sur le dernier tour.

HASTULA DIVERSA *E. A. SMITH 1901.* D 30 mm. Pacifique. Côtes transversales. Brun-pourpre à orange, bande blanche sous la suture tachée de brun foncé (8 sur le dernier tour), étroite bande blanche à l'extrémité postérieure du dernier tour.

IMPAGES HECTICA *L. 1758.* D 80 mm. Océans Indien et Pacifique. Lisse, calleux près de la suture, columelle lisse, sillon central sur la fasciole. Blanc ou crème, bande pourpre interrompue sous la suture, columelle brune.

IMPAGES CONFUSA *SMITH* . D 80 mm. Nord et ouest du Pacifique. Lignes de croissance, faibles côtes sous-suturales. Blanc, pourpre ou mélange des 2 ; sur les spécimens pourpres, petite zone blanche tachée de pourpre sous la suture.

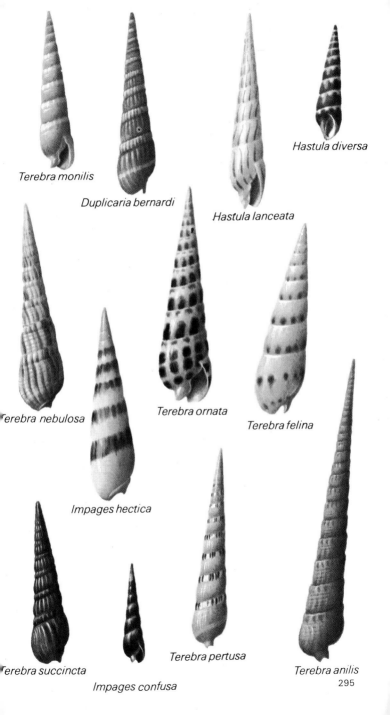

Terebra monilis

Duplicaria bernardi

Hastula diversa

Hastula lanceata

Terebra nebulosa

Terebra ornata

Terebra felina

Impages hectica

Terebra succincta

Impages confusa

Terebra pertusa

Terebra anilis

295

Famille des Turridés

Une des plus grandes familles de mollusques, quelque 1200 espèces. Se trouvent dans les eaux profondes et superficielles. Beaucoup de très petits. Généralement spire turriculée, canal siphonal prolongé, fente ou sinus sur la moitié postérieure du labre. Comme chez les Cônes et les Térèbres, dard pour capturer les proies et leur inoculer le venin.

MICANTAPEX LÜHDORFI *LISCHKE 1872.* D 40 mm. Japon. Spire moyenne, canal siphonal large et court. Nodules arrondis à la périphérie, 1 rangée de plus petits sous la suture, quelque 3 fines côtes longitudinales dans la concavité entre les rangées de nodules. Environ 8 côtes longitudinales plus grandes, de la périphérie au sommet du canal siphonal, environ 12 petites du sommet à l'extrémité du canal siphonal ; sinus à l'extrémité de la côte de la périphérie, labre fin. Brun clair, intérieur et columelle blancs.

TURRIS CRISPA *LAMARCK 1816.* D 150 mm. De Madagascar aux Fidji en passant par l'Inde, le Japon, l'Indonésie, les Philippines et le nord de l'Australie. Spire haute, canal siphonal long ; extrémité postérieure de l'ouverture plus proche de l'extrémité antérieure que de l'apex. Côtes longitudinales de longueurs et de largeurs différentes, celle se terminant au sinus étant plate. Blanc ou crème, traits transversaux brun foncé tendant à s'aligner surtout sur le dernier tour et le canal siphonal ; chez les vieux spécimens traits formant de plus grandes taches ; ouverture blanche. Variable. Par exemple : *Turris crispa variegata* KIENER 1839, Inde ; *Turris crispa yeddoensia* JOUSSEAUME 1883, Japon ; *Turris crispa intricata.*

LOPHIOTOMA ACUTA *PERRY 1811.* D 65 mm. Océans Indien et Pacifique. Syn. de *L. tigrina* LAMARCK 1822. Variable; généralement spire élevée, canal long et droit mais plus court que chez *T. crispa.* Côtes longitudinales, 2 fortes côtes séparées par une étroite rainure à la périphérie, côtes assez grandes de chaque côté de la profonde suture ; périphéries saillantes, autres côtes et cordons généralement petits et granuleux. Sinus à l'extrémité d'une forte côte de la périphérie. Blanc moucheté de petits points brun foncé, proéminents sur les côtes principales, plus petits sur les autres.

THATCHERIA MIRABILIS *ANGAS 1877.* D 100 mm. Japon. Un des coquillages les plus fascinants. Environ 8 tours aux périphéries très anguleuses, petite carène ; grand espace entre la périphérie et la suture légèrement concave, angle sutural proche de 90°. Dernier tour se rétrécissant très fort jusqu'au large canal siphonal ouvert. Ouverture large, labre fin et continu, columelle prolongée et légèrement concave. Lisse sauf cordons longitudinaux très fins et faibles lignes de croissance. Beige rosé à beige, intérieur blanc.

POLYSTIRA ALBIDA *PERRY 1811.* D 100 mm. Golfe du Mexique, Antilles. Spire élevée, canal siphonal long ; fortes côtes et cordons longitudinaux, la plus grande côte à la périphérie terminée par un petit sinus. Blanc, mince périostracum brun.

TURRICOLA JAVANA *L. 1767.* D 75 mm. Nord de l'océan Indien, mer de Chine du sud. Spire haute, parfois canal siphonal retors ; nodules obliques plus longs que larges à la périphérie, 2 petites côtes longitudinales ; forts cordons longitudinaux de la périphérie à l'extrémité du canal siphonal, large sinus de la périphérie à la suture. Beige clair à brun-pourpre foncé, nodules plus clairs.

DRILLIA SUTURALIS *GRAY 1839.* D 35 mm. Asie du Sud-Est. Spire haute, canal siphonal court ; nodules légèrement obliques plus longs que larges à la périphérie. Petite côte sous-suturale ; forts cordons longitudinaux. Brun, nodules et cordons blancs.

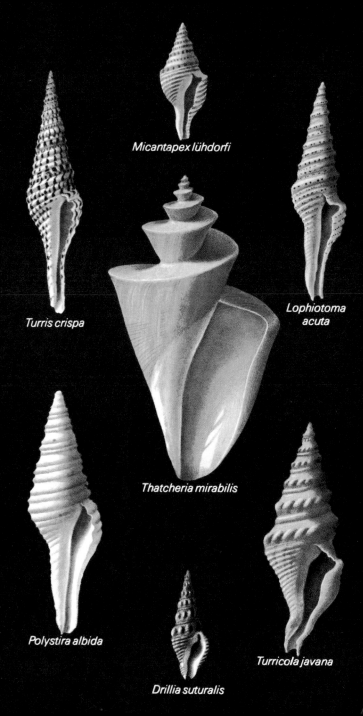

Micantapex lühdorfi

Turris crispa

Lophiotoma acuta

Thatcheria mirabilis

Polystira albida

Drillia suturalis

Turricola javana

Ordre des Céphalaspidés
Famille des Hydatinidés

HYDATINA VELUM *GMELIN 1790.* D 50 mm. Afrique du Sud, île Maurice. Très fragile, spire aplatie ; suture crénelée, fines lignes de croissance, large ouverture, labre fin, columelle lisse et légèrement calleuse. Blanchâtre, 2 très larges bandes longitudinales de lignes brunes obliques et rapprochées, bordées de chaque côté par une ligne brun foncé interrompue.

HYDATINA ALBOCINCTA *VAN DER HOEVEN 1839.* D 60 mm. Océan Indien, Pacifique Ouest. Très mince et fragile, spire concave. Ouverture très large, labre s'étendant au-delà de l'apex, columelle lisse et légèrement calleuse. Blanc ou brun très pâle, 4 larges bandes longitudinales de lignes transversales brunes, bandes parfois bordées de fines lignes brunes sur fond blanc ou blanches sur fond brun.

Famille des Scaphandridés

⬤**SCAPHANDER LIGNARIUS** *L. 1758.* D 70 mm. Méditerranée. Mince, relativement fort, apex enfoncé. Dernier tour étroit du côté de l'apex et plus large sur la partie antérieure, stries longitudinales, fines lignes de croissance. Labre mince, évasé du côté antérieur ; columelle lisse, légèrement calleuse. Brun-jaune pâle.

Famille des Atyidés

Coquille mince, spire profondément enfoncée. Sur fonds sableux.
ATYS CYLINDRICUS *HINDS 1779.* D 30 mm. Océans Indien et Pacifique. Mince, fragile, subcylindrique ; spire enfoncée, labre s'étendant au-delà de l'apex. Dernier tour lisse au milieu, strié longitudinalement aux extrémités ; fines lignes de croissance. Ouverture étroite du côté postérieur et large antérieurement ; labre mince, columelle lisse. Blanc translucide ou brun très clair.

Famille des Bullidés

Apparentés aux Atyidés ; ombilic profond, étroit à l'apex. Aussi sur fonds sableux.
BULLA AMPULLA *L. 1758.* D 60 mm. Océans Indien et Pacifique. Mince, relativement solide, globuleux, dernier tour renflé. Labre continu s'étendant au-delà de l'apex, légèrement étranglé au centre et développé antérieurement. Columelle en S renversé, lisse, légèrement calleuse. Crème, taches brun-pourpre foncé ; marbrures brun clair, quelquefois 2 bandes longitudinales.
⬤**BULLA STRIATA** *BRUGUIERE 1792.* D 30 mm. Méditerranée. Mince, délicat, assez étroit ; ouverture étroite postérieurement, large antérieurement. Stries longitudinales aux extrémités du dernier tour lisse au centre sauf fines lignes de croissance. Labre fin, légèrement étranglé au centre, s'étendant au-delà de l'apex ; columelle lisse, finement calleuse. Brun-gris, ponctuations et tirets plus foncés, ouverture et callosité columellaire blanches.
BULLA PUNCTULATA *A. ADAMS 1850.* D 30 mm. Pacifique. Semblable à *B. ampulla ;* plus petit, plus cylindrique. Crème, zones brunes ou grises surtout concentrées en 2 à 4 bandes longitudinales souvent couvertes de petites taches carrées brun foncé à gauche et bordées à droite de taches blanches, ouverture et callosité columellaire blanches.

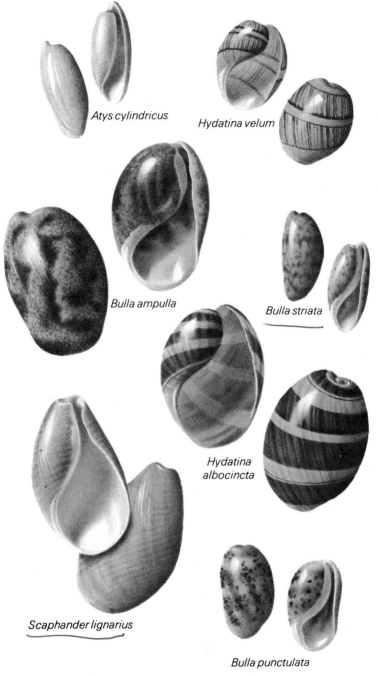

Atys cylindricus

Hydatina velum

Bulla ampulla

Bulla striata

Hydatina albocincta

Scaphander lignarius

Bulla punctulata

CLASSE DES BIVALVES

Anciennement appelés lamellibranches ou pélécypodes. Mollusques pourvus de 2 coquilles ou valves. Les exemples cités ici vous donneront une idée de la variété de formes, de dimensions et de coloris offerts par cette classe.

Famille des Pinnidés

Grand, fragile. Sur fonds sableux ou vaseux, fixé au substrat par une série de filaments (le byssus). La plupart allongés, comme illustré, d'autres plus arrondis.
PINNA INCURVA *GMELIN 1791.* D 300 mm. Nord-est de l'océan Indien, mer de Chine du sud jusqu'au nord de l'Australie. Mince, fragile, translucide. Couche intérieure de la coquille partiellement nacrée.

Famille des Isognomonidés

Coquille aplatie. Charnière avec rangées de petits orifices où sont insérés les ligaments. Océans Indien, Pacifique et Atlantique.
ISOGNOMON ISOGNOMUM *L. 1758.* D 120 mm. Océans Indien et Pacifique. Valves très plates, très variable. Bleu-gris souvent couvert de concrétions calcaires, intérieur blanc perle. Fortement fixé par le byssus à des racines de palétuvier, à du corail, etc.

Famille des Ptériidés

Aplati, fragile, charnière prolongée dans les 2 sens. Intérieur perlé. Comestible, produisant rarement des perles ; l'huître perlière appartient à cette famille. Régions tropicales à tempérées. Fixé au substrat.
PTERIA LEVANTI *DUNKER* . D 80 mm. Océans Indien et Pacifique. Assez renflé du côté ventral, bord très fragile, forme d'oiseau. Brun clair, mince périostracum.

Famille des Arcidés

Arches généralement oblongues ; charnière longue et droite, très nombreuses petites dents fines ; crochets courbés et séparés. La plupart fixés par un byssus. Dans le monde entier, comestibles.
TRISIDOS TORTUOSA *L. 1758.* D 120 mm. Océans Indien et Pacifique. Bizarre et intéressant, tordu en sorte que ses extrémités se trouvent à 90° l'une de l'autre. Nombreux et fins cordons radiaires. Blanc.
ANADARA MACULOSA *REEVE* . D 60 mm. Océans Indien et Pacifique. Plus normal, solide, fortes côtes, périostracum épais.

Famille des Glycyméridés

Solide, assez arrondi, 2 valves égales, intérieur translucide. Nombreuses dents sur la charnière incurvée, les plus grandes sur les côtés ; périostracum épais, pas de byssus. Dans le monde entier, généralement comestible.
GLYCYMERIS GLYCYMERIS *L. 1758.* D jusqu'à 60 mm. Côtes d'Europe. Sculpture radiaire peu distincte. Crème, taches brun-rouge souvent en zigzag ; variable.

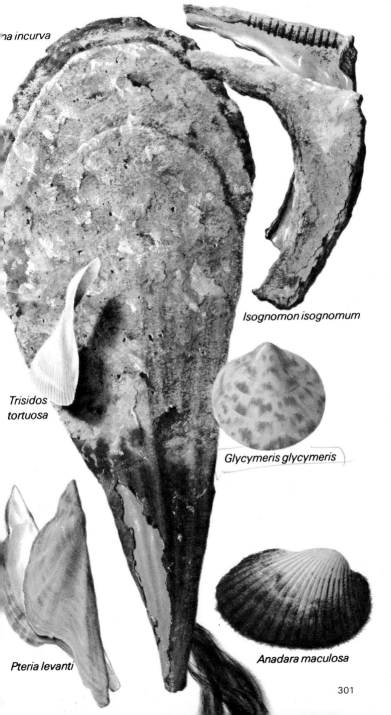

na incurva

Isognomon isognomum

Trisidos tortuosa

Glycymeris glycymeris

Pteria levanti

Anadara maculosa

301

Famille des Pectinidés

Nombreuses espèces de peignes, généralement très colorées. Habituellement régulier, valve droite convexe et gauche plate ou légèrement concave, ou plus ou moins équivalve. Généralement côtes radiaires, parfois petites épines. Crochet avec « oreille » de chaque côté, la plus grande antérieurement. Dans le monde entier, certains très appréciés des gourmets. Parmi les mollusques le plus souvent représentés, connus dans le monde entier par le symbole de la Royal Dutch/Shell. Nageant, apparemment au hasard, en ouvrant et refermant rapidement les valves, surtout pour échapper au principal ennemi, l'Etoile de mer.

DECATOPECTEN STRIATUS *SCHUMACHER* D 25 mm.
Océans Indien et Pacifique. Solide, renflé, légèrement triangulaire ; 5 côtes assez grandes, nombreux cordons fins, oreilles inégales. Blanc généralement taché de brun-rose.

PECTEN TRANQUEBARICUS *GMELIN 1790.* D 40 mm. Mer de Chine du sud. Environ 20 côtes radiaires, oreilles inégales. Blanc, parfois zones rouges, bandes noires irrégulières généralement horizontales.

CHLAMYS SWIFTI *BERNARDI 1858.* D 100 mm. Pacifique Nord. Grand et solide, 5 larges côtes noduleuses aux intersections, grosses côtes concentriques, fines petites côtes radiaires, un peu renflé, oreilles inégales, fixé par le byssus. Valve gauche souvent teintée de rouge-pourpre, nodules plus foncés, valve droite beaucoup plus pâle ou blanche rayée de rose.

● **AEQUIPECTEN OPERCULARIS** *L. 1758.* D 80 mm. Europe. Très arrondi, environ 20 côtes, oreillettes égales. Variable : jaune, orange, brun, rouge, rose ou pourpre souvent couvert de taches. Largement consommé.

Famille des Limidés

Coquilles épineuses généralement ovales et quelque peu comprimées. Côté antérieur plus droit, oreillette plus petite ; côté postérieur plus arrondi, valves généralement ouvertes ; côtes radiaires. Blanc. Nageant assez rapidement en ouvrant et refermant les valves et en utilisant les longs tentacules du bord du manteau.

LIMA SOWERBYI *DESHAYES* . D 40 mm. Océans Indien et Pacifique. Environ 20 côtes radiaires squameuses. Blanc.

Famille des Mytilidés

Moules généralement assez allongées, ovales ou légèrement triangulaires. Coquille mince ; valves égales et renflées, périostracum épais ; intérieur nacré. Dans le monde entier, généralement fixées par le byssus à un rocher ou autre matière dure, souvent par grappes. Certaines creusent les roches meubles ou le corail, d'autres des roches calcaires très dures. Certaines espèces consommées.

MYTILUS EDULIS *L. 1758.* D 60-70 mm. Sur toutes les côtes.

LITHOPHAGA TERES *PHILIPPI* . D 60 mm. Océans Indien et Pacifique. Coquille mince et fragile, creusant la roche et le corail ; assez cylindrique, crochets proches de l'extrémité antérieure. Blanc, périostracum brun foncé.

PERNA VIRIDIS *L.* D 50 mm. Mer de Chine Méridionale. Solide. Périostracum vert profond, un peu plus clair près des crochets où transparaît le blanc de la coquille. Consommé en Thaïlande.

MYTILUS PERNA *L. 1758.* D 70 mm. Est de l'Afrique du Sud. Commun, crochets pointus et légèrement tournés vers le bas. Brun-pourpre, intérieur bleu ou jaune.

:catopecten striatus

Pecten tranquebaricus

Lima sowerbyi

Chlamys swifti

Lithophaga teres

Aequipecten opercularis

Mytilus perna

Perna viridis

303

Famille des Cardiidés

Coques généralement ovales et presque globuleuses ; côtes radiaires, parfois lamelles ou épines courtes. Charnière avec 2 dents centrales et généralement 1 ou 2 dents de chaque côté. Très actives, se déplaçant grâce à leur pied long et fort. Dans le monde entier ; comme d'autres Bivalves fouisseurs servant de nourriture à de nombreux prédateurs (homme, autres mollusques, poissons, étoiles de mer et oiseaux).

DISCORS LYRATUM *SOWERBY 1841.* D 50 mm. Océans Indien et Pacifique. Solide, renflé ; sculpture inhabituelle faite de petites côtes radiaires plus fortes postérieurement et de côtes obliques uniquement sur la moitié antérieure. Coloration également inhabituelle : périostracum pourpre-rouge, taches blanches près des crochets blancs, intérieur blanc et jaune, région de l'umbo rose.

CARDIUM COSTATUM *L. 1758.* D 100 mm. Ouest de l'Afrique. Environ 10 côtes radiaires fortes, creuses, saillantes ; extrémité postérieure (le corselet) assez aplatie, ouverte, petites côtes rugueuses. Blanc ou blanc cassé, brun ou orange entre les côtes près de l'umbo.

CERASTODERMA EDULE *L. 1758.* D 60 mm. Europe. Valves égales, environ 25 côtes, fortes lignes de croissance. Jaune-blanc à orange brunâtre, parfois anneaux plus foncés. Recherché par l'homme, les oiseaux et les poissons pour sa chair.

Famille des Glossidés

En forme de cœur, crochets enroulés en spirale et tournés vers le côté antérieur.

MEIOCARDIA MOLTKIANA *GMELIN 1791.* D 40 mm. Pacifique. Beau et délicat, carène du crochet à l'extrémité postérieure, petits sillons concentriques en face de la carène. Blanc crème.

Famille des Spondylidés

Environ 100 espèces de Spondyles, peut-être les Bivalves les plus populaires chez les collectionneurs. Côtes radiaires, généralement épines plus ou moins longues, spatulées ou pointues. Soudés au substrat par la valve droite fortement convexe, la gauche généralement plus plate. Oreilles petites ou érodées, pas de byssus.

SPONDYLUS REGIUS *L. 1758.* D 200 mm. Japon, Sud-est asiatique. Un des plus beaux Spondyles ; valves presque égales, 7 fortes côtes radiaires saillantes avec longues épines fortes, petites côtes entre les grandes. Rose, épines plus claires.

SPONDYLUS BARBATUS *REEVE 1856.* D 70 mm. Japon, Sud-Est asiatique. Côtes radiaires, quelques épines spatulées ; valve droite plate ou légèrement concave. Variable, généralement rouge-pourpre taché de rose et de rouge profond près des crochets ou rose-mauve comme illustré.

Famille des Ostréidés

Nombreuses espèces d'huîtres, la plupart comestibles, répandues dans le monde entier. Coquille souvent lourde, forte, terne.

OSTREA EDULIS *L. 1758.* D 70-80 mm. Huitre plate. Sur les côtes d'Europe.

LOPHA CRISTAGALLI *L. 1758.* D 70 mm. Océans Indien et Pacifique. Bord de la coquille en zigzag, surface rugueuse. Pourpre terne. Solidement soudé au substrat comme illustré.

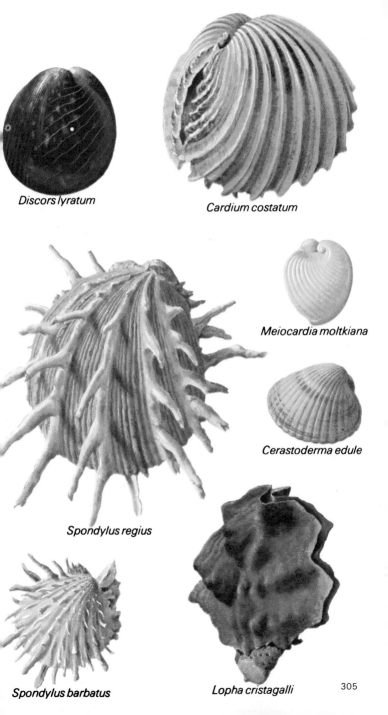

Discors lyratum

Cardium costatum

Meiocardia moltkiana

Cerastoderma edule

Spondylus regius

Spondylus barbatus

Lopha cristagalli

305

Famille des Vénéridés

Grande famille des vénus, répandues dans le monde entier. Forte coquille souvent très colorée, équivalve, crochets plus ou moins centraux tournés vers l'avant et vers l'intérieur. Généralement sous la surface sédimentaire. Nombreuses espèces consommées.

HYSTEROCONCHA LUPANARIA *LESSON 1830.* D 80 mm. Ouest de l'Amérique tropicale. Un des plus extraordinaires de la famille. Rangée de fortes épines de taille croissante du crochet au bord postérieur de la coquille sur les 2 valves, côtes concentriques acérées en face des épines, corselet lisse. Gris taché de pourpre à la base des épines, stries radiaires pourpres près du bord postérieur.

CHIONE PAPHIA *L.* . D 40 mm. Caraïbes. 10 fortes côtes concentriques séparées par de profondes rainures du côté du crochet. Côtes réduites à de fins bourrelets sur la partie arrière de la coquille. Blanc cassé ou crème, zigzags brun-rouge, marque brun foncé.

PAPHIA AMABILIS *PHILIPPI* . D 75 mm. Océans Indien et Pacifique. Assez allongé, concave en face des crochets, côtes concentriques rapprochées. Crème, fins zigzags brun clair, 4 stries radiaires brun foncé.

LIOCONCHA CASTRENSIS *L. 1758.* D 40 mm. Océans Indien et Pacifique. Solide, renflé, arrondi, lisse sauf stries d'accroissement. Crème, zones grises, zigzags brun foncé à noir.

ANOMALODISCUS SQUAMOSUS *L. 1758.* D 30 mm. Océans Indien et Pacifique. Renflé, prolongé postérieurement jusqu'au crochet ; côtes radiaires, fortes côtes concentriques, bords fortement crénelés. Blanc, zones jaunes ou brun-jaune.

Famille des Tridacnidés

(6) espèces de bénitiers, océans Indien et Pacifique.

TRIDACNA GIGAS *L. 1758* (non illustré). Le plus grand mollusque à coquille actuel pouvant atteindre 1 350 mm pour un poids de 260 kg. Souvent encastré dans les rochers et le corail. Manteau très coloré de bleu, vert et jaune.

HIPPOPUS HIPPOPUS *L. 1758.* D 300 mm. Equivalve, triangulaire, forte carène de l'umbo au bord antérieur. Quelques larges côtes radiaires basses et fortes séparées par de petites côtes serrées, quelques petites écailles sur les côtes ; large partie costulée en face de la carène. Généralement aplati et concave près des crochets, bord ventral fortement ondulé, très petit orifice byssal. Blanc crème taché de brun-pourpre et de blanc.

TRIDACNA SQUAMOSA *LAMARCK 1819.* D 300 mm. Equivalve, allongé ; environ 5 fortes côtes radiaires basses et arrondies avec écailles cannelées et incurvées de taille croissante à partir du crochet, grand orifice byssal caractéristique. Blanc jaunissant vers le bord.

Chione paphia

Hysteroconcha lupanaria

Lioconcha castrensis

Paphia amabilis

Hippopus hippopus

Tridacna squamosa

Anomalodiscus squamosus

GLOSSUS HUMANUS *L. 1758.* Equivalve, solide, pas lourd, très renflé ; crochets ne se touchant pas, enroulés vers l'avant, l'extérieur et le bas comme des cornes. Blanc cassé, épais périostracum brun ou vert foncé.

Famille des Mactridés

Mactres à coquille généralement mince, lisse et légère. Chez la plupart ligament inséré dans fossette triangulaire de la charnière. Souvent enfouies dans le sable. Comestibles, moins savoureuses que la plupart des autres Bivalves.

SPISULA ELLIPTICA *BROWN 1827.* D 30 mm. Nord-est de l'Atlantique. Equivalve, ovale, solide, lisse sauf lignes de croissance. Blanc sale parfois teinté de bleu, de vert ou de jaune en anneaux concentriques. Sur fonds sableux et caillouteux.

Famille des Lucinidés

Généralement circulaire, coquille mince. Blanc prédominant. Dans le monde entier.

CODAKIA ORBICULARIS *L. 1758.* D 90 mm. Sud-est des Etats-Unis, Antilles. Presque circulaire, lisse près des crochets, ornementation réticulée ailleurs. Blanc, intérieur teinté de jaune pâle et souvent de rose près de la charnière.

Famille des Tellinidés

Coquille mince, assez plate ; extrémité postérieure souvent légèrement retorse à droite. Creusant profondément et rapidement le substrat. Souvent très coloré.

TELLINA RADIATA *L. 1758.* D 100 mm. Sud-est des Etats-Unis, Antilles. Allongé, lisse, brillant ; légères lignes de croissance, sillon peu profond du crochet à la partie postérieure. Blanc, parfois raies rose-rouge ou jaunes et/ou bandes concentriques, extrémité des crochets rouge, intérieur parfois teinté de jaune.

TELLINA ROSTRATA *L.   .* D 80 mm. Malaisie. Allongé, aplati, fortement tordu postérieurement, pointe postérieure ; fines côtes concentriques, obliques du côté postérieur ; basse côte épineuse sur chaque valve, sillon plat sous chaque côte postérieure. Blanc.

Famille des Donacidés

Généralement triangulaire, assez solide, assez semblable aux Tellinidés. Dans le monde entier.

DONAX VITTATUS *DA COSTA 1778.* D 40 mm. De la Norvège à la Méditerranée. Triangulaire, lisse, brillant, un peu renflé ; très fines lignes de croissance. Bord interne pourvu de dents fortes mais fines. Brun, brun-pourpre ou jaune généralement rayé de blanc, intérieur essentiellement pourpre.

DONAX SERRA *RODING 1798.* D 65 mm. Afrique du Sud. Extrémité postérieure tronquée, côtes concentriques ondulées ; ailleurs lisse, fines lignes de croissance, très fins sillons radiaires ; bord interne dentelé. Brun-pourpre, jaune-brun ou blanc ; étroites bandes concentriques plus foncées ; intérieur pourpre et/ou blanc.

Spisula elliptica

Glossus humanus

Tellina radiata

Codakia orbicularis

Tellina rostrata

Donax vittatus

Donax serra

309

Famille des Solécurtidés

Rectangulaire, ouvert aux 2 extrémités, assez semblable aux Tellinidés.

● **SOLECURTUS STRIGILATUS** *L. 1758.* D 150 mm. Méditerranée, du Portugal au Sénégal. Renflé, fortes lignes de croissance, fines stries obliques. Beige pâle légèrement teinté de rose, quelques raies pâles, intérieur blanc teinté de rose sur les bords.

Famille des Solénidés

Couteaux longs, étroits, ouverts de chaque côté et s'enfonçant de quelques dizaines de cm sous le sable. Dans le monde entier, nombreuses espèces consommées.

● **SOLEN MARGINATUS** *PULTENEY 1799.* D 130 mm. Du nord de l'Europe au Maroc. Droit, extrémités carrées, fortement ouvert de chaque côté ; lignes de croissance, plus rugueuses du côté postérieur ; crochet antérieur, sillon juste à l'intérieur du bord antérieur. Beige pâle. Sur l'illustration partie du périostracum encore attachée à la coquille.

Famille des Pholadidés

Mollusques perforants appelés Pholades. Coquille fragile ouverte aux 2 extrémités, côtes antérieures semblables à des limes permettant de creuser la roche, crochets cachés par le bord de la coquille retourné. Chaque valve pourvue d'une excroissance droite ou en cuiller sous le crochet, muscles maintenant les valves (fonction remplie par le ligament chez presque tous les autres Bivalves) et protégés par un nombre variable de plaques.

CYRTOPLEURA COSTATA *L. 1758.* D 200 mm. Est de l'Amérique du Nord, Antilles. Le plus grand de la famille. Allongé, assez fragile ; fortes côtes radiaires, épines courtes plus fortes antérieurement ; côtes apparaissant à l'intérieur comme des sillons, renfoncement à l'emplacement des épines. L'illustration montre l'excroissance en forme de cuiller et une des plaques.

Famille des Clavagellidés

Arrosoirs à coquille juvénile semblable à un petit Bivalve, puis formant un tube enfoncé dans le sable ou la vase et dont la base est percée de petits trous. Valves visibles sur l'illustration.

PENICILLUS PENIS *L. 1758.* D 200 mm. Océans Indien et Pacifique. Lisse, lignes de croissance peu apparentes, non couvert de débris ou corps étrangers ; base en dôme entourée par une fine frange plate de nombreux petits tubes fins, étroite fente centrale à la base, fins sillons ; coquille allongée située juste au-dessus de la frange. Blanc à gris pâle.

PENICILLUS CUMINGIANUM D 120 mm. Australie. Tube un peu irrégulier, non conique, légèrement évasé au sommet ; lignes de croissance très visibles, festons aplatis sur le 1/3 supérieur. Petits corps étrangers adhérant sur les 2/3 inférieurs, morceaux plus gros sur la base ; base rugueuse formée d'excroissances tubulaires assez larges en une frange, valves presque de même dimension et larges au sommet enfoncées près de la base du tube (voir illustration). Franges blanches, base des tubes brun orange, coquille blanche.

Solecurtus strigillatus

Penicillus penis

Solen marginatus

Penicillus cumingianun

Cyrtopleura costata

CLASSE DES CÉPHALOPODES

On y trouve la Pieuvre, la Seiche, la Spirule, le Calmar et le Nautile, tous carnivores.

NAUTILUS POMPILIUS *L. 1758.* D 200 mm. Océans Indien et Pacifique. Coquille enroulée en spirale plate, 2 ombilics fermés ; grande ouverture, intérieur nacré ; lisse sauf lignes de croissance, mince callosité noire face à l'ouverture. Blanc ou crème, bandes radiaires brun-rouge rétrécissant vers la région ombilicale. D'autres espèces beaucoup plus rares et très semblables, ombilic plus ou moins profond. Intérieur des Nautiles divisé en un certain nombre de loges servant de flotteurs pour changer de profondeur.

ARGONAUTA HIANS *DILLWYN 1817.* D 75 mm. Toutes les mers chaudes. Très mince, fragile ; spirale plane, sans ombilic ; côtes radiaires, périphéries anguleuses, 2 rangées de tubercules de chaque côté d'une périphérie plate et lisse. Brun, nodules plus foncés pâlissant près de l'ouverture.

La femelle des Argonautes produit une coquille légère non compartimentée dans laquelle elle dépose et abrite ses œufs. Il existe d'autres espèces, comme l'Argonaute commun *Argonauta argo* L. 1758, 300 mm., et *Argonauta nodosa* LIGHTFOOT 1786, 125 mm., tous deux blancs.

SPIRULA SPIRULA *L. 1758.* D 35 mm. Toutes les mers chaudes. Coquille enroulée lâchement, divisée en loges comme chez les Nautiles, presque complètement interne comme chez les Calmars, très finement réticulée. Blanc, intérieur nacré.

CLASSE DES SCAPHOPODES

Dentales à coquille tubulaire creuse, ouverte aux 2 extrémités, souvent fente à l'extrémité étroite. Certains très petits, la plupart blancs. A peu près partout dans le monde, se nourrissant de protozoaires.

DENTALIUM ELEPHANTINUM *L. 1758.* D 80 mm. Océans Indien et Pacifique. Environ 9 fortes côtes longitudinales ; rayures vertes, plus foncées à l'extrémité la plus large ; labre blanc.

DENTALIUM VERNEDEI *SOWERBY* . D 120 mm. Japon. Fins cordons longitudinaux serrés. Blanc irrégulièrement rayé de jaune clair ou de brun.

CLASSE DES AMPHINEURES

Chitons presque tous ovales et aplatis, assez semblables à des cloportes. Environ 8 plaques se recouvrant, maintenues par une large ceinture. Sur des rochers et autres surfaces dures, végétariens. Environ 550 espèces. Sur l'illustration un exemple typique. Le plus grand Chiton, *Amicula stelleri* MIDDENDORFF 1847, ouest de l'Amérique du Nord, peut atteindre 250 mm.

CLASSE DES MONOPLACOPHORES

Mollusques les plus primitifs. Pas d'yeux ni de tentacules, corps segmenté contrairement aux autres Mollusques. Coquille fragile semblable à une Patelle, un certain nombre de cicatrices musculaires jumelées à l'intérieur. Apex proche de l'extrémité antérieure, fines côtes concentriques irrégulières. Connus comme fossiles jusqu'en 1950, trouvés uniquement en eau très profonde. Sur l'illustration, intérieur de la coquille de *Neopilina adenensis* TEBBLE

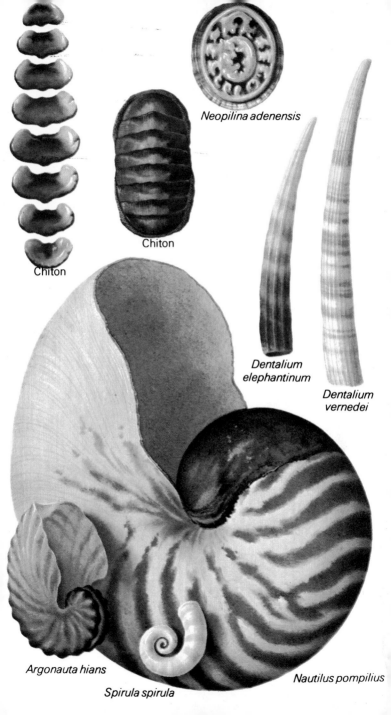

Chiton

Chiton

Neopilina adenensis

Chiton

Dentalium elephantinum

Dentalium vernedei

Argonauta hians

Spirula spirula

Nautilus pompilius

Index

Les chiffres en italique renvoient aux illustrations.

318

Bibliographie

GENERALITES

Abbott, R. Tucker :
— **How to Collect Shells,** American Malacological Union, New York, 1966
Buchsbaum, R. et Milnes, L.J. :
— **Les invertébrés vivants du monde,** Hachette, Paris, 1966
Chenu, Jean-Charles :
— **Manuel de conchyliologie et de paléontologie,** Paris, 1859
Chopard, Lucien :
— **Le mimétisme,** Payot, Paris, 1949
Dance, S. Peter :
— **Rare Shells,** Faber & Faber, London, 1969
Fischer, Paul :
— **Manuel de Conchyologie,** Paris, 1887
Fischer, P.-H. :
— **Vie et mœurs des mollusques,** Payot, Paris, 1950
Germain, Louis :
— **La faune des lacs, des étangs et des marais,** Lechevallier, Paris,
— **Le dictionnaire en couleurs des animaux,** Elsevier Séquoia, Bruxelles, 1974
Locard, Arnould :
— **Histoire des coquillages,** Ed. Alfred Cattier, Tours, 1889
Pesson, Paul :
— **La vie amoureuse des animaux invertébrés,** Hachette, Paris, 1965
Pieron, H. :
— **Psychologie zoologique,** Paris 1941
Purchon, R.D. :
— **The Biology of Mollusca,** Pergamon Press, London, 1968
Saul, M. :
— **Shells, Country Life,** London, 1974
— **Tous les animaux de l'Univers,** Elsevier Séquoia, Bruxelles, 1974

FAMILLES

Burgess, C.M. :
— **The Living Cowries,** Thomas Yoseloff Ltd, London, 1970
Clover, P.W. :
— **A Catalog of Popular Marginella Species,** P.W. Clover, New York, 1968
Mars, J.A. et Rippingale, O.H. :
— **Cone Shells of the World,** The Jacaranda Press, Austria, 1968
Weaver, C.S. et du Pont, J.E. :
— **Living Volutes,** Delaware Museum of Natural History, 1970
Zeigler, R.F. et Porreca, H.C. :
— **Olive Shells of the World,** privately published, 1969

REGIONS

Abbott, R.T. :
— **American Seashells,** Van Nostrand Reinhold Co. Ltd, New York, 1955
Abbott, R.T. (ed) :
— **Indo-Pacific Mollusca,** Delaware Museum of Natural History, 1959 - current
Boss, K.J (ed) :
— **Johnsonia Monographs of the Marine Mollusca of the Western Atlantic,** Museum of Comparative Zoology, Harvard University, Massachusetts, 1941 - current
Habe, T. :
— **Shells of the Western Pacific in Color Vol II,** Hoikusha, Osaka, 1964
Hinton, A.G. :
— **Shells of New Guinea and the Central Indo-Pacific.** Robert Brown and Associates Pty, Port Moresby, New Guinea and The Jacaranda Press, Australia, 1972
Keen, A.M. et Mc Lean, J.H. :
— **Marine Shells of Tropical West America,** Stanford University Press, California, 1971
Kennelly, D.H. :
— **Marine Shells of Southern Africa,** Thomas Nelson and Son (Africa) Pty Ltd, Johannesburg, 1964
Kensley, B. :
— **Seashells of Southern Africa — Gastropods,** South African Museum Publications, Maskew Miller Ltd, Cape Town, 1973
Kira, T. :
— Shells of the Western Pacific in Color Vol. I, Hoikusha, Osaka, 1962
Mc Millan, N.F. :
— **British Shells,** Frederick Warne and Co. Ltd, London, 1968
Nicklès, M. :
— **Mollusques testacés marins de la côte occidentale d'Afrique,** Paul Lechevalier, Paris, 1950
Nordsiek, Dr F. :
— **Die Europäischen Meeres-Gehäuseschnecken vom Eismeer bis Kapverden und Mittelmeer,** (Prosobranchia), Gustav Fischer Verlag, Stuttgart, 1968
Nordsiek, Dr F. :
— **Die Europäischen Meeremuscheln vom Eismeer bis Kapverden, Mittelmeer und Schwarzes Meer,** (Bivalvia), Gustav Fischer Verlag, Stuttgart, 1969
Powell, A.W.B. :
— **Shells of New Zealand,** Whitcombe and Tombs Ltd, Welington, 1957, 1961
Rios, E.C. :
— **Coastal Brazilian Seashells,** Fundaçâo Cidade do Rio Grande, Museu Oceanografico do Rio Grande, Brazil, 1970
Salvat, Bernard :
— **Coquillages de Polynésie,** Edipac, Papeete, 1974
Tebble, T. :
— **British Bivalve Seashells,** Trustees of the British Museum (Natural History), London, 1966
Warmke, G.L. et Abbott, R.T. :
— **Caribbean Seashells,** Livingston Publishing Co., Pennsylvania, 1961
Wilson, B.R. et Gillett, K. :
— **Australian Shells,** A.H. et A.W. Reed, Sydney, 1971

REVUES

— **Hawaiian Shell News, Hawaiian Malacological Society,** P.O. Box 10391, Honolulu, Hawaï
— **Journal of Conchology, Conchological Society of Great Britain and Ireland,** London, England.
— **The Veliger North Californian Malacozoological Club,** Berkeley California.

Table des matières

Les multiguides Elsevier ont réponse à tout.
Plus de 100 volumes en préparation!

Tout ce que votre mère ne vous a pas dit

par le docteur Richard Sand
Un gynécologue averti a conçu pour toutes les femmes ce guide
parfaitement clair de leur vie intime, complété d'un manuel pratique
sur la contraception et d'un dossier sur l'avortement.
Un multiguide santé de 264 pages/S1

Restez jeune 20 ans de plus

par le docteur Peter Steincrohn
Le plus consulté des médecins vous dit ce qu'il faut faire
pour ne pas vous suicider lentement, pour résoudre efficacement
vos problèmes de santé, pour allonger votre vie de dix ou vingt ans.
Un multiguide santé de 216 pages/S2

Eduquez vos parents

par les docteurs Stanley Gold et Peter Eisen
Une méthode à la fois simple et révolutionnaire pour mieux écouter
et comprendre nos enfants, afin qu'ils nous apprennent,
grâce aux auteurs, comment les élever, de la naissance à l'adolescence,
avec bon sens et brio.
Un multiguide famille de 216 pages/F1

Triomphez dans la jungle des cadres

par Irwin Rodman
Comment réussir en dépit des pièges et des fauves du monde
des affaires? Un psychologue doublé d'un humoriste vous apprend
à identifier le gibier, à mieux le connaître, pour mieux le traquer
ou le domestiquer.
Un multiguide cadres de 264 pages/C1

Tous les oiseaux d'Europe en couleurs

par Bertel Bruun et Arthur Singer
Grâce à plus de 2000 illustrations et croquis en couleurs,
vous saurez où les observer et comment les identifier avec précision,
pour enfin les connaître et les reconnaître.
Un multiguide nature de 320 pages – 450 cartes de dispersion –
516 espèces décrites – 2000 illustrations et croquis/N1